KU-337-880

Ulrich Berner / Reinhard Feldmeier
Bernhard Heininger / Rainer Hirsch-Luipold

PLUTARCH

IST „LEBE IM VERBORGENEN“ EINE GUTE LEBENSREGEL?

SAPERE

Scripta Antiquitatis Posterioris
ad Ethicam REligionemque pertinentia

Schriften der späteren Antike
zu ethischen und religiösen Fragen

BAND I

PLUTARCH

ΕΙ ΚΑΛΩΣ ΕΙΡΗΤΑΙ ΤΟ ΛΑΘΕ ΒΙΩΣΑΣ

IST „LEBE IM VERBORGENEN“ EINE GUTE LEBENSREGEL?

Eingeleitet, übersetzt
und mit interpretierenden Essays versehen von
Ulrich Berner, Reinhard Feldmeier
Bernhard Heininger und Rainer Hirsch-Luipold

Wissenschaftliche Buchgesellschaft
Darmstadt

Einbandgestaltung: Neil McBeath, Stuttgart.

Die Deutsche Bibliothek – CIP-Einheitsaufnahme
Ein Titelsatz für diese Publikation ist bei
Der Deutschen Bibliothek erhältlich

Gedruckt auf säurefreiem und alterungsbeständigem Papier
Printed in Germany

Besuchen Sie uns im Internet: www.wbg-darmstadt.de

ISBN 3-534-14944-0

Inhalt

SAPERE

Griechische und lateinische Texte des späteren Altertums (1.-4. Jh. n. Chr.) standen lange Zeit gegenüber den sogenannten 'klassischen' Epochen (5.-4. Jh. v. Chr. in der griechischen, 1. Jh. v. - 1. Jh. n. Chr. in der lateinischen Literatur) eher im Schatten. Dabei brachten die ersten vier nachchristlichen Jahrhunderte in beiden Sprachen eine Fülle von Werken hervor, die auch heute noch von großem Interesse sind, da sie sich mit philosophischen, ethischen und religiösen Fragen von bleibender Aktualität beschäftigen. Die neue Reihe SAPERE (Scripta Antiquitatis Posterioris ad Ethicam REligionemque pertinentia, 'Schriften der späteren Antike zu ethischen und religiösen Fragen') hat sich zur Aufgabe gemacht, gerade jene Texte so zu erschließen, daß sie über enge Fachgrenzen hinaus ein interessiertes gebildetes Publikum ansprechen.

SAPERE möchte dabei bewußt an alle Konnotationen des lateinischen *sapere* anknüpfen – nicht nur an die intellektuelle (die Kant in der Übersetzung von *sapere aude*, "Habe Mut, dich deines *eigenen* Verstandes zu bedienen", zum Wahlspruch der Aufklärung gemacht hat), sondern auch an die sinnliche des "Schmeckens": SAPERE möchte Leserinnen und Leser nicht zuletzt auch "auf den Geschmack" der behandelten Texte bringen. Deshalb wird die sorgfältige wissenschaftliche Untersuchung der Texte verbunden mit einer sprachlichen Präsentation, welche die geistesgeschichtliche Relevanz im Blick behält und die antiken Autoren als Gesprächspartner verständlich macht, die auch zu gegenwärtigen Fragestellungen interessante Antworten geben können.

Im Zentrum jedes Bandes steht eine bestimmte Schrift. Einleitend wird deren Autor vorgestellt und in das Werk eingeführt. Der textkritisch geprüfte Originaltext ist mit einer gut lesbaren und zugleich möglichst genauen deutschen Übersetzung sowie mit Anmerkungen versehen. An jedem Band sind entsprechend den Erfordernissen des Textes Fachleute aus verschiedenen Disziplinen – der Theologie, Religionswissenschaft, Philosophie, Geschichte, Archäologie, der älteren und neueren Philologien – beteiligt, die in Form von Essays das Werk aus ihrer jeweiligen Perspektive kommentieren. Vor allem duch diese Form einer interdisziplinären Erschließung unterscheidet sich SAPERE deutlich von herkömmlichen Textausgaben.

Vorwort

Der vorliegende Band geht auf ein interdisziplinäres Oberseminar zurück, das im Wintersemester 1997/98 und im Sommersemester 1998 unter Beteiligung der Lehrstühle für Evangelische Theologie (Biblische Theologie: R. Feldmeier), für Religionswissenschaft (U. Berner) und für Katholische Theologie (Biblische Theologie: B. Heininger) an der Universität Bayreuth stattfand. Im Mittelpunkt stand Plutarchs Schrift „De latenter vivendo". Aus dem Plan, die verschiedenen Fachperspektiven, die sich bei der gemeinsamen Arbeit gegenseitig ergänzten, korrigierten und befruchteten, in einem Aufsatzband zusammenzufassen, entstand das Projekt, die Trennung zwischen (zweisprachiger) Textausgabe und (interpretierendem) Sammelband aufzuheben und eine Synthese herzustellen. Leserinnen und Lesern soll so die Möglichkeit gegeben werden, den Gegenstand aus verschiedenen Perspektiven zu betrachten und die vorgelegten Interpretationen zugleich am Gegenstand – dem Originaltext – zu überprüfen.

Soweit die einzelnen Beiträge namentlich zugeordnet sind, werden sie vom jeweiligen Autor verantwortet, wo nicht, von uns allen gemeinsam. Bei der Herstellung des Bandes erhielten wir vielfältige Hilfe. Gedankt sei vor allem den altphilologischen Kollegen H. Görgemanns (Heidelberg) und H.-G. Nesselrath (Bern) für fachlichen Rat in Fragen der Übersetzung bzw. für die Durchsicht der Manuskripte. Dr. O. Freiberger, A. Schweers und C. Wunderlich fertigten die Register an, Frau H. Ferner und Frau Dipl.-Theol. U. Poplutz unterstützten uns bei der Erstellung der Druckvorlage. Der Universität Bayreuth danken wir für die Bereitstellung eines Druckkostenzuschusses.

Der Autor:

Plutarch von Chaironeia

Plutarch

(Rainer Hirsch-Luipold)

ἡ φιλοσοφίας ἁπάσης Ἀφροδίτη καὶ Λύρα
Eunapios, Vitae sophistarum 2,1,3, über Plutarch

Eunapios nennt Plutarch[1] in seiner Philosophengeschichte die „Aphrodite und Lyra jeglicher Philosophie". Treffend umschreibt er damit den Zauber einer philosophischen Darstellungsweise, die den Leser mit poetischer Anmut umwirbt. Die Verbindung einer schier unglaublichen Gelehrtheit und Belesenheit mit menschlicher Wärme und Humanität, bunt verpackt in die Formen von Dialog, Essay und Biographie, hat an den Schriften Plutarchs seit jeher fasziniert. Philosophisch-ethische Botschaften fließen in die unterhaltsame und zugleich lehrreiche Lektüre wie nebenbei ein. Diese Mischung von Philosophie und Pädagogik, von Geschichtsschreibung und romanhafter Erzählung hat Plutarch über die Jahrhunderte hinweg einen Platz am Lager der Feldherren und Staatsmänner wie auf dem Studiertisch der Bürger gesichert.

1. Das Werk

„Er hat viel geschrieben", notiert lapidar die Suda, das byzantinische Lexikon, über Plutarch. In der Tat: außer von Galen ist uns von keinem paganen griechischen Schriftsteller mehr überliefert. Nach Ausweis des sog. *Lampriaskatalogs*, eines antiken Verzeichnisses der Schriften Plutarchs aus dem 3./4. Jh., ist dies jedoch nur circa ein Drittel seines Werkes. Traditionell teilt man es in zwei Komplexe ein: Auf der einen Seite steht das Korpus von ursprünglich *24 Parallelbiographien*, in denen Plutarch jeweils vergleichbare Persönlichkeiten der griechischen und römischen

---

[1] Noch immer grundlegend ist der umfassende Artikel von K. ZIEGLER in der RE; D. RUSSELL, Plutarch, läßt bei solider Information zugleich die literarische Qualität von Plutarchs Werk deutlich werden. Im Anhang (177f.) stellt er eine Auswahl der wichtigsten Literatur mit einer kurzen Würdigung zusammen. Ein schönes Profil von Person und Werk gibt R. FLACELIÈRE, Introduction Vii-ccxxvii. Für die Wirkungsgeschichte bis heute unübertroffen R. HIRZEL, Plutarch.

Geschichte oder auch der mythischen Vorgeschichte nebeneinanderstellt: die mythischen Städtegründer *Theseus* und *Romulus* etwa, die überragenden Feldherren *Alexander* und *Caesar*, die Redner *Demosthenes* und *Cicero*. Dabei geht es ihm nicht um die lükkenlose Darstellung eines Historikers. Vielmehr wählt er Aspekte aus, die das jeweilige Leben exemplarisch für eine bestimmte Haltung werden lassen. So sollen die großen Männer als Vorbilder erscheinen, nach denen man sein eigenes Leben ausrichten kann.

> „Ich schreibe nicht Geschichte, sondern zeichne Lebensbilder (βίοι), und hervorragende Tüchtigkeit und Verworfenheit offenbart sich nicht unbedingt in den aufsehenerregendsten Taten, sondern oft wirft ein geringfügiger Vorgang, ein Wort oder ein Scherz ein bezeichnenderes Licht auf einen Charakter als Schlachten mit Tausenden von Toten" (*Alex.* 1,2).

Die übrigen Schriften Plutarchs faßt man unter dem Titel *Moralia* zusammen. Es sind dort aber keineswegs nur ethische Schriften im engeren Sinne versammelt. Vielmehr greift dieser überaus vielseitige philosophische Schriftsteller eine Fülle unterschiedlicher Themen auf. Er verfaßt Schriften zu Geschichte und Mythologie, Religion und Politik, er setzt sich mit Naturwissenschaft und Medizin ebenso auseinander wie mit Kunst und Literatur. So ist Plutarch geradezu eine Schatztruhe des antiken Wissens. Auf verschiedenen Reisen und bei Studien in den großen Bibliotheken hat er eine Fülle von Zitaten, Realia und Mirabilia zusammengetragen[2], die er immer wieder in Beispielen und Vergleichen einfließen läßt. Insbesondere die Dichtung ist für ihn eine ständige Quelle der Inspiration. Neben Homer, Pindar und den großen Tragikern zitiert er viele Dichter, von denen wir ansonsten nur den Namen kennen.

Der aus Editionsgründen eher zufällig entstandene Titel *Moralia* ist dennoch nicht ganz unpassend. Das gesamte Werk Plutarchs nämlich, einschließlich der Biographien, ist getragen von einem ethisch-moralischen Anliegen. Die Philosophie als *ars vitae* (τέχνη περὶ βίον; *Quaest. conv.* I 1,2, 613B) soll den Menschen helfen, ihren Ort in Natur und Gesellschaft und ihr Verhältnis zu Gott zu bestimmen.

---

[2] In *De tranq. an.* 1,464E spricht er von seinen ὑπομνήματα.

2. Das Leben

Geboren wird Plutarch ungefähr im Jahr 45 n.Chr in Chaironeia im ländlichen Böotien als Sohn einer angesehenen Familie. Bereits in jungen Jahren reist er im politisch-diplomatischen Auftrag seiner Vaterstadt zum Prokonsul von Achaia nach Korinth und zum Studium nach Athen. Politische Geschäfte führen ihn später mehrfach nach Rom, wo er zudem mit großem Erfolg Vorlesungen hält und von vielen Menschen in philosophischen Fragen konsultiert wird (*Dem.* 2,2). In Rom gewinnt Plutarch einflußreiche Freunde. Von M. Mestrius Florus, einem Freund Vespasians, mit dem er später Oberitalien bereist, übernimmt er den Gentilnamen „Mestrius", als er das römische Bürgerrecht erhält.[3] Dem Q. Sosius Senecio, einem Vertrauten Trajans, widmet er seine Doppelbiographien. Obwohl er die meiste Zeit seines Lebens in Griechenland verbringt, führen ihn weitere Reisen nach Kleinasien und Ägypten.

Später wird Plutarch das eine Tagesreise von Chaironeia entfernte Delphi zur zweiten Heimat. Mindestens 20 Jahre lang versieht er an der alten Orakelstätte den Dienst als einer der beiden Apollonpriester. Ob ihm tatsächlich von Trajan die konsularische Würde (*ornamenta consularia*) verliehen wurde, mit der Maßgabe, daß kein Statthalter etwas gegen seinen Willen unternehmen dürfe, wie die Suda berichtet, und ob ihn Hadrian im Jahr 119 n.Chr. zum Statthalter (ἐπίτροπος) von Achaia ernannte, wie der Kirchenhistoriker Euseb wissen will, muß offen bleiben. In jedem Fall künden solche Nachrichten von der Hochschätzung, die Plutarch seitens der Römer zuteil wurde. Danach versiegen unsere Informationen. Plutarch dürfte wenig später, jedenfalls vor dem Jahr 127 n.Chr. gestorben sein.

3. Chaironeia und Rom – Der griechische Gelehrte als Bürger zweier Welten[4]

Plutarch ist ein Wanderer zwischen den Welten. Im Gegensatz zu vielen griechischen Gebildeten seiner Zeit zieht es ihn nicht dauerhaft nach Rom. Trotz der Vorteile, die eine Metropole mit ihren Bibliotheken für den gelehrten Schriftsteller biete, halte er lieber

---

[3] Vgl. CIG 1713 = SIG^3 829.

[4] C.P. JONES, Plutarch and Rome, Oxford 1971; J. BOULOGNE, Plutarque. Un aristocrate grec sous l'occupation romaine, Lille 1994.

seiner Vaterstadt die Treue, schon damit sie „nicht noch kleiner wird"[5], so bemerkt er mit einem Augenzwinkern. Auch literarisch huldigt Plutarch seiner Heimat Böotien. *Pindar* und *Hesiod*, die berühmten Dichter seiner Heimat, nehmen bei ihm ebenso eine Sonderstellung ein wie die böotischen Helden *Epameinondas* und *Pelopidas*. Verschiedentlich werden Personen nach ihrer Haltung gegenüber Böotien und Griechenland insgesamt beurteilt: Nero erhält trotz seiner Greueltaten Strafmilderung im Endgericht wegen seiner 66 n.Chr. proklamierten Befreiung Griechenlands (*De sera* 32,568A), Lucull wird für seine Verdienste um Chaironeia lobend hervorgehoben (*Cim.* 1,6).

a) Politische Praxis im Dienst der Heimatstadt

Anstatt in Rom eine politische Karriere zu machen, übernimmt Plutarch in Chaironeia lokale Ämter als seinen selbstverständlichen Beitrag zum Gemeinwohl. Er versieht das Amt des leitenden Stadtbeamten[6] sowie wenig repräsentative Aufgaben der städtischen Verwaltung und zeigt sich damit als *homo politicus*, der sein ethisch-philosophisches Programm in seinem Leben zu bewähren sucht.[7] Nicht nur mache das Amt die Person, so sagt er unter Berufung auf seinen Landsmann Epameinondas, sondern auch die Person das Amt (*Praec. ger. reip.* 15,811B-C). Weiter übernimmt Plutarch den Vorsitz (προεδρία) im religiösen Bund der um Delphi versammelten Städte und vielleicht auch die Leitung des böotischen Bundes (βοιωταρχία).[8]

b) Politisches Denken zwischen Griechenland und Rom

Obwohl Plutarch als patriotischer Grieche den überwiegenden Teil seines Lebens in Böotien verbringt, verliert er den weltpolitischen Horizont nicht aus dem Blick. Seine *Politischen Ratschläge (Praecepta gerendae reipublicae)* für einen Freund mit entspre-

---

[5] *Dem.* 2; vgl. *De E* 1,384E.

[6] ἄρχων ἐπώνυμος (vgl. *Quaest. conv.* II 10,1, 642F; VI 8,1, 693F).

[7] Programmatisch formuliert er am Anfang seiner Schrift *De Stoicorum repugnantiis*, man solle die Lehren der Philosophen zunächst danach beurteilen, ob sie mit der Lebensführung übereinstimmten (1033B).

[8] Vgl. *An seni* 17,785C und *Praec. ger. reip.* 17,813D, wenngleich diese Stellen nicht eindeutig auf Plutarch bezogen sind. Als leitender Beamter des delphischen Städtebundes erscheint er zudem in der Inschrift SIG[3] 829, s.o. Anm. 3.

chenden Ambitionen verbinden eine konsequent patriotische Haltung mit einer zurückhaltenden, realistischen Einschätzung der politischen Möglichkeiten Griechenlands im *Imperium Romanum*. In historischen Zusammenhängen streicht Plutarch gerne die überragende Bedeutung Alexanders des Großen heraus[9], weiß aber die weltpolitische Leistung Roms anzuerkennen und kann mit hymnischen Worten die segensreichen Auswirkungen der *pax Romana* preisen (*De fort. Rom.* 2). Dieses Bestreben, zwischen der historischen Größe Griechenlands und der gegenwärtigen Macht Roms zu vermitteln, findet ihren grandiosen Ausdruck in den *Parallelbiographien*. Allein durch die Anlage, jeweils einen großen Römer und Griechen zu einem Paar zusammenzufassen und sie einander vergleichend gegenüberzustellen, leistet Plutarch einen Beitrag dazu, die beiden Völker und Kulturen einander näherzubringen und die Rolle Griechenlands unter der römischen Vorherrschaft – selbstbewußt und doch realistisch – zu bestimmen.

4. Die Philosophie Plutarchs

Als Sohn einer angesehenen Familie genießt Plutarch seine Ausbildung in Athen, wo er die unterschiedlichen philosophischen Strömungen seiner Zeit kennenlernt. Nach einer Phase der Begeisterung für Rhetorik und Mathematik schließt er sich als Schüler des Alexandriners Ammonios der Akademie an.[10] Ihn begleitet er im Jahr 67 n.Chr. nach Delphi, um dort Kaiser Nero auf dessen Griechenlandreise zu erleben. Ammonios, der aus Ägypten stammte und dreimal Stratege in Athen war, dürfte das politische Denken Plutarchs ebenso inspiriert haben wie sein Interesse für Fragen der Medizin und der Theologie. Auf ihn geht Plutarchs deutlich religiös gewendeter Platonismus zurück.

a) Platonisches in Form und Inhalt[11]

Von einer direkten Auseinandersetzung des Mittelplatonikers mit dem „göttlichen Platon“ (*De cap.* 8,90C), wie Plutarch ihn ehr-

---

9 Besonders in *De Alexandri magni fortuna aut virtute*.

10 *De E* 7, 387F: ἐν Ἀκαδημείᾳ γενόμενος (vgl. 1,385B; 17,391E).

11 Vgl. R.M. Jones, The Platonism of Plutarch, Menasha 1916; C. Froidefond, Plutarque et le platonisme, in: ANRW II/36.1 (1987) 185-233; J. Dillon, The Middle Platonists. A Study of Platonism 80 B.C. to A.D. 220, London ²1996, bes. 192-230.

furchtsvoll nennt, künden die *Platonischen Fragen (Quaestiones Platonicae)* und der Kommentar *Über die Entstehung der Seele im Timaios (De procreatione animae in Timaeo)* sowie mehr als 650 Zitate. Auch die literarischen Formen Platons macht sich Plutarch kreativ zu eigen. Insbesondere der Dialog kommt ihm entgegen: da er kein Freund starrer dogmatischer Festlegungen ist, nutzt er die Dialogform, um unterschiedliche Positionen abwägend nebeneinander stellen zu können. Der Leser wird in den Denkprozeß mit hineingenommen und dazu ermuntert, mit- und weiterzudenken. Dies wird durch die Offenheit der bildhaften Sprache unterstützt, mit der Plutarch ebenfalls in der Tradition Platons steht. Die Möglichkeiten, die der erzählerische Rahmen eines Dialogs bietet, nutzt Plutarch, um seine Leser auf das verhandelte Problem einzustellen: die Umgebung (z.B. Delphi in den *Pythischen Dialogen*), die Rahmenhandlung (z.B. die „Opfer und Gebete" für den Eros anläßlich der Hochzeit Plutarchs im *Amatorius*) oder die Sprecherpersönlichkeiten, die in ihrem Auftreten und ihren Äußerungen bestimmte Philosophenschulen verkörpern (z.B. der derbe Kyniker Didymos in *De defectu oraculorum* oder der gegen die Vorsehung wütende „Epikur" in *De sera numinis vindicta*), dienen als Horizont, vor dem sich das jeweils verhandelte philosophische Problem entwickelt. Wie Platon fügt Plutarch verschiedenen seiner Dialoge Jenseitsmythen ein[12], die jeweils eingeführt sind als Visionen von Menschen an der Schwelle des Todes. Die Mythen erlauben einen Ausblick, wo die diskursive Argumentation notwendig an ihre Grenze stößt, in Fragen der Theologie und insbesondere des Schicksals der individuellen Seele nach dem Tod. Das visionär Geschaute rührt an die Wahrheit und erscheint deshalb als unverzichtbare Ergänzung der Beweisführung.[13]

Die platonische Philosophie ist für Plutarch zu einem Stück seines Lebens geworden. In Chaironeia errichtet der Mittelplatoniker im Kreis von Freunden und Familienmitgliedern eine Art Zweigstelle der Akademie.

---

[12] *De sera, De genio, De facie*. Manche Ähnlichkeiten zeigt das eschatologische Schlußkapitel in *De lat. viv.*; es unterscheidet sich aber formal, insofern es nicht als Vision von einer Dialogfigur erzählt wird, sondern Teil der Argumentation ist.

[13] Vgl. *De sera* 22,563B; *De gen. Socr.* 21,589F-590A.

b) Ontologie: Die Welt als Bild des Göttlichen

Plutarch liest Platon unter den Bedingungen seiner Zeit neu. Platons Ideenlehre etwa versteht er als Mittelplatoniker theologisch: An die Stelle der Idee tritt bei ihm Gott bzw. das Göttliche als die der gesamten wahrnehmbaren Welt zugrundeliegende Realität. Die Welt ist Bild, Abdruck und Ausfluß des Göttlichen. Bei aller Verschiedenheit besteht deshalb ein unmittelbarer ontologischer Zusammenhang zwischen Gott und Welt. Diesen Gedanken profiliert Plutarch gegen konkurrierende Philosophien: Die Gottheit ist nicht rein immanent zu denken wie der das All durchwaltende göttliche Logos der Stoa. Diese stoische Lehre verwischt die Grenze zwischen Gott und Welt, löst die Götter im Rahmen der Allegorese in physikalische Phänomene auf und bürdet der Gottheit auch die Verantwortung für das Böse in der Welt auf. Noch weniger akzeptabel erscheint die epikureische Position, die jegliche Verbindung der seligen Götter mit der Welt und jedes Eingreifen in den Weltlauf leugnet – ein für Plutarch letztlich atheistischer Standpunkt.

c) Erkenntnistheorie: Vom Bild zum göttlichen Ursprung

Auf diesem Verständnis der platonischen Ideenlehre basiert die Erkenntnistheorie Plutarchs. Hatte Platon axiomatisch eine hinter der Welt stehende Ideensphäre vorausgesetzt, so versucht Plutarch die Phänomene der Welt auf dieser Grundlage zu verstehen. Die sinnlich wahrnehmbaren Dinge – im platonischen Höhlengleichnis bloße Schatten der seienden Dinge – versteht Plutarch nun umgekehrt als Bilder, die aufgrund ihres ontologischen Zusammenhangs einen Rückschluß auf ihren göttlichen Urgrund zulassen. Der Weg zur Erkenntnis der intelligiblen Wahrheit führt nur über die Wahrnehmung und Interpretation der Welt der Erscheinungen. Dies bedeutet eine Aufwertung der Welt und des Körpers ebenso wie der Ästhetik: jeder Teil der Welt ist als Spiegel des Göttlichen der Betrachtung wert. Jedes Bild ist gut und nützlich, solange man sich der Differenz von Bild und Abgebildetem bewußt bleibt. Daß die Ägypter etwa Tiere als Abbilder der Götter verehren, erscheint Plutarch nicht problematisch. Immerhin seien sie dem Göttlichen angemessener als Götterstatuen, die doch noch nicht einmal eine Seele hätten (*De Is. et Os.* 76,382A-B).[14] Deutlich ist die unter-

[14] Als Gegensatz vgl. nur die heftige Polemik gegen den ägyptischen Tierkult bei Maximos von Tyros, *Or.* II 4.

schiedliche Bewertung des Irdisch-Körperlichen im Vergleich zu Platon in dem an das *Symposion* angelehnten *Erotikos*. Der Eros ist hier nicht nur ein Bild für das Streben nach dem göttlichen Schönen, sondern als konkrete Liebe zweier Partner Bild und mysterienhafte Erfahrung der göttlichen Liebe.

Plutarch plädiert für eine vorsichtige Zurückhaltung (εὐλάβεια) in den letzten Fragen und schließt sich damit der Tradition der akademischen Skepsis an. Sichere Urteile über die Sphäre des Göttlichen läßt der Rückschluß aus den Phänomenen der Welt nicht zu. Allerdings gibt Plutarch der skeptischen Kritik der menschlichen Erkenntnisfähigkeit eine apologetische Spitze, um so Platz für eine positive religiöse Deutung der Welt zu bekommen: wo niemand sichere Urteile fällen kann, steht die religiöse Deutung zunächst einmal gleichberechtigt neben anderen Deutungsversuchen.

d) Daimones: Phänomene zwischen Gott und Mensch

Bereits in der akademischen Schultradition war eine Lehre von einer zwischen Gott und Welt stehenden Sphäre der *Daimones* ausgebildet worden. Plutarch wendet diese Lehre auf unterschiedliche Phänomene an, die sich weder der Welt noch Gott eindeutig zuordnen lassen: auf die körperlosen Seelen ebenso wie auf den persönlichen Schutzgeist eines Caesar oder den „bösen Geist" (κακὸς δαίμων) eines Brutus, der mit seiner – später durch Shakespeare berühmt gewordenen – unheilvollen Vorhersage „bei Philippi wirst du mich wiedersehen" dessen Ende ankündigt (*Caes.* 69,6-13). Träume, Vorhersagen und Visionen, die Plutarch in den *Vitae* wie in den *Moralia*, allen voran in der Schrift *Über das Daimonion des Sokrates*, zur Deutung des Geschehens heranzieht, gehören in diesen Bereich. Auch die Macht des Bösen und Zerstörerischen in der Welt kann von ihm schließlich als „Daimon" bezeichnet werden, um deutlich zu machen, daß sie mit dem Göttlichen ontologisch nicht auf einer Stufe steht.[15]

e) Logos und Mythos – zwei Seiten einer Medaille

Wissenschaftliche Weltwahrnehmung und mythologisch-religiöse Weltdeutung erweisen sich bei Plutarch als zwei Seiten einer Me-

---

[15] S.u. 22.

daille. Sie dürfen ebensowenig auseinandergerissen werden wie die historische Erzählung und die philosophische Erörterung in der Schrift *Über das Daimonion des Sokrates* oder die Diskussion über die Strafen der Gottheit in dieser Welt und im Jenseits in *De sera numinis vindicta*. Am frappierendsten ist diese Verbindung in der Schrift über das Mondgesicht (*De facie in orbe lunae*), einer Diskussion antiker Theorien über die Beschaffenheit und Natur des Mondes.[16] Seinen Erörterungen, die den Stand der naturwissenschaftlichen Überlegungen seiner Zeit repräsentieren, fügt Plutarch einen Mythos an, der den Mond als Aufenthaltsort der vom Körper geschiedenen Seelen (ψυχαί) begreift. Im Mond trennt sich die Denkkraft (νοῦς) in einer Art zweitem Tod von der Seele und kehrt zur Sonne, ihrem göttliche Urgrund, zurück (30,944E). Diese bildhaft-mythische Betrachtung kann nicht durch eine naturwissenschaftliche eingeholt oder in eine solche übersetzt werden.

f) Rezeption und Abgrenzung: Die Philosophenschulen[17]

Trotz seines Bekenntnisses zu Platon kennt Plutarch gegenüber den anderen philosophischen Schulen keine Berührungsängste. Wo deren Aussagen seine eigenen Überlegungen bereichern können, nimmt er sie dankbar auf. Wo er die Meinung anderer Philosophen hingegen für unfromm und schädlich hält, grenzt er sich scharf ab. Mit Epikur wie mit der Stoa hat Plutarch sich in einer Reihe von Streitschriften leidenschaftlich auseinandergesetzt.[18]

Peripatetisches Erbe zeigt sich in Plutarchs Interesse an wissenschaftlichen Einzelproblemen sowie seiner sorgfältigen Weltwahrnehmung. In der Ethik nimmt er die peripatetische Suche nach dem rechten Maß für das Leben und Streben der Menschen auf. Auch

---

[16] Der Astronom J. Kepler hielt die Schrift für so wesentlich, daß er sie mit einer eigenen Übersetzung ins Lateinische und mit einem astronomischen Kommentar versehen herausgab (vgl. H. GÖRGEMANNS, Untersuchungen zu Plutarchs Dialog De facie in orbe lunae, Heidelberg 1970, 13-15.157-161).

[17] Vgl. I. GALLO, Aspetti; A. PÉREZ JIMÉNEZ U.A. (Hrsg.), Plutarco, Platón y Aristóteles (Actas del V congresso internacional de la I.P.S., Madrid-Cuenca 1999, Madrid 1990; D. BABUT, Plutarque et le stoïcisme (Publications de l'Université de Lyon), Paris 1969; DERS., Plutarque, Aristote et l'aristotelisme, in: DERS., Parerga, 505-529 (= L. VAN DER STOCKT, Plutarchea Lovaniensia), 1-28; J.P. HERSHBELL, Plutarch and Stoicism, in: ANRW II/36.5 (1992) 3336-3352; DERS., Epicureanism; J. BOULOGNE, L'épicurisme.

[18] Vgl. u. S.117-139.

stoisches Gedankengut fließt hier ein, namentlich im Blick auf die Beherrschung und Heilung der Leidenschaften der Seele. Verschiedene Schriften sind der Kontrolle krankhafter Neigungen gewidmet (Zorn, Neid und Mißgunst, Neugier, Aberglaube, Geldgier usw.). Pythagoreisch beeinflußt ist seine Hochschätzung der Tiere (etwa in *De sollertia animalium*) und seine kritische Haltung gegenüber dem Fleischgenuß (*De esu carnium*). Auch seine Seelenwanderungslehre sowie die Bedeutung der Zahlenmystik sind pythagoreisch, wenn auch über Platon vermittelt.

Allein *Epikur* gilt Plutarch wegen seiner ihm als Atheismus erscheinenden Leugnung eines ordnenden und richtenden Eingreifens der Götter in das Weltgeschehen und wegen seiner hedonistischen Ethik als so schädlich, daß er ihn mit allen Mitteln zu bekämpfen sucht.[19]

5. Religion und Philosophie

Das philosophische Denken Plutarchs ist wie sein Handeln getragen von einer tiefen Religiosität.[20] Nicht nur in seinen im engeren Sinne religiösen Schriften stellt er immer wieder die Frage nach dem Wesen der Gottheit und der Bestimmung des Menschen in diesem Leben und darüber hinaus. Die Philosophie insgesamt hat für Plutarch ihr Fundament und Ziel in der Suche nach der göttlichen Wahrheit: „Es gibt nichts, das für die Menschen besser zu empfangen und für die Götter würdiger zu gewähren wäre als die Wahrheit... Denn das Streben nach der Wahrheit, insbesondere nach der Wahrheit über die Götter, ist ein Verlangen nach Göttlichkeit“ (*De Is. et Os.* 1,351C-E). Die Erkenntnis Gottes nämlich bedeutet zugleich eine Angleichung an das Göttliche (*De sera* 5,550C-D) und führt den Menschen über die Welt hinaus. Die göttliche Wahrheit scheint in der Welt insgesamt, besonders aber

---

[19] Vgl. u. S.22.

[20] I. GALLO (HRSG.), Plutarco e la religione (Atti del VI Convegno plutarcheo Ravello), Neapel 1996; M.G. VALDES (HRSG.), Estudios sobre Plutarco: ideas religiosas (Actas del III simposio international sobre Plutarco), Madrid 1994; R. FELDMEIER, Philosoph 412-425; R. FLACELIÈRE, Introduction CLXI-CC; DERS., La théologie selon Plutarque, in: Mélanges de philosophie, de littérature et d’histoire ancienne offerts à Pierre Boyancé (Collection de l’école française de Rome 22), Rom 1974, 273-280; F.E. BRENK, Heritage 248-349; DERS., Themes.

in religiösen Mythen und alten, von den Vätern ererbten Gebräuchen, Riten und Symbolen auf. Plutarch macht es sich zur Aufgabe, solche Funken der Wahrheit in den verschiedenen religiösen Traditionen zu sammeln, zu deuten und zu einem Bild zusammenzusetzen: „Er sammelte Überlieferungen (ἱστορία) gleichsam als Rohstoff für eine Philosophie, welche die θεολογία ... zum Ziel hatte" (*De def. orac.* 2,410B). Diese Charakterisierung des weitgereisten Spartaners Kleombrotos, eines heiligen Mannes (410A), liest sich wie ein Programm der in der Religion verankerten philosophischen Methode Plutarchs.

a) Gelebter Glaube – Der Philosoph als delphischer Priester

Die Religion ist für Plutarch nicht nur Gegenstand philosophischer Reflexion, sondern ein Teil des Lebensvollzugs: Lange Jahre wirkt er als einer der beiden Priester des Apollon in Delphi, ein Zeichen seiner Hochschätzung auch der praktischen, gelebten Religion. Dem Orakel setzt er ein literarisches Denkmal: die *Pythischen Dialoge*, wie er selbst sie nennt (384E), läßt er in Delphi spielen und widmet sie Themen, die im Zusammenhang mit dem Orakel stehen.[21] Auch in den Viten versäumt Plutarch es nicht, die historische Bedeutung des delphischen Orakels in einer Vielzahl von Geschichten deutlich zu machen. Die Orakelsprüche der Pythia gelten ihm als besondere Quelle göttlicher Offenbarung. Diese ‚Öffentlichkeitsarbeit' eines der berühmtesten Schriftsteller seiner Zeit dürfte zu der erneuten Blüte des Orakels am Ende des 1. Jahrhunderts nicht unwesentlich beigetragen haben.[22]

b) Der eine Gott mit vielen Gesichtern

Der Gott Plutarchs ist seinem Wesen nach „einer" (εἶς; *De E* 20,393A), zeigt sich aber in unterschiedlicher Gestalt. Als delphischer Priester hat Plutarch eine besondere Beziehung zu seinem Orakelherrn und Heilgott, den er als „Freund Apollon" (φίλος Ἀπόλλων[23]) bezeichnen kann. Ebenso entdeckt er die Gottheit problemlos in dem Liebesgott Eros (im *Amatorius*) oder in dem

---

[21] *Über das E in Delphi, Warum die Pythia nicht mehr in Versen spricht, Über das Verschwinden der Orakel, Über die von der Gottheit spät Bestraften.*

[22] Vgl. *De Pyth. orac.* 29,409B-C.

[23] Vgl. *De E* 1,384E.

ägyptischen Osiris wieder (in *De Iside et Osiride*). Der Gott Plutarchs trägt personale Züge. Er erscheint als Führer und König, als Herr und Herrscher über alle Dinge, als Arzt und Retter.[24] Plutarch wirbt für gläubiges Vertrauen in diesen guten, heilsamen, gerechten Gott. Der „von den Vätern ererbte alte Glaube" (*Amat.* 13,756B) als Fundament des Lebens wird Plutarch immer wichtiger. Er soll zwar kritisch durchdacht werden, ist aber dennoch dem skeptischen Zweifel entgegenzusetzen.[25] Atheismus lehnt Plutarch ebenso ab wie eine abergläubische Furcht vor den Göttern, die in der Jugendschrift *De superstitione* als das schlimmere Übel erscheint, zumal sie mit ihrem falschen Verständnis des Göttlichen dem Atheismus Vorschub leistet. Atheismus wird – vornehmlich im Gewand der Lehren Epikurs – als eine Lebensweise charakterisiert, die das Leben des Einzelnen wie der Gemeinschaft zerstört und dem Menschen die Hoffnung auf eine heilsame Zukunft raubt.

c) Der gute Gott und die Übel der Welt

Von Platon übernimmt Plutarch das Postulat, daß der gute Gott an dem Übel in der Welt nicht schuld sein könne. Deshalb rechnet Plutarch mit einer dem Göttlichen widerstreitenden Kraft, der Macht der Dunkelheit, der Zerstörung und des Todes, für die er insbesondere auf die zoroastrische Mythologie zurückgreift (*De Is. et Os.* 46,369D-370C). Allerdings deutet Plutarch verschiedentlich an, daß diese Macht eher als Daimon denn als zweiter Gott zu bezeichnen ist.[26] Ihr Herrschaftsbereich ist die von Werden und Vergehen geprägte Welt. Der einzige Weg, ihrem Gesetz zu entrinnen, besteht im Streben nach dem Göttlichen als dem allein Seienden, nach der Erkenntnis seiner Wahrheit und der Vereinigung mit ihm.[27] Zu einem echten Dualismus finden sich bei Plutarch allenfalls Ansätze.

---

[24] ἡγεμὼν καὶ βασιλεύς (*De Is. et Os.* 78,383A); ἄρχων καὶ κύριος ἁπάντων (*De sera* 4,550A); ἰατρὸς καὶ σωτήρ (*Amat.* 19,765A).

[25] *Amat.* 13,756B: ἀρκεῖ γὰρ ἡ πάτριος καὶ παλαιὰ πίστις; vgl. *Cons. ad. ux.* 11,612A-B.

[26] *De Is. et Os.* 46,369D-E; *De E* 21,394A; vgl. *De lat. viv.* 6,1130A.

[27] Vgl. *De Is. et Os.* 2,351E-352A.

d) Das Mysterium der Vereinigung

Neben dem philosophischen Logos bieten für Plutarch die Mysterien die Möglichkeit zum Eindringen in das Göttliche. Er selbst war in die Mysterien des Dionysos (*Cons. ad ux.* 10,611D), vielleicht auch in jene der Isis eingeweiht (vgl. *De Is. et Os.* 34,364E). Die Mysterien sind für ihn ein Hort der göttlichen Wahrheit und eröffnen eine Perspektive über dieses Leben hinaus (45,369B; 10f.,611D-612A). Mysterienterminologie findet sich immer wieder, wo Plutarch den Weg des Menschen zur göttlichen Wahrheit beschreibt. So vergleicht er den Eros mit einem „Führer der Eingeweihten."[28] Er führt, wie Plutarch im *Amatorius* beschreibt, die Liebenden in einem Reigen aus dem Hades der Welt heraus.[29]

e) Fremde religiöse Traditionen

Plutarch setzt sich mit einer Reihe fremder Religionen auseinander. Nicht ein religionsgeschichtlich-antiquarisches Interesse treibt ihn dazu, sondern die Überzeugung, daß sich in ihnen das Göttliche lediglich in anderer Gestalt zeigt. Von der ägyptischen Religion, ihrer Mythologie, ihren Symbolen und Riten ist er so fasziniert, daß er dieser Religion eine ausführliche Schrift widmet (*De Iside et Osiride*). Darin deutet er diese, ebenso wie die zoroastrische Mythologie, im Rahmen seiner eigenen Religionsphilosophie. Die vielfältigen und zuverlässigen Informationen machen Plutarch für beide religiösen Traditionen zu einer wichtigen Quelle. Weniger gut sind seine Kenntnisse über das Judentum, das er in die Nähe des Dionysoskultes rückt (*Quaest. conv.* 3,669B-672C). Er nennt einige Details (das Verbot von Schweinefleisch, das Laubhüttenfest, den Sabbat, die Kleidung des Hohenpriesters), hat seine Kenntnis aber kaum aus erster Hand. Zum Christentum finden sich zwar deutliche Berührungspunkte in der Ethik und im Gottesbegriff, nach einer Erwähnung bei Plutarch sucht man indes vergebens.

[28] μυσταγωγός (*Amat.* 19,765A). Vgl. *De tranq. an.* 20,477D-E. In *De Is. et Os.* 68,378A wird diese Rolle dem philosophischen Logos zugewiesen.

[29] 20,766B. Vgl. 19,765A: ἐξ Ἅιδου δ' εἰς τὸ ἀληθείας πεδίον.

6. Rhetorik als Philosophie

Plutarch ist kein Redner. Anders als die Vertreter der Zweiten Sophistik, die als „Konzertredner“ die Theater füllten, wollte Plutarch nicht umherreisen und zur Begeisterung der Masse seine Redekunst vorführen. Der philosophisch-ethische Vortrag, das Lehrgespräch im Kreise seiner Schüler lag ihm näher als die bejubelte Schaurede. Dabei hatte Plutarch das rhetorische Handwerk in seiner Jugend als Grundlage für das Studium der Philosophie wie für eine mögliche politische Karriere sorgfältig gelernt. Einige Schriften zeigen so deutlich rhetorisches Gepräge, daß sie als Übungsstücke der Rhetorenschule einer frühen „rhetorischen“ Schaffensphase zugewiesen wurden.[30] Es erscheint aber nicht ratsam, unter den Schriften Plutarchs rhetorische oder philosophische streng zu unterscheiden.[31] Denn sie bleiben – auch wo sie von der Rhetorik geprägt sind – Traktate oder allenfalls ‚Vorlesungsmanuskripte‘, für die andere Regeln gelten als für die Reden etwa eines Dion Chrysostomos.

Die rhetorische Diktion bleibt nicht auf einzelne frühe Schriften beschränkt, sondern befruchtet durchgängig die Darstellungskunst Plutarchs. Die rhetorische Technik des Vergleichs (*Synkrisis*) etwa, die er in diesen frühen Schriften praktiziert, liegt als formales Gestaltungsprinzip auch den Parallelbiographien zugrunde. Die Verwendung bildhafter Redeformen entwickelt Plutarch zu einer eigenen literarisch-philosophischen Konzeption.[32] Rhetorik und Philosophie greifen ineinander. Die rhetorischen Mittel dienen dem Philosophen dazu, sein philosophisches oder ethisches Anliegen adressatengerecht zu vermitteln.

---

[30] Z.B. *De fortuna Romanorum*, *De Alexandri magni fortuna aut virtute*, *De gloria Atheniensium*. Diese Schriften zeichnen sich durch eine verstärkte Verwendung rhetorischer Kunstgriffe, einen oftmals schematischen Aufbau sowie eine Argumentationsform mit schroffen Alternativen aus.

[31] So zuletzt H. MARTIN, Plutarch, in: S.E. PORTER (Hrsg.), Handbook of Classical Rhetoric in the Hellenistic Period (330 v.Chr.-400 n.Chr.), New York/Leiden 1997, 715-736, obwohl er den Zusammenhang der beiden Seiten Plutarchs durchaus sieht.

[32] Vgl. u. R. HIRSCH-LUIPOLD, Gedeihen 99-101. Zum Verhältnis von rhetorischer Verwendung bildhafter Sprache (*imagery*) und philosophischer Aussage vgl. die zusammenfassende Würdigung bei D.A. RUSSELL, Plutarch 163.

Leider sind uns drei Schriften Plutarchs, die sich mit der Rhetorik und insbesondere ihrem Verhältnis zu Philosophie und Ethik theoretisch auseinandersetzen, nicht erhalten.[33] Seine Kritik an einer bloß äußerlichen Rhetorik wird jedoch verschiedentlich deutlich, zumal wenn diese als Alternative zu einem verantwortlichen Handeln erscheint. Gerade in einer der sog. ‚rhetorischen' Frühschriften spottet Plutarch über den attischen Redner Isokrates, der seine Schlachten nur am Schreibtisch schlägt:

> „Wie sollte wohl ein Mensch nicht das Krachen von Waffen und das Aufeinandertreffen einer Phalanx fürchten, der sich schon davor fürchtet, Vokal mit Vokal zusammenstoßen zu lassen?" (*De glor. Ath.* 8,350E).

Plutarch scheut sich nicht, mit allen Registern der rhetorischen Technik zu arbeiten, wie aus diesem Angriff deutlich wird. Zugleich aber kritisiert er die zunehmend an attizistischen Idealen orientierte gedrechselte Rhetorik seiner Zeit. Mit seiner oft unklassischen, zuweilen poetischen Diktion etwa steht er im Gegensatz zur rhetorischen Theorie und hat dafür viel Kritik erfahren.

7. Philanthropia: Der Mensch Plutarch

In ungewöhnlicher Weise behält Plutarch in seiner Philosophie wie in seinem Leben die Menschen im Blick. Die menschliche Größe, die aus seinen Schriften spricht, zeigt sich in seinem Verhalten insbesondere gegenüber seiner Familie und seinen Freunden.

a) Familie, Ehe, Freundschaft[34]

Es spricht für sich, daß wir in Plutarchs Schriften nahezu seiner gesamten Familie begegnen. Sein Bruder Lamprias ebenso wie sein Sohn Autobulos erscheinen als Sprecher in den Dialogen. Wir lernen den Großvater und den Vater als gebildete Philanthropen kennen. Auch unter den Schülern, die er in Chaironeia um sich

---

[33] Der Lampriaskatalog nennt drei Bücher *„Über Rhetorik"* (47) sowie *„Ist Rhetorik eine Tugend?"* (86) und *„Gegen diejenigen, die sich durch die Rhetorik von der Philosophie abhalten lassen"* (219).

[34] L. GOESSLER, Plutarchs Gedanken über die Ehe, Diss. Basel 1962; J. GARCÍA LÓPEZ, Relaciones personales en *Moralia* de Plutarco. Familia, amistad y amor, in: A. PÉREZ JIMÉNEZ/G. DEL CERRO CALDERÓN (Hrsg.), Estudios sobre Plutarco. Obra y tradicion (Actas del I simposio español sobre Plutarco, Fuengirola 1988), Malaga 1990, 105-122.

versammelt, finden sich neben den vielen Freunden verschiedene Familienmitglieder. Plutarchs wärmste Schriften handeln von seiner Familie und von Liebe und Ehe im allgemeinen. Wie kein Philosoph vor ihm entwirft er eine Ethik der Ehe als einer von gegenseitiger Liebe und Achtung geprägten partnerschaftlichen Lebensgemeinschaft. Seine *Eheratschläge* zeigen, wenngleich unter den gesellschaftlichen Bedingungen ihrer Zeit, den Versuch, den Bedürfnissen beider Partner zu ihrem Recht zu verhelfen. Eine Laudatio auf die eheliche, partnerschaftliche Liebe[35] ist Plutarchs Dialog über Eros, den Gott der Liebe (*Amatorius*). Diese Schrift, die als eines der Glanzstücke plutarchischer Darstellungskunst gilt, stellt sich damit in deutlichen Kontrast zu Platons *Symposion*, an das sie in Aufbau und Inhalt angelehnt ist. Mit der Rahmenhandlung erinnert Plutarch an seine eigene Eheschließung: Das Gespräch entwickelt sich, als er frischvermählt mit seiner Frau zum Erosfest nach Thespiai gereist ist, um dem Gott Gebete und Opfer darzubringen. Von seiner fürsorglichen Liebe als Vater und Ehemann kündet die *Trostschrift (Consolatio ad uxorem)*, die er seiner Frau anläßlich des frühen Todes der Tochter schreibt. Die herausgehobene Bedeutung der Familie zeigt sich auch in den Schriften über die *Bruderliebe* und die *Liebe zu den Nachkommen*. Gleich nach der Sorge um die Familie rangiert für Plutarch die Pflege persönlicher Freundschaften. Eine Vielzahl von Freunden tritt uns in seinen Schriften als Dialogpartner entgegen.[36]

b) Die Einstellung gegenüber Frauen

Bemerkenswert ist die Hochschätzung der Frauen bei Plutarch. Er spricht sich vehement für die Gleichrangigkeit von Mann und Frau (*Mul. virt.* 242E-243E), für die Würde der Frauen und ihre Fähigkeit zur Tugend aus.[37] Zwar hat er keine seiner Biographien einer Frau gewidmet, er schreibt aber eine eigene Sammlung von Geschichten großer Frauen (*Mulierum virtutes*). Wie *De Iside et Osiride* ist sie der Isispriesterin Klea gewidmet. Plutarch setzt sich für

---

[35] Im *Cato Min.* 7,3 nennt Plutarch eine lebenslange Ehe das größte Glück: Gegenüber Cato war Laelius „glücklicher, da er in den vielen Jahren seines Lebens nur die eine Frau, die er am Anfang geheiratet hat, erkannte."

[36] Vgl. B. PUECH, Prosopographie des amis de Plutarque, in: ANRW II/33.6 (1992) 4831-4893.

[37] Vgl. etwa *Amat.* 23,769B.

die philosophische Bildung von Frauen ein[38] und nimmt in seinen Schülerkreis eine Reihe von Frauen auf. Im *Amatorius* vertritt er sogar die Position, daß unter bestimmten Bedingungen die Frau die führende Rolle in der Ehegemeinschaft übernehmen kann.

c) Weltbejahung und Lebenslust, Humor und Phantasie

Plutarch verbindet die idealistische Philosophie mit einer weltoffenen, positiven Daseinshaltung. Der guten Ordnung der Welt entspricht es, jeden Tag des Lebens wie ein Fest zu feiern:

> „Denn die Welt ist der heiligste und der Gottheit würdigste Tempel. In ihn wird der Mensch bei der Geburt hineingeführt und schaut so keine handgefertigten und unbeweglichen Götterstandbilder, sondern alle wahrnehmbaren Abbilder der intelligiblen Dinge, die der göttliche Geist, wie Platon sagt, offenbar werden ließ …, Sonne und Mond, Tiere und Pflanzen, Flüsse, die immer von neuem Wasser hervorsprudeln. Das Leben ist die Einweihung in diese Mysterien ..." (*De tranq. an.* 20,477C-D).

Dieser Hymnus auf die Natur zeigt die völlig andere Bewertung der Welt als im Neuplatonismus oder in den ethischen Überlegungen eines Epiktet: Wenngleich die Welt der Erscheinungen und des Körpers nicht alles und nicht das Höchste ist, weist sie durch ihre Schönheit und Wohlordnung den Menschen über sich hinaus. Deshalb erhalten Körperlichkeit und Sexualität eine erstaunlich positive Bedeutung, solange sie nicht als Ziel in sich gelten. Es ist keine Grenzüberschreitung der Philosophie, sondern ihr ureigener Gegenstand, sich auch Bereichen wie der Medizin und Diätetik zuzuwenden und sie durch ihr Licht zu veredeln.[39] Plutarch verfaßt konkrete Lebensregeln: Regeln für Liebe und Ehe, für das Miteinander der Menschen in Familie und Gemeinwesen, für Körper und Gesundheit. Insbesondere den Leiden der Seele wendet sich Plutarch in verschiedenen Schriften zu (*Zorn*, *Neid und Mißgunst*, *Geschwätzigkeit*, *Neugier*, *Geiz*, *Aberglauben*). Dabei gibt er jeweils konkrete Hinweise für ihre Überwindung, die bis heute lesenswert sind und im Gegensatz zu den Äußerungen Senecas oder Epiktets noch zu wenig in ihrer aktuellen Relevanz beachtet sind.

---

[38] Vgl. die *Eheratschläge* und die fragmentarisch überlieferte Schrift *Auch die Frau soll eine Ausbildung genießen* (Ὅτι καὶ γυναῖκα παιδευτέον).

[39] Vgl. *De tu. san.* 1,122C-E.

Diese ethisch-moralischen Überlegungen werden oft in einem heiteren Ton vorgetragen. Plutarchs Protagonisten lachen, schmunzeln und scherzen, philosophische Lehrer ebenso wie Redner und Staatsmänner.[40] Von dem Kyniker Krates, einem Schüler des Diogenes, erzählt Plutarch, daß er – obwohl ohne jeden Besitz – scherzend und lachend durchs Leben ging (*De tranq. an.* 4,466E). Eine solche Haltung ist für Plutarch philosophisches Programm:

> „Der Gipfel der Weisheit ist es, beim Philosophieren nicht wie ein Philosoph zu erscheinen, und ernsthafte Ziele spielerisch zu verfolgen" (*Quaest. conv.* I 1,3, 614A)

Oft begegnet Plutarch philosophischen Problemen mit einem Augenzwinkern, das die Größe dessen verrät, der sich selbst nicht immer ganz ernst nehmen muß. Er versucht durchgängig, philosophische Einsichten, ethische Paränesen und religiöse Überzeugungen in einer leicht lesbaren Form, gleichsam im Plauderton, vorzuführen. Seine Mittel reichen von der ironischen Anspielung über scherzhafte Beiträge einzelner Dialogpartner bis hin zu durchaus skurrilen literarischen Einfällen. So versetzt Plutarch die Leser zur Beantwortung der Frage, *Ob auch die Tiere Vernunft haben* (*Bruta animalia ratione uti*), in mythische Zeiten: Odysseus, der „listenreiche" Held der Griechen, sieht sich in der Diskussion einem Schwein gegenüber. Es ist einer seiner von der Kirke verzauberten Gefährten, den er davon zu überzeugen sucht, sich in einen Menschen zurückverwandeln zu lassen. Dieser aber lehnt es ab. Viel besser sei doch das geradlinige, der Natur gemäße Leben als Schwein. Mit dem witzigen und zugleich tiefsinnigen Einfall zeigt Plutarch das Problem des Verhältnisses von Mensch und Tier aus einer neuen ungewohnten Perspektive und übt Kulturkritik im Stil der Satire.

8. Nachleben

Plutarch schreibt ungefähr zu der Zeit, in der das frühe Christentum in der Nachfolge des Paulus seine Botschaft in die hellenistisch-römische Welt hinein zu vermitteln versucht, der Zeit der Abfassung eines Großteils des Neuen Testaments und der apostoli-

---

[40] Vgl. *Quaest. conv.* I 1,3, 614A; *Cato mai.* 7,1. In seinen *Politischen Ratschlägen* (7,803B-E) diskutiert Plutarch den Witz als Mittel der politischen Rhetorik.

schen Literatur. Seine religiös gefärbte Philosophie, der pastorale und ethische Charakter seiner Schriften und die aus ihnen sprechende milde φιλανθρωπία machen ihn im Christentum so populär, daß er zu einem „heidnischen Kirchenvater" neben Platon und Aristoteles wird. Seine bunte Schriftstellerei mit ihren Geschichten und Gleichnissen eignete sich als Vorbild für die frühchristliche Predigt. Erste deutliche Spuren hinterläßt Plutarch schon bei Clemens von Alexandrien, später bei den drei Kappadokiern, die allerdings im Gegensatz zum Kirchenhistoriker Euseb ihre Quelle verschweigen.[41] Der byzantinische Metropolit Johannes Mauropus betet im 11. Jahrhundert, Christus möge Platon und Plutarch von der Verdammnis erretten. Erasmus stellt Plutarch gar vor alle anderen Philosophen und Kirchenväter, wenn er sagt, er habe außer der Bibel *nihil sanctius* gelesen.

Plutarchs Nachkommen berufen sich noch lange mit Stolz auf ihren berühmten Ahnen, woraus seine nachhaltige Wirkung in den ersten christlichen Jahrhunderten zu ersehen ist. Apuleius betont im *Goldenen Esel*, sein fiktiver Held Lucius stamme von Plutarch ab (Apul., *Met.* I 2,1; vgl. II 3,1).

In Humanismus und Renaissance bleibt Plutarch einer der populärsten antiken Autoren; vor allem seine Biographien werden mit Begeisterung gelesen. Zunächst wird er, u.a. durch Erasmus, ins Lateinische übersetzt, danach in verschiedene Nationalsprachen. Eine enorme Wirkung geht von Jacques Amyots kongenialer französischer Übersetzung aus. Sie wird für die Entwicklung des modernen Französisch ähnlich prägend wie Luthers Bibelübersetzung für das Deutsche. Montaigne wurde durch die Lektüre der *Moralia* zu seinen *Essays* inspiriert. Shakespeare machte die Viten zur Grundlage seiner Tragödien *Julius Caesar*, *Antonius und Cleopatra* und *Coriolanus*, die beredtes Zeugnis von der dramatischen Qualität ihrer Vorlage ablegen. Im 18. Jh. reichten Plutarchs Verehrer von Friedrich II. über Beethoven bis hin zu Schiller und Goethe. Als letzterer bei einem Aufenthalt in Karlsbad 1811 die *Moralia* in Kaltwassers bis heute unübertroffener deutscher Übersetzung gelesen hatte, schrieb er an den Besitzer F.A. Wolf: „Die kleinen Schriften Plutarchs waren gerade recht am Ort: sie unter-

---

[41] Vgl. R. HIRZEL, Plutarch 83-90. Eine umfassende Untersuchung der Rezeption Plutarchs bei den Kirchenvätern steht noch aus. Eine Sammlung von Parallelstellen bei H.D. BETZ, Writings.

hielten uns mehrere Wochen fast ganz allein, und ich habe mich so darein verliebt, daß Sie diese Übersetzung wohl schwerlich wiedersehen werden."

Erst unter dem Einfluß des Historismus wußte man die literarische Qualität der Philosophie Plutarchs nicht mehr zu würdigen. Seine biographische und anekdotische Schriftstellerei erschien der kritischen Geschichtswissenschaft ungenügend. Man sah in Plutarch nur noch den Polyhistor, der vielfältiges Material wahllos rezipiert, einen eklektischen Epigonen. Entsprechend erschöpfte sich seine Bedeutung darin, als Quelle und Steinbruch antiken Wissens zu dienen. Nicht dem Autor galt das Interesse, sondern den bei ihm überlieferten Traditionen. Seit Ende der 60er-Jahre ist das zunehmende Bemühen festzustellen, Plutarch wieder als Autor mit eigenem philosophischem und literarischem Anspruch zu lesen und zu verstehen.

Die Schrift:

De latenter vivendo

Einleitung

(Bernhard Heininger / Reinhard Feldmeier)

1. Inhalt und Aufbau

Plutarchs Schrift εἰ καλῶς εἴρηται τὸ λάθε βιώσας, in wörtlicher Übersetzung „Ob das 'Lebe im Verborgenen' gut gesprochen ist", beschäftigt sich allein mit diesem Ausspruch Epikurs. In sieben Kapiteln unterschiedlicher Länge sucht Plutarch seine Leser (oder Hörer?) von der Untauglichkeit der epikureischen Maxime zu überzeugen. Schon Epikur, so wird einleitend gesagt (*De lat. viv.* 1,1128B-C), wollte ja gar nicht verborgen bleiben, sondern habe mit der Bildung des Ausspruchs gerade den (unverdienten) öffentlichen Ruhm gesucht. Hinzu komme, daß die Sache selbst, also das Leben im Verborgenen, weder im Blick auf die guten noch auf die schlechten Eigenschaften der Menschen zuträglich sei (*De lat. viv.* 2,1128C-D): Sei der Ratschlag für ungebildete, schlechte und verbohrte Menschen gedacht, so verhindere er deren Besserung (*De lat. viv.* 2,1128D-E), sei er hingegen an Tüchtige gerichtet, so führe das zu einem Mangel an großen Leistungen und zum Schweigen der Philosophie (*De lat. viv.* 3,1128F-1129A). Wie ein Blick auf die Großen der Geschichte zeige, verhalte es sich vielmehr so, daß „die Öffentlichkeit den Fähigkeiten nicht nur glanzvollen Ruhm, sondern auch tatkräftige Verwirklichung" verleihe (*De lat. viv.* 4,1129B-D). Plutarch untermauert diese These im folgenden durch eine Reihe von eher ins Grundsätzliche zielenden Argumenten: Tätig ist der Mensch nur, solange es Tag ist, bricht aber die Nacht an, kochen Körper und Seele gleichsam auf „Sparflamme" (*De lat. viv.* 5,1129D-E). Außerdem entspreche ein Leben in der Öffentlichkeit dem Willen des Schöpfers, weil – wie Plutarch weiter ausführt – „das Werden (ἡ γένεσις) nicht der Weg zum Sein, sondern der Weg des Seins an die Öffentlichkeit" sei (*De lat. viv.* 6,1129F). Schließlich winke nur denen, die sich im Leben Ruhm erworben hätten, ein jenseitiges Leben im ewigen Licht, während die Frevler in einen Abgrund äußerster Finsternis gestoßen würden, wo sie in Vergessenheit versänken (*De lat. viv.* 7,1130C-E).

Zumal die moderne Leserschaft hat Plutarch mit seiner Argumentation nicht sonderlich überzeugt. Auf *Konrat Ziegler* machte die Schrift „den Eindruck des Skizzenhaften und Unfertigen“[1], und *Otto Seel* konstatierte „im Grunde nicht mehr als das, was wir ein Feuilleton nennen würden“[2]. Allerdings standen und stehen solche Werturteile einer intensiveren Auseinandersetzung mit dem Traktat eher im Wege. Denn bei aller Skizzenhaftigkeit und durchaus berechtigten Kritik in der Sache argumentiert Plutarch doch nicht einfach zufällig, sondern durchaus mit Bedacht, ja zuweilen kunstvoll und manchmal auch gekünstelt.

In Kap. 1–3 führt – modern gesprochen – ein kommunikationstheoretisches Modell Regie, das in frappanter Weise an das Bühlersche Organonmodell der Sprache mit seinen drei Relationsfundamenten *Sender, Empfänger, Gegenstände und Sachverhalte* erinnert[3]: In schöner Reihenfolge handelt Plutarch zunächst den Urheber des Ausspruchs (Epikur), dann die durch den Ausspruch bezeichnete Sache (πρᾶγμα) und schließlich die Adressaten des Ausspruchs ab. Deren Aufteilung in „Schlechte“ (*De lat. viv.* 2,1128D–E) und „Gute“ (*De lat. viv.* 3,1128F–1129A), genauerhin in solche, die an κακία leiden, und solche, die tüchtig sind (χρηστοί), d.h. über ἀρετή verfügen, schließt im übrigen insofern direkt an die Schlußmahnung des vorausgehenden Sacharguments an[4], als deren zentrale Begriffe (ἀρετή, κακία) nun in umgekehrter Reihenfolge aufgenommen und durchdiskutiert werden, so daß Kap. 2 und 3 in Form eines Chiasmus miteinander verbunden sind.

Im einzelnen arbeitet Plutarch mit hin und wieder eingestreuten Dichterzitaten (ohne daß eine bestimmte Systematik erkennbar wäre), mit historischen Beispielen (*exempla*) sowie Bildern und Vergleichen, die in lockerer Folge aneinandergereiht werden und gewöhnlich in eine, z.T. in Frageform gegossene Schlußfolgerung münden.[5] Mehrfach meldet er sich auch selbst dezidiert zu Wort, indem er entweder seine eigene Auffassung durch Wendungen wie οἶμαι (1129C; 1130A) bzw. δοκῶ (1129E) betont herausstreicht oder mit Hilfe einer Art Erzählerkommentar, wie wir ihn aus dem Johan-

[1] K. ZIEGLER, RE 22.1 766; sein Urteil gründet auf dem abrupten Anfang und der unverhältnismäßig hohen Anzahl unerlaubter Hiate.

[2] O. SEEL, Schrift 372.

[3] Vgl. K. BÜHLER, Sprachtheorie. Die Darstellungsfunktion der Sprache, Jena 1934, Neudr. Stuttgart 1982 (als UTB 1159), 24-33; dazu auch N. LENKE – H.-D. LUTZ – M. SPRENGER, Grundlagen sprachlicher Kommunikation. Mensch – Welt – Handeln – Sprache – Computer (UTB 1877), München 1995, 57-64.

[4] Vgl. *De lat. viv.* 2,1128D: „Hast du Stärken (ἀρετήν), dann laß' sie nicht brachliegen (ἄχρηστος), hast du schlechte Eigenschaften (κακίαν), so verharre nicht darin, ohne dich heilen zu lassen (ἀθεράπευτος).“

[5] *De lat. viv.* 1,1128C; 3,1129A.

nesevangelium kennen, auf subtile Weise Kulturkritik übt.[6] Weil Plutarch die Bilder häufig wechselt – an den Vergleich ruhmliebender Menschen mit Nebenbuhlern schließt nahtlos der Vergleich derselben mit rückwärtsgewandten Ruderern an (Kap. 1), auf das Bild vom Grabräuber folgt postwendend das Bild vom Fieberkranken, der sich vor dem Arzt verbirgt (Kap. 2), usw. –, gibt die Semantik nur begrenzt Aufschluß über den Aufbau des Traktats.[7]

Eine Ausnahme macht diesbezüglich allerdings der auch aus dem biblischen Sprachraum bestens bekannte Dualismus von *Licht und Finsternis*[8], der von Kap. 4 an der Schrift zunehmend seinen Stempel aufdrückt. Zwar hatte Plutarch bereits in Kap. 2 seine dualistische Interpretation der epikureischen Maxime mit der Gegenüberstellung von sich vor dem Arzt *verbergenden* Fieberkranken und *öffentlich* ausgestellten Kranken angedeutet; auf den Begriff bringt er den dem epikureischen „Lebe im Verborgenen" latent innewohnenden Antagonismus aber erst in Kap. 4, wo der für die gesamte Schrift so zentrale Begriff φῶς im Rahmen des Symposiongleichnisses erstmals fällt[9] und in σκότος bzw. νύξ ein unmittelbares Gegenüber erhält. Diese semantische Opposition wirkt sich im folgenden nicht nur bis in die Wahl der Bilder hinein aus[10], sondern bestimmt auch den weiteren Fortgang der Gedankenführung. Kap. 5, eine Art *argumentum ad hominem*, nimmt das Stichwort νύξ auf und betrachtet zunächst die menschlichen Aktivitäten bei *Nacht* und

---

[6] Vgl. etwa *De lat. viv.* 2,1128E: „Heutzutage aber verleugnen, verstecken, verhüllen die Menschen ihre schlechten Eigenschaften und versenken sie tief in sich selbst", oder 4,1129D: „Die taube Ruhe eines geruhsamen Lebens in untätiger Zurückgezogenheit läßt die Seele ebenso wie den Körper dahinwelken."

[7] Was indessen nicht so zu verstehen ist, als wähle Plutarch seine Bilder völlig zufällig. Vielmehr ist die Metaphorik zuweilen derart subtil, daß sie überhaupt erst bei genauerem Hinsehen erkennbar wird: Das eingangs von Kap. 2 gewählte Bild vom Grabräuber (1128C) findet im „Verhüllen" und „Versenken" der schlechten Eigenschaften eine Fortsetzung, weil die beiden von Plutarch gebrauchten griechischen Verben die Bestattung eines Leichnams konnotieren. Die auf diese Weise das 2. Kap. rahmende Todesmetaphorik kommt auch im weiteren Verlauf des Traktates immer wieder einmal zum Vorschein (1129A; 1130A; etc.), vgl. R. HIRSCH-LUIPOLD, Gedeihen 110-114, in diesem Band.

[8] Vgl. dazu die programmatische Arbeit von O. SCHWANKL, Licht und Finsternis. Ein metaphorisches Paradigma in den johanneischen Schriften (HBS 5), Freiburg i.Br. 1995.

[9] Insgesamt kommt φῶς 7 bzw. 8mal (wenn man 1130A: φώς, mitzählt) in unserem Traktat vor; die Belege verteilen sich auf die Kap. 4 (3mal), 5 (1mal) und 6 (3 bzw. 4mal). Der Gegenbegriff σκότος bringt es auf 5 bzw. 6 Belege (wenn man die Abstraktbildung τὰ σκοτεινά noch miteinbezieht).

[10] Vgl. Kap. 4,1129D die Rede vom Haus, das *leuchtet* (λάμπει), bzw. von den *verborgenen* Gewässern, die *im Schatten liegen* (τῷ περισκιάζεσθαι).

bei *Tag* (ἡμέρα).[11] Kap. 6 hebt dann bei gleicher Semantik stärker auf das Grundsätzliche ab; genauerhin argumentiert Plutarch auf vierfache Weise:
- kosmologisch-anthropologisch: wenn der Mensch ins Dasein tritt, „gewinnt er an Größe und *leuchtet auf* (ἐκλάμπει)";
- theologisch: dem mit der *Sonne* (ἥλιος) identifizierten Apollon wird (der allerdings namentlich nicht genannte) Hades als „Herrscher der *Nacht* (νυκτός)" gegenübergestellt;
- (erneut) anthropologisch: schon die Alten hätten den Menschen als φώς bezeichnet;
- psychologisch: nach Meinung einiger Philosophen sei die Seele *Licht* (φῶς) und hasse alles Lichtlose bzw. werde durch das *Dunkle* (τὰ σκοτεινά) beunruhigt.

Kap. 7 schließlich bleibt dem Grundsätzlichen weiterhin treu und macht die fundamentale Dichotomie von Licht und Finsternis, die nach Plutarchs Meinung unser Leben bestimmt, auch jenseits des Todes aus: Am Ort der Frommen *scheint* die Kraft der *Sonne* (λάμπει ... ἀελίου), der Strafort dagegen ist ein Raum „äußerster *Finsternis*", wo „Ströme *trübschwarzer Nacht* (δνοφερᾶς νυκτός) grenzenloses *Dunkel* (σκότον) erbrechen".

Faßt man die bisherigen Beobachtungen zusammen, so liegt eine Zweiteilung des Traktats in die Kap. 1–3 und in die Kap. 4–7 eigentlich auf der Hand: Der erste Teil widmete sich dann vorrangig der Widerlegung der epikureischen Lebensregel unter kommunikationstheoretischen Gesichtspunkten, während der zweite Teil auf der Folie einer dualistischen Semantik die Vorzüge der Position Plutarchs darzustellen suchte. Gewisse Probleme macht dabei allerdings Kap. 4, das vom Argumentationsstil her noch stark den drei vorausgehenden Kapiteln verhaftet ist[12] und mit der Wiederaufnahme des δόξα-Themas (1129C) einen Bogen zu Kap. 1 zurück schlägt. Andererseits ist auch die Verzahnung nach hinten, wie wir sie anhand der Metaphorik von Licht und Finsternis herausgearbeitet haben, unverkennbar.[13] Demnach hat Kap. 4 im

---

[11] Wobei nur dem „Tag" weitere „Lichtträger" zugeordnet werden: die *Sonne* (ἥλιος) und das durch sie verursachte *Licht* (φῶς). Den Bereich der Nacht konnotiert Plutarch mit dem semantischen Feld der Trägheit: δυσεργὴς βαρύτης, ὄκνος ἀδρανής, ἀργία, κατηφεία.

[12] Abzulesen an der direkten Anrede Epikurs, an der reichen Verwendung von Vergleichen (Symposion, Haus, Gewässer) und besonders an der Reihe der *exempla*, die in Kap. 3 ein direktes Pendant und speziell im Fall des Epameinondas sogar eine echte Dublette haben.

[13] Das übersieht A. BARIGAZZI, Declamazione 118f., der in Kap. 2–4 das „erste Argument" (von insgesamt vieren) in der Widerlegung der epikureischen Maxime ausmacht. Die Aufteilung besagten Arguments „in due

Aufbau eine Art Brücken- oder Gelenkfunktion, verbindet die Widerlegung der gegnerischen mit der Darlegung der eigenen Position. Die nachfolgende (grobe) Gliederung nimmt diese Beobachtung auf und behandelt Kap. 4 folglich als eigenständige Größe:

I. Widerlegung: „Lebe im Verborgenen“ – ein schlechter Ratschlag (1–3,1128B-1129A)
   a) Die Unglaubwürdigkeit des Sprechers (1,1128B-1128C)
   b) Der Ausspruch geht an der Sache vorbei (2,1128C-D)
   c) Der Ausspruch ist unsinnig im Blick auf ...
      aa) ... die Schlechten (2,1128D-E)
      bb) ... die Guten (3,1128F-1129A)

II. Gegenthese: Der Wert der Öffentlichkeit (4,1129A-D)

III. Beweisführung: Das Wesen des Menschen (5–7,1129D-1130E)
   a) Die menschliche Lebensweise: Lähmung bei Nacht – Aktivität bei Tag (5,1129D-E)
   b) Die Bestimmung des Menschen: Licht (6,1129F-1130C)
   c) Die Zukunft des Menschen ...
      aa) ... am Ort der Frommen: Licht (7,1130C)
      bb) ... auf dem dritten Weg: Finsternis (7,1130C-E)

2. *Gattung*

Widerlegung und Beweisführung sind nun Termini, die wir normalerweise, soweit es jedenfalls die Antike betrifft, in einem ganz bestimmten Kontext verorten, nämlich in der Rhetorik. Speziell in der Gerichtsrede kann auf *refutatio* (Widerlegung) und *probatio* (Beweisführung) nicht verzichtet werden.[14] Diese Beobachtung ist

---

sezioni“ (Kap. 2–3; 4) wirft freilich ein bezeichnendes Licht auf den auch insgesamt keineswegs überzeugenden Gliederungsvorschlag Barigazzis.

[14] Vgl. Quint., *Inst.* III 9,1: „Ihre Teile (sc. der Gerichtsrede) sind nach der Meinung der meisten Autoritäten fünf: Prooemium (*prooemium*), Erzählung (*narratio*), Beweisführung (*probatio*), Widerlegung (*refutatio*), Schlußwort (*peroratio*).“ Zu den termini technici, für die es eine Reihe von Alternativen gibt und die bei den Griechen κατασκευή und ἀνασκευή heißen, vgl. J. MARTIN, Antike Rhetorik. Technik und Methode (HAW II/3), München 1974, 93 (mit Belegen). Die späteren Rhetoriker fassen *probatio* und *refutatio* in der *argumentatio* zusammen, vgl. Isidorus II 7,1-2; Mart. Cap V 557. Zur Sache H. LAUSBERG, Handbuch der literarischen Rhetorik. Eine Grundlegung der

eine wesentliche Stütze für die Einschätzung Russells, das kleine Werk sei „more a rhetoric exercise than a serious argument".[15] In der Tat sprechen ja auch das über weite Strecken zur Anwendung gelangende Stilmittel der vergleichenden Gegenüberstellung (Synkrisis) – hier die Schlechten, dort die Tüchtigen; zunächst die Betrachtung der menschlichen Aktivität bei Nacht, dann bei Tag; hier der Ort der Frommen, dort der Strafort der Frevler –, die oben schon erwähnte häufige Anrede Epikurs in Form von Fragen sowie der reiche Gebrauch von Exempla, Zitaten und stets treffenden, aber nicht immer gewählten Vergleichen für eine Einordnung von *De latenter vivendo* unter die rhetorischen Schriften Plutarchs.[16] Fraglich ist nur, ob man über diese allgemeine Ortsbestimmung hinaus noch zu konkreteren Urteilen gelangen kann: Während Barigazzi die Schrift etwas großflächiger als *Deklamation* bestimmt[17], legt sich Russell auf eine *destructio* (auch: *refutatio*) bzw. ἀνασκευή fest.[18]

Beide Vorschläge zielen auf die Praxis des antiken Rhetorikunterrichts, zu dessen Standardrepertoire „die Aufgabe, etwas zu entkräften oder zu bekräftigen, die sogenannte ἀνασκευή und κατασκευή"[19] ebenso gehörte wie die *declamatio,* die normalerweise auf schriftlicher Vorbereitung beruhende Übung im mündlichen Reden. Die Einteilung letzterer in *controversiae* und *suasoriae* reflektiert unterschiedliche Redegenera: Dem *genus iudiciale* (Gerichtsrede) verpflichtet, behandelt die Kontroversie das Für und Wider fiktiver, vielfach dem Alltag entnommener Rechtsfälle[20]; bei der auf die Beratungsrede (*genus deliberativum*) vorbereitenden Suasorie dominieren

---

Literaturwissenschaft, Stuttgart ^{3}1990, 236 (§ 430); DERS., Elemente der literarischen Rhetorik. Eine Einführung für Studierende der klassischen, romanischen, englischen und deutschen Philologie, Ismaning ^{10}1990, 29.

[15] D.A. RUSSELL, Essays 120.

[16] Vgl. dazu F. KRAUSS, Schriften, der freilich *De latenter vivendo* noch nicht zu den rhetorischen Schriften Plutarchs zählt.

[17] Vgl. A. BARIGAZZI, Declamazione 117.

[18] D.A. RUSSELL, Essays 120.

[19] Quint., *Inst.* II 4,14.

[20] Vgl. die Aufzählung möglicher Themenbereiche bei Quint., *Inst.* III 8,51; auch die zehn Bücher Kontroversien Senecas d.Ä. (The Elder Seneca Declamations in Two Volumes, transl. by M. WINTERBOTTOM, Vol. 1: Controversiae 1–6 [LCL 463]; Vol. 2: Controversiae 7-10. Suasoriae [LCL 464]) sind diesbezüglich ergiebig. Sehr häufig werden Familienangelegenheiten verhandelt; ein „Dauerbrenner" ist der enterbte Sohn (vgl. Lk 15,11-32; dazu E. RAU, Reden in Vollmacht. Hintergrund, Form und Anliegen der Gleichnisse Jesu [FRLANT 149], Göttingen 1990, 252-271 [„Deklamationsthemen"]).

hingegen „poetische und historische Themen ..., etwa die Worte des Priamus bei Achill oder die des Sulla, als er in einer Volksversammlung die Diktatur niederlegt“[21]. Thematisch steht die Suasorie damit eng bei ἀνασκευή und κατασκευή; über die Suasorie hinaus beziehen letztere ihre Übungsstoffe aber auch aus der mythologischen Tradition. Allen gemeinsam ist, daß die Übungsaufgabe in Form einer Frage ergeht, die im Lateinischen häufig mit *an* und im Griechischen dementsprechend mit εἰ formuliert ist: „Ob es glaublich sei, daß auf dem Haupt des Valerius beim Kampf ein Rabe gesessen habe, der Gesicht und Augen seines gallischen Feindes mit Schnabel und Flügel bearbeitet habe“ lautet beispielsweise ein von Quintilian kolportiertes Thema, das es zu widerlegen oder zu beweisen gilt.[22]

Die stilistische Nähe derartiger Fragestellungen zum Titel unserer Schrift ist unverkennbar, unverkennbar sind aber auch die formalen und inhaltlichen Unterschiede. Für eine Deklamation, die von vornherein als ganze Rede gedacht ist, fällt Plutarchs Schrift wohl doch zu knapp aus[23]; außerdem behandelt er weder einen Rechtsfall aus dem Alltag, noch ist der Stoff der Poesie, der Historie oder gar der Mythologie entnommen, wie es bei *declamatio* und ἀνασκευή bzw. κατασκευή eigentlich der Fall sein müßte. Vielmehr geht es im vorliegenden Traktat um „allgemeine Fragen des bürgerlichen Lebens“ bzw. „Fragen, die den Philosophen zukommen“[24], Fragen also, die im Rhetorikunterricht zuallererst mit Hilfe der *thesis* beantwortet werden.[25] „Ob die Welt von der Vorsehung gelenkt werde?“, „Ob man an der Leitung des Staates teilnehmen soll?“, „Ob man eine Frau nehmen soll?“ oder „Ob man politisch tätig sein soll?“ heißen hier die *quaestiones infinitae*, die es zu bearbeiten gilt.[26] Eine solche *quaestio infinita* behandelt auch Plutarchs Schrift εἰ καλῶς εἴρηται τὸ λάθε βιώσας, „Ob das ‘Lebe im Verborgenen’ ein guter Ausspruch ist?“, die deshalb der Gattung nach am ehesten als *thesis* zu bestimmen ist.

[21] Quint., *Inst.* III 8,53.
[22] Quint., *Inst.* II 4,18: *an sit credibile ...*
[23] Vgl. dagegen etwa die beiden im Oeuvre Lukians erhaltenen Redeübungen *Tyrannicida* und *Abdicatus*.
[24] Quint., *Inst.* III 5,5.
[25] H. LAUSBERG, Handbuch (s. Anm. 14) 544f. (§§ 1134-1138).
[26] Vgl. Quint., *Inst.* III 5,6-9.

3. Datierung

Die Einordnung von *De latenter vivendo* unter die rhetorischen Schriften Plutarchs, die gemeinhin der Frühphase seines Schaffens zugesprochen werden, ist für die Datierung der Schrift nicht ohne Bedeutung. Barigazzi beispielsweise schreibt das kleine Werk aus eben diesen Gründen dem jugendlichen Plutarch zu.[27] Dem steht die Auffassung der älteren Forschung gegenüber, die *De latenter vivendo* im Verein mit den beiden übrigen antiepikureischen Traktaten lieber in der Spätphase seines Wirkens ansiedeln möchte.[28] Speziell im Fall von *De latenter vivendo* wird dafür ins Feld geführt, daß die Teilnahme am öffentlichen Leben auch das Thema zweier anderer Alterswerke Plutarchs sei (*Praecepta gerendae reipublicae*; *An seni respublica gerenda sit*), unser Traktat wie die großen theologischen Spätschriften mit einem Mythos ende und die *De lat. viv.* 6,1130A zu beobachtende Gegenüberstellung von Apollon und Hades die Kontrastierung der beiden Gottheiten in *De E* 21,394A voraussetze.[29] Keines der Argumente kann wirklich überzeugen. Die Teilnahme am öffentlichen Leben durchzieht das gesamte Oeuvre Plutarchs, und der Schlußmythos in Kap. 7 – wenn es denn tatsächlich ein Mythos sein sollte – nimmt sich eher wie ein erster Versuch aus, der die großen eschatologischen Mythen Plutarchs allenfalls erahnen läßt. Was schließlich die Opposition von Apollon und Hades betrifft, so läßt sich die Argumentation Lattanzis auch umkehren.

Wägt man also die Argumente ab und verzichtet nicht von vornherein auf jeden Versuch, die Abfassungszeit des Traktats zu bestimmen[30], so dürfte beim gegenwärtigen Stand der Dinge die Frühdatierung der Spätdatierung vorzuziehen sein.

---

[27] A. BARIGAZZI, Declamazione 117.

[28] Vgl. G.M. LATTANZI, Composizione 333: „Gli scritti antiepicurei sono generalmente attribuiti alla vecchiaia di Plutarco“ (mit Berufung auf Hirzel).

[29] So im wesentlichen G.M. LATTANZI, a.a.O. 333-336, der konkret an das Jahr 95 n.Chr. denkt (ebd. 336). Schließt man sich seiner Argumentation an und legt einmal die – freilich nicht unumstrittene – Datierung des plutarchschen Oeuvres bei C.P. JONES, Towards a Chronology of Plutarch's Works, in: JRS 56 (1966) 61-74, zugrunde, müßte man vermutlich noch höher gehen.

[30] So K. ZIEGLER, RE 21.1, der die Schrift noch als ein aus dem Nachlaß Plutarchs herausgegebenes Werk ansah und für den deshalb Fragen nach ihrer Datierung keinen Sinn machten.

4. Kontext: Der Epikureismus zur Zeit Plutarchs

a) Am Beginn von *De sera numinis vindicta,* eines seiner religionsphilosophischen Hauptwerke, läßt Plutarch einen „Epikur" auftreten (genauer gesagt: abtreten[31]), der mit seinen Einwänden gegen die göttliche Vorsehung bei seinen Gesprächspartnern einen nachhaltigen Eindruck hinterläßt. Der ungewöhnliche Auftakt zeigt, daß der längst gestorbene Epikur auf eine höchst virulente Weise noch 'lebendig' ist, so daß er sogar – indirekt – als Diskussionsteilnehmer in Plutarchs Kreis auftritt.[32] Dabei 'infiziert' er dessen unmittelbare Umgebung so gründlich, daß sich der Platoniker genötigt sieht, in einer ausführlichen Darlegung die gerechte göttliche Weltlenkung (und mit ihr die Fundierung der Ethik) gegen die nun von seinen eigenen Freunden vertretenen Einwände zu verteidigen.[33]

Die sich hier zeigende aktuelle Brisanz der Auseinandersetzung mit Epikur bestätigt der Blick auf Plutarchs Gesamtwerk. Der Lampriaskatalog nennt nicht weniger als neun Schriften, die explizit gegen Epikur und dessen Schüler gerichtet sind.[34] Dazu kommen weitere Werke, die durch die Abgrenzung von epikureischen Positionen veranlaßt und geprägt sind.[35] Wie intensiv Plutarch den Philosophen des 'Gartens' wahrnimmt, zeigt auch die Tatsache,

---

[31] Dieser 'Epikur' kommt gar nicht mehr zu Wort; der Dialog setzt mit seinem Weggang ein.

[32] Zumeist wird dieser „Epikur" in den Übersetzungen als „Epikureer" wiedergegeben: Selbst wenn diese Übersetzung berechtigt wäre, so drückte doch die Benennung eines Schülers mit dem Namen des Meisters eine besonders unmittelbare Identifikation beider aus.

[33] Das gilt gerade auch dann, wenn dieser Rahmen fiktiv ist. Denn als Fiktion will er ja gerade etwas Typisches zum Ausdruck bringen. Auch an anderen Stellen läßt Plutarch Vertreter der epikureischen Position in seinen Schriften auftreten. In *De Pyth. orac.* kommt der sich „zum Epikureismus hinwendende" Mathematiker Boëthus zu Wort (5,396D-E) und kritisiert das Orakel (8,398B).

[34] Trotz der Ungenauigkeit des Lampriaskataloges besteht an der Richtigkeit dieser Angabe wenig Zweifel, zumal die Existenz dieser Schriften auch durch parallele Schriften gegen die Stoiker bestätigt wird (vgl. J. P. HERSHBELL, Plutarch 3353f.; weiter R. FLACELIÈRE, Plutarque 204f.). Erhalten sind von diesen Schriften außer unserem Traktat noch zwei ausführlichere Auseinandersetzungen (*Adv. Col.* und *Non posse*).

[35] Neben *De sera* wäre noch auf *De am. prol.* zu verweisen, wo Plutarch die Elternliebe gegen die epikureische Reduzierung auf den Nutzen verteidigt (2,495A).

daß er in den erhaltenen Werken insgesamt über zweihundert Passagen von Epikur zitiert, darunter nicht wenige mehrmals und keineswegs nur in den antiepikureischen Schriften.[36] Auch in *De latenter vivendo* deuten der auffallend polemische Ton des Auftaktes sowie die weite Teile der Schrift bestimmenden Antithesen von Licht und Finsternis, von Leben und Tod, von Heil und Verderben an, daß Plutarch in der epikureischen Philosophie etwas *aktuell* Bedrohliches und Schädliches, ja Zerstörerisches sieht, das es mit allen Mitteln – und d.h. eben auch: mit allen Mitteln der rhetorischen Polemik[37] – einzudämmen und möglichst auszumerzen gilt. Vor diesem Hintergrund ist auch unsere Schrift als Auseinandersetzung mit einer zeitgenössischen Bewegung zu verstehen und zu interpretieren. Dies läßt sich auch durch externe Zeugnisse bestätigen.

b) Nach seiner Entstehung und ersten Blüte im hellenistischen Osten[38] hatte der Epikureismus in der ersten Hälfte des ersten vorchristlichen Jahrhunderts in Roms Oberschicht endgültig Fuß gefaßt.[39] Das ist nicht zufällig die Krisenzeit des Bürgerkrieges, in der die römische Gesellschaft in sich bis aufs Blut bekämpfende Parteiungen zerfällt. In dieser Zeit, in der die Einbindung in die Bürgerschaft brüchig wird, die alten Orientierungen fraglich werden und die politische Betätigung lebensgefährlich ist, findet man bei Epikur offensichtlich das Angebot einer alternativen Daseinsorientierung. Epikur wird geradezu zu einem Modephilosophen dieser Epoche. „The last period of the Republic was a great period

---

[36] Vgl. dazu J. FERGUSON, Epicureanism 2286.

[37] Diese immer wieder kritisierte Form der Auseinandersetzung entspricht durchaus antiken Gepflogenheiten, vgl. A. BARIGAZZI, Declamazione 118: „È uno stile proprio di chi polemizza, non di chi confuta con pacatezza e misura una dottrina non condivisa, e sa far uso di tutti gli artifizi della retorica". Es ist daher zumindest übertrieben, wenn Ferguson Plutarch Fanatismus vorwirft (Epicureanism 2286). Dagegen spricht nicht zuletzt, daß Plutarch trotz grundsätzlicher Ablehnung der epikureischen Philosophie auch wieder positiv auf einzelne Züge bei Epikur, etwa auf den inneren Zusammenhalt der Schule, Bezug nehmen kann (vgl. R. FLACELIÈRE, Plutarque 200).

[38] Vgl. R. FELDMEIER, Mensch 81f.

[39] Einzelne Epikureer gab es schon früher, die aber sogar noch im 2. Jh. v.Chr. auf entschiedenen Widerstand stießen und z.T. wegen Einführung der Lustlehre und Verführung der Jugend per Dekret aus Rom vertrieben wurden, vgl. M. ERLER, Philosophie 364f.

for Epicureanism".[40] Bedeutendster philosophischer Propagator Epikurs war Lukrez (98/4-55 v.Chr.), dessen Hauptwerk *De rerum natura* Epikurs Denken in Form eines lateinischen Lehrgedichts wiedergibt und damit die epikureische Philosophie populär macht. Dabei nimmt er aber auch eine folgenreiche Neuorientierung vor, insofern er weniger die Ethik als vielmehr die Physik in den Vordergrund rückt und dabei die rationale und materialistische Weltauffassung Epikurs in den Dienst einer scharf antireligiösen Polemik stellt; bei Lukrez ist „der Kampf gegen die Religion von einer monomanischen Dynamik erfüllt ..., die den Schriften des Meisters fremd ist".[41]

Die augusteische Zeit führt zu einem geistigen Klimawechsel. Mit der *pax Augusta* und der Wiederherstellung der Reichseinheit geht die Restauration traditioneller Werte (wie dem *mos maiorum* und der *pietas*) einher. Die religionskritische und quietistische Ausrichtung des Epikureismus verträgt sich damit nur schlecht, so daß dieser zunehmend aus der Öffentlichkeit zurückgedrängt wird und sich auch frühere Anhänger von ihm distanzieren.[42] Als zeitgemäße Philosophie etabliert sich statt dessen zunächst die Stoa.[43] Dennoch verschwindet der Epikureismus nicht einfach[44], sondern

[40] J. FERGUSON, Epicureanism 2262. Ferguson präsentiert eine ansehnliche Liste einflußreicher Römer, die Epikureer waren oder doch mit der epikureischen Philosophie sympathisierten; vgl. auch M. ERLER, Philosophie 366: Der Epikureismus war zu dieser Zeit „durchaus populär".

[41] So das Urteil von W. SCHMID, RAC V 762; ähnlich M. ERLER, Philosophie, 450: „Festzuhalten ist jedenfalls, daß er gegenüber der Religion eine viel polemischere Haltung als Epikur einnimmt".

[42] Ein gutes Beispiel ist Vergil. Es ist umstritten, ob der Dichter in seiner Jugend Epikureer war. Zweifelsfrei steht aber fest, daß er ursprünglich dem Kepos nahestand. Später verwirft er dann aber das *ignobile otium* und preist in seiner *Aeneis* zeitgemäß die öffentliche Verantwortung. Möglicherweise hat auch Horaz, der andere große Dichter der augusteischen Zeit, eine ähnliche Entwicklung durchgemacht. Dieser konnte sich sogar ironisch als *Epicuri de grege porcus* (*Ep.* I 4,16) bezeichnen, zeigt sich aber distanziert gegenüber bestimmten Vorstellungen des Epikureismus wie dessen Religionskritik und der Skepsis gegenüber dem politischen Engagement.

[43] Später, im zweiten und dritten Jahrhundert, wird diese dann mehr und mehr vom Mittel- und Neuplatonismus abgelöst.

[44] „Thus Epicureanism, too strongly entrenched to be uprooted, was forced to become anonymous" – so das Fazit über den Epikureismus in der frühen Kaiserzeit von N.W. DE WITT, Epicurus and His Philosophy, Minneapolis 1954, 345.

übt auch unter Augustus und seinen Nachfolgern in Rom einen nicht zu unterschätzenden Einfluß aus.[45]

Ungebrochener scheint die Bedeutung des Epikureismus außerhalb Roms geblieben zu sein, darunter auch in Plutarchs Heimat Griechenland.[46] Das dürfte nicht zuletzt mit der bemerkenswerten Konstanz der Schule Epikurs zusammenhängen, die in Athen über die Jahrhunderte hinweg besteht und in ihrer Kontinuität „sowohl die Akademie als auch den Peripatos weit übertrifft".[47] Auch ohne herausragende Einzelpersönlichkeiten ist der Epikureismus aufgrund seiner inneren Geschlossenheit[48] als gemeinschaftliche Größe immer präsent. Bezeichnenderweise erwähnt der Evangelist Lukas bei der Rede des Paulus vor dem Areopag neben den Stoikern nur noch die Epikureer als Vertreter der athenischen Philosophie (Apg 17,18).[49] Versteht man diese Aussage zumindest auch als einen Eindruck aus der Abfassungszeit der Apostelge-

---

[45] Selbst der Stoiker Seneca verwendet nicht nur Worte und Motive epikureischer Herkunft, sondern ist auch im Stil von Epikur beeinflußt, am deutlichsten in den *epistulae morales* (vgl. weiter auch J. FERGUSON, Epicureanism 2265ff., der zeigt, wie trotz der Zurückdrängung des epikureischen Einflusses dieser doch weiterhin präsent bleibt).

[46] Vgl. J. FERGUSON, Epicureanism 2273: „Meanwhile Epicureanism continued to flourish in Greece".

[47] M. ERLER, Philosophie 209.

[48] Ebd. 43: „Epikurs Texte und diejenigen seiner Meisterschüler wurden als geradezu sakrosankt angesehen und genauester philologischer Interpretation unterzogen". Ähnlich M. HOSSENFELDER, Epikur 19: Epikurs „Kernsätze wurden auf prägnante Formeln gebracht und in Katechismen zusammengestellt, die die Schüler auswendig lernten. Diese schworen, Epikur zu gehorchen und nach seinen Vorschriften zu leben. Solcher Indoktrination verdankt der Epikureismus seine relative Geschlossenheit und Einheit, die er über die ganzen Jahrhunderte seines Bestehens bewahrt hat. Die Inhalte wurden im wesentlichen unverändert tradiert und akzeptiert, so daß die Schule nie, wie andere, in verschiedene Richtungen oder Epochen zerfiel" (vgl. dazu auch J. FERGUSON, Epicureanism 2261: „the Epicurean school more than any other remained true to the tenets of its founder"). Auch in der römischen Zeit bleibt die geradezu religiöse Verehrung des Philosophen (vgl. besonders die Proömien der Bücher I, III, V und VI bei Lukrez mit ihrem hymnischen Lobpreis Epikurs, die in der Feststellung gipfeln: *deus ille fuit* [V 8]) für die Epikureer charakteristisch.

[49] Immerhin lehrte Plutarchs Lehrer, der Platoniker Ammonios, im ersten Jahrhundert in Athen. Dessen öffentliche Anerkennung zeigt sich nicht zuletzt daran, daß er dreimal zum Strategen gewählt wurde (*Quaest. conv.* VIII 3,1, 720C-D). Dennoch sind für Lukas die Stoiker und Epikureer die dominierenden Schulen.

schichte[50], dem ausgehenden ersten Jahrhundert, dann sind wir mitten in der Zeit Plutarchs. Gerade aus dieser Zeit finden sich deutliche Hinweise auf eine fortdauernde Hochschätzung der epikureischen Philosophie. Erstmals haben die Epikureer in Plotina, der Gattin Trajans (98-117), eine entschiedene Anhängerin am Kaiserhof[51], welche diese auch direkt fördert. Auch ihr Schützling Hadrian (117-135), der ihrer Bitte um eine Satzungsänderung im Blick auf die Leitung des 'Gartens' nachkommt[52], stand dem Epikureismus zumindest nicht ablehnend gegenüber[53]. Aufgeklärte Kreise scheinen in Epikur einen Bundesgenossen im Kampf gegen die zunehmende Bedeutung der Religiosität in all ihren Spielarten gesehen zu haben. So erscheint in Lukians Spottschrift über den 'Lügenpropheten' Alexander von Abonuteichos Epikur geradezu als der Schutzheilige aller Vernünftigen, dessen Philosophie allein nachhaltig vor religiöser Verblendung zu bewahren vermag. Das Schlußwort preist denn auch Epikur als „einen wahrhaft heiligen und göttlichen Mann, der allein das Schöne in Verbindung mit der Wahrheit erkannt hat und durch dessen Mitteilung ein Befreier derer geworden ist, die sich mit ihm beschäftigen" (*Alex.* 61). Möglicherweise ist der Epikureismus sogar eine Art rationale Alternative für das spätantike Erlösungsbedürfnis geworden. Schon Plotina hatte in ihrem Brief an die epikureische Schule in Athen im Jahr 121 n.Chr. Epikur ausdrücklich als 'Retter' (σωτήρ) bezeichnet[54], und die große Inschrift des Diogenes von Oinoanda empfiehlt mit geradezu missionarischem Eifer die Philosophie Epikurs als „Erlösungsarznei".[55]

c) Wie gesehen, erhält der Epikureismus durch Lukrez eine verstärkt antireligiöse Stoßrichtung. Diese religionskritische Zuspitzung des Epikureismus prägt dann auch dessen Verständnis in der

---

[50] Der Vergleich mit den Paulusbriefen zeigt, daß Apg 17 zumindest stark lukanisch geprägt wenn nicht von Lukas gebildet ist.

[51] Bemerkenswert ist schon die Einführung ihrer Bitte an Hadrian (erhalten auf einer Marmorstele): [*Quod studium meum*] *erga sectam Epicuri sit, optime scis, d[omi]ne* (CIL 3,12283).

[52] Der Leiter darf nun den Nachfolger selbst ernennen, der auch kein römischer Bürger mehr sein muß (CIL 3,12283).

[53] Vgl. die Ausführungen von J. FERGUSON, Epicureanism 2287f.

[54] SIG³ Nr. 834, Z. 21f.

[55] τὰ τῆς σωτηρίας ... φάρμακα.

Folgezeit: Sowohl für seine Anhänger wie für seine Gegner[56] steht der Name 'Epikur' am Beginn der Spätantike für die philosophische Kritik an der wachsenden Bedeutung der Religiosität. Als solchen nimmt ihn auch Plutarch wahr[57]; die epikureische Philosophie ist daher für ihn „la meilleure 'pierre de touche' de ses convictions profondes".[58] Und da für ihn Religion und Ethik unmittelbar zusammenhängen, führt in der Sicht Plutarchs diese Religionskritik Epikurs dazu, daß anstelle der verantwortlichen Einbindung des Individuums in ein größeres Ganzes der atomisierte Einzelne absolut gesetzt wird. In letzter Konsequenz führt dies zur Auflösung der Gemeinschaft und der Ethik und damit zur Zerstörung des Lebens.[59] Die Kritik der Religion hat also die Zersetzung der Ethik und folglich eine 'ehrlose und tierische Lebensweise' zur Folge.[60] Das aber zieht für Plutarch geradezu unausweichlich die Zerstörung jedes menschlichen Zusammenlebens nach sich:

> „Eher, so scheint mir, kann eine Stadt ohne Boden Gestalt annehmen und danach erhalten bleiben als ein Staat, nachdem man allen Glauben an die Götter völlig beseitigt hat. Diese Bindemittel jeder Gemeinschaft und Gesetzgebung werfen jene ohne weiteres über den Haufen, nicht etwa durch vorsichtige Um-

---

[56] Die Schrift Lukians gegen Alexander von Abonuteichos etwa zeigt dies schön: Zum einen hat dieser Alexander die Epikureer zusammen mit den Christen und den Atheisten als Gesamtheit der Gottlosen von seinen Mysterien ausgeschlossen (*Alex.* 38) und durch ein Orakel sogar die Verbrennung von Epikurs κύριαι δόξαι angeordnet (*Alex.* 47). Umgekehrt beruft sich, wie gesehen, Lukian in seiner Kritik an dem 'Lügenpropheten' auf Epikur als Wegbereiter der Wahrheit.

[57] Neben der Bestreitung der Vorsehung (*De sera* 1,548C, *De def. orac.* 19,420B) ist es auch „die arrogante Verachtung der Orakel" (*De def. orac.* 45,434D-F), die den delphischen Priester besonders stört.

[58] R. FLACELIÈRE, L'épicurisme 214.

[59] Vgl. *Adv. Col.* 31,1125D-F; vgl. dazu R. FELDMEIER, Mensch 87f. In *De sera* wird explizit thematisiert, welche verhängnisvollen Folgen die Kritik an der Vorsehung für die Ethik hat (vgl. v.a. 2,548Cff.).

[60] *Adv. Col.* 2,1108C-D; vgl. auch die Zusammenfassung der Argumentation in *Adv. Col.* 30,1124E: „... wir werden das Schändliche scheuen und die auf dem Guten beruhende Gerechtigkeit ehren, da wir der Überzeugung sind, daß wir Götter als gute Herrscher und Dämonen als Wächter des Lebens haben... Wann nun wird unser Leben tiergleich und wild und unsozial? Wenn zwar die Gesetze aufgehoben sind, aber die zur Lust ratenden Lehrsätze bleiben, an die Vorsehung der Götter zwar nicht geglaubt wird, aber diejenigen, die auf das Edle spucken, für Weise gehalten werden".

> zingelung oder heimlich oder durch Rätselsprüche, sondern indem sie die erste ihrer 'Hauptlehren' dagegen schleudern" (*Adv. Col.* 31,1125E).

Inwieweit der wiederholte Vorwurf der Zuchtlosigkeit[61] Anhalt an Erfahrungen mit Mitgliedern des Kepos hat, ist schwer zu beurteilen. Ausgeschlossen ist es sicher nicht, daß der epikureische Hedonismus in begüterten Kreisen in dieser Richtung gedeutet wurde.[62] Die Pauschalität der Unterstellungen macht es allerdings wahrscheinlicher, daß es sich hierbei in erster Linie um Diffamierungen handelt, wie sie auch gegenüber anderen relativ abgeschlossenen Gemeinschaften, etwa gegenüber Juden oder Christen verbreitet wurden – auch hier mit einer deutlichen Vorliebe für die Unterstellung sexueller Ausschweifungen.[63] Glaubwürdig, weil öffentlich jederzeit überprüfbar, sind dagegen die – besonders für unsere Schrift wichtigen – Vorwürfe, daß die Epikureer sich dem Gemeinwesen entzögen. Hier schlägt denn auch bezeichnenderweise die Auseinandersetzung mit Epikur um in einen direkten Angriff gegen alle Epikureer wegen deren unsozialer Daseins- und Handlungsorientierung:

> „Aber [was ging hervor] aus Epikurs Lehren und Grundsätzen? Ich sage ja nicht: ein Tyrannenmörder oder ein Held oder ein Gesetzgeber oder einer, der für gerechte Angelegenheit Folter und Tod auf sich genommen hat – aber: hat einer dieser 'Weisen' für das Vaterland eine Seereise gemacht, eine Gesandtschaft übernommen, eine Geldsumme aufgebracht? Wo ist *bei euch* (!) etwas von einer Tätigkeit für den Staat geschrieben?" (*Adv. Col.* 32,1126E).

---

[61] Vgl. die entsprechenden Anschuldigungen in *De lat. viv.* 4,1129A.

[62] Von dem epikureischen Philosophen Philodem von Gadara waren vor der Entdeckung der herculanensischen Papyri bezeichnenderweise nur eine Reihe vorwiegend erotischer Epigramme bekannt! Vgl. auch die Darstellung des Petron bei J. FERGUSON, Epicureanism 2278, wo zwei Stellen besprochen werden, an denen der Dichter Epikureismus und Sexualität zu verbinden scheint. Ferguson folgert: „Within the writing of Petronius and within what we know of his life there is a type of hedonism which might come from a free interpretation of Epicurus".

[63] Einen lebendigen Eindruck davon vermittelt die Rede des Caecilius im *Octavius* des Minucius Felix (vgl. v.a. 9,6). Ähnlich die Charakterisierung der Frau bei Apuleius, *Met.* IX 14,1ff., mit der vermutlich eine Christin gemeint ist.

5. Zum Text

Die vorliegende Ausgabe legt Pohlenz' Text in der Teubneriana zugrunde, zieht allerdings den Text von Einarson/De Lacy zum Vergleich hinzu, die die Handschriften wenig nach Pohlenz für die Loeb Classical Library nochmals neu kollationiert haben. Insbesondere die Konjekturen wurden einer genauen Prüfung unterzogen und ein etwas konservativerer Text hergestellt.[64]

Dichterzitate werden in Text und Übersetzung kursiv, aber ohne Anführungszeichen gesetzt. Dies trägt der Tatsache Rechnung, daß Plutarch die Zitate oftmals untrennbar in seinen Text einfügt, so daß eine eindeutige Abgrenzung des Zitats nicht mehr möglich ist.

---

[64] Die meisten der Konjekturen von POHLENZ werden von EINARSON/DE LACY übernommen, die neuerliche Kollationierung bringt wenig neue Erkenntnisse. Die von POHLENZ in *cruces* gesetzte und ausführlich diskutierte Stelle am Anfang von Kap. 7, die auch RUSSEL in seiner neuen Übersetzung eigens kennzeichnet, wird im Apparat von EINARSON/DE LACY nicht diskutiert.

ΕΙ ΚΑΛΩΣ ΕΙΡΗΤΑΙ

ΤΟ ΛΑΘΕ ΒΙΩΣΑΣ

Ist „Lebe im Verborgenen“

eine gute Lebensregel?

ΕΙ ΚΑΛΩΣ ΕΙΡΗΤΑΙ ΤΟ ΛΑΘΕ ΒΙΩΣΑΣ

[1128] 1. Ἀλλ' οὐδὲ ὁ τοῦτο εἰπὼν λαθεῖν ἠθέλησεν· αὐτὸ γὰρ τοῦτο εἶπεν, ἵνα μὴ λάθῃ, ὥς τι φρονῶν [B] περιττότερον, ἐκ τῆς εἰς ἀδοξίαν προτροπῆς δόξαν ἄδικον ποριζόμενος·

μισῶ σοφιστήν, ὅστις οὐχ αὑτῷ σοφός.

τοὺς μὲν γὰρ περὶ Φιλόξενον τὸν Ἐρύξιδος καὶ Γνάθωνα τὸν Σικελιώτην ἐπτοημένους περὶ τὰ ὄψα λέγουσιν ἐναπομύττεσθαι ταῖς παροψίσιν, ὅπως τοὺς συνεσθίοντας διατρέψαντες αὐτοὶ μόνοι τῶν παρακειμένων ἐμφορηθῶσιν· οἱ δὲ ἀκράτως φιλόδοξοι καὶ κατακόρως διαβάλλουσιν ἑτέροις τὴν δόξαν ὥσπερ ἀντερασταῖς, ἵνα τυγχάνωσιν αὐτῆς ἀνταγωνίστως, καὶ ταὐτὰ τοῖς ἐρέσσουσι ποιοῦσιν· ὡς γὰρ ἐκεῖνοι, πρὸς τὴν πρύμναν ἀφορῶντες τῆς νεὼς τῇ κατὰ πρῷραν ὁρμῇ συνεργοῦσιν, ὡς ἂν ἐκ [C] τῆς ἀνακοπῆς παλίρροια καταλαμβάνουσα συνεπωθῇ τὸ πορθμεῖον, οὕτως οἱ τὰ τοιαῦτα παραγγέλματα διδόντες ὥσπερ ἀπεστραμμένοι τὴν δόξαν διώκουσιν. ἐπεὶ τί λέγειν ἔδει τοῦτο, τί δὲ γράφειν καὶ γράψαντα ἐκδιδόναι πρὸς τὸν μετὰ ταῦτα χρόνον, εἰ λαθεῖν ἐβούλετο τοὺς ὄντας ὁ μηδὲ τοὺς ἐσομένους;

2. Ἀλλὰ τοῦτο μὲν αὐτὸ τὸ πρᾶγμα πῶς οὐ πονηρόν· λάθε βιώσας – ὡς τυμβωρυχήσας; ἀλλ' αἰσχρόν ἐστι τὸ ζῆν, ἵνα ἀγνοῶμεν πάντες; ἐγὼ δ' ἂν εἴποιμι· μηδὲ κακῶς βιώσας λάθε, ἀλλὰ γνώσθητι, σωφρονίσθητι, μετανόησον· εἴτε ἀρετὴν ἔχεις, μὴ γένῃ ἄχρηστος, εἴτε κακίαν, μὴ μείνῃς [D] ἀθεράπευτος. Μᾶλλον δὲ διελοῦ καὶ διόρισον, τίνι τοῦτο προστάττεις· εἰ μὲν ἀμαθεῖ καὶ πονηρῷ καὶ

Ist „Lebe im Verborgenen" eine gute Lebensregel?[1]

1. Dagegen spricht schon[2], daß nicht einmal derjenige, der dies gesagt hat, selbst im Verborgenen bleiben wollte. Eben diesen Ausspruch (sc. „Lebe im Verborgenen") hat er nämlich getan, um selbst als außergewöhnlicher Denker nicht im Verborgenen zu bleiben, und hat sich so durch die Mahnung zum Verzicht auf Ruhm unverdienten Ruhm verschafft:

Den Weisen mag ich nicht, der für sich selbst nicht weise ist.[3]

Man erzählt sich, Philoxenos, der Sohn des Eryxis, und Gnathon aus Sizilien hätten in ihrer Versessenheit auf die Fleischgerichte[4] in die Schüsseln hineingeschneuzt, um so den Tischgenossen den Appetit zu verderben und sich als einzige an den vorgesetzten Speisen den Bauch vollschlagen zu können.[5] So machen hemmungslos und unmäßig ruhmliebende Menschen[6] anderen wie Nebenbuhlern die öffentliche Anerkennung madig, damit sie selbst diese ohne Konkurrenz erlangen können. Solche Leute verfahren genau wie Ruderer: Wie diese zum Heck des Schiffes blicken und dabei gemeinsam am Vortrieb arbeiten[7], insofern der Rückfluß[8], der sich aus dem Schlag ergibt, das Schiff ergreift und nach vorne stößt[9], so verfolgen diejenigen, die solche Ratschläge geben, gleichsam rückwärtsgewandt den Ruhm. Denn warum wäre es nötig gewesen, dies zu sagen, warum es aufzuschreiben und das Geschriebene schließlich für kommende Zeiten herauszugeben[10], wenn er vor seinen Zeitgenossen hätte verborgen bleiben wollen, er, der doch sogar der Nachwelt nicht verborgen bleiben wollte?[11]

2. Aber auch die Sache selbst ist doch wohl etwas schlechtes: „Lebe im Verborgenen" – als ob man ein Grabräuber wäre?[12] Aber ist denn ‚leben' eine Schande, so daß[13] wir alle nichts davon wissen sollen?[14] Ich würde sagen: selbst wenn du schlecht lebst, tue das nicht im Verborgenen, sondern laß es die anderen sehen, laß dich zur Vernunft bringen, ändere deine Einstellung! Hast du Stärken, so laß' sie nicht brachliegen; hast du schlechte Eigenschaften, so verharre nicht darin, ohne dich heilen zu lassen.

Besser noch: Unterscheide und lege erst einmal fest, für wen dein Ratschlag bestimmt ist.[15] Wenn er für einen ungebildeten, schlech-

ἀγνώμονι, οὐδὲν διαφέρεις τοῦ λέγοντος 'λάθε πυρέττων' καὶ 'λάθε φρενιτίζων, μὴ γνῷ σε ὁ ἰατρός· ἴθι ῥίψας ποι κατὰ σκότους σεαυτόν, ἀγνοούμενος σὺν τοῖς πάθεσιν. καὶ σύ ἴθι τῇ κακίᾳ νόσον ἀνήκεστον νοσῶν καὶ ὀλέθριον, ἀποκρύπτων τοὺς φθόνους, τὰς δεισιδαιμονίας ὥσπερ τινὰς σφυγμούς, δεδιὼς παρασχεῖν τοῖς νουθετεῖν καὶ ἰᾶσθαι δυναμένοις.' οἱ δὲ σφόδρα παλαιοὶ καὶ τοὺς νοσοῦντας φανερῶς παρεῖχον· τούτων δὲ ἕκαστος [E] εἴ τι πρόσφορον ἔχοι, παθὼν αὐτὸς ἢ παθόντα θεραπεύσας, ἔφραζε τῷ δεομένῳ· καὶ τέχνην οὕτω φασὶν ἐκ πείρας συνερανιζομένην μεγάλην γενέσθαι. ἔδει δὴ καὶ τοὺς νοσώδεις βίους καὶ τὰ τῆς ψυχῆς παθήματα πᾶσιν ἀπογυμνοῦν, καὶ ἅπτεσθαι καὶ λέγειν ἕκαστον ἐπισκοποῦντα τὰς διαθέσεις· 'ὀργίζῃ· τοῦτο φύλαξαι· ζηλοτυπεῖς; ἐκεῖνο ποίησον· ἐρᾷς; κἀγώ ποτ' ἠράσθην ἀλλὰ μετενόησα.' νῦν δὲ ἀρνούμενοι ἀποκρυπτόμενοι περιστέλλοντες ἐμβαθύνουσι τὴν κακίαν ἑαυτοῖς.

3. καὶ μὴν εἴ γε τοῖς χρηστοῖς λανθάνειν καὶ ἀγνοεῖσθαι παραινεῖς, Ἐπαμεινώνδᾳ λέγεις 'μὴ [F] στρατήγει' καὶ Λυκούργῳ 'μὴ νομοθέτει' καὶ Θρασυβούλῳ 'μὴ τυραννοκτόνει' καὶ Πυθαγόρᾳ 'μὴ παίδευε' καὶ Σωκράτει 'μὴ διαλέγου', καὶ σεαυτῷ πρῶτον, Επίκουρε· 'μὴ γράφε τοῖς ἐν Ἀσίᾳ φίλοις μηδὲ τοὺς ἀπ' Αἰγύπτου ξενολόγει μηδὲ τοὺς [1129] Λαμψακηνῶν ἐφήβους δορυφόρει· μηδὲ διάπεμπε βίβλους πᾶσι καὶ πάσαις ἐπιδεικνύμενος τὴν σοφίαν, μηδὲ διατάσσου περὶ ταφῆς'. τί γὰρ αἱ κοιναὶ τράπεζαι; τί δὲ αἱ τῶν ἐπιτηδείων καὶ καλῶν σύνοδοι; τί δὲ αἱ τοσαῦται μυριάδες στίχων ἐπὶ Μητρόδωρον, ἐπ' Ἀριστόβουλον, ἐπὶ Χαιρέδημον γραφόμεναι καὶ συντασσόμεναι φιλοπόνως, ἵνα μηδὲ ἀποθανόντες λάθωσιν, ἵν' ἀμνηστίαν νομοθετῇς ἀρετῇ καὶ ἀπραξίαν τέχνῃ καὶ σιωπὴν φιλοσοφίᾳ καὶ λήθην εὐπραγίᾳ;

ten und verbohrten Menschen gedacht ist, dann ist es so, als würdest du sagen: „Bleibe im Verborgenen, wenn du Fieber hast, wenn du gar im Fieberwahn bist, der Arzt soll deinen Zustand nicht sehen. Geh' und verkrieche dich irgendwo in der Dunkelheit, von keinem bemerkt mitsamt deinen Leiden.[16] Und auch du, geh' ruhig und kranke weiter aufgrund deiner schlechten Eigenschaften an einer zerstörerischen, tödlichen Krankheit, verbirg weiter deine Anfälle von Neid und Aberglauben[17] wie einen rasenden Puls[18], aus Furcht, sie denen zu offenbaren, die dich zurechtweisen und damit auch heilen könnten."[19] Ganz früher hat man die Kranken öffentlich ausgestellt. Jeder, der ein nützliches Mittel wußte, sei es, weil er selbst einmal an der Krankheit gelitten oder weil er einen Leidenden gepflegt hatte, teilte es dem Hilfsbedürftigen mit.[20] Auf diese Weise habe sich, sagt man, durch das Zusammentragen von Erfahrungen eine große Heilkunst entwickelt. So sollte man auch seine krankhafte Lebensführung und die Leiden der Seele vor allen bloßlegen, und jeder sollte sie betasten und nach der Prüfung des Zustands sagen: „Du bist zornig – beachte dieses"; „Du bist eifersüchtig – befolge jenes"; „Du bist verliebt – ich war auch einmal von der Liebe gefangen, aber ich habe meine Einstellung geändert".[21] Heutzutage aber verleugnen, verstecken, verhüllen[22] die Menschen ihre schlechten Eigenschaften und versenken sie tief in sich selbst.

3. Wenn sich andererseits deine Mahnung, verborgen und unbekannt zu bleiben, an die tüchtigen Menschen richtet, dann sagst du damit zu Epameinondas[23]: „Sei kein Feldherr", zu Lykurg[24]: „Gib' keine Gesetze", zu Thrasybulos[25]: „Töte die Tyrannen nicht", zu Pythagoras[26]: „Erziehe nicht", und zu Sokrates[27]: „Führe keine Gespräche", vor allem aber sagst du damit zu dir selbst, Epikur: „Schreibe nicht an die Freunde in Kleinasien[28], rekrutiere keine Schüler in Ägypten und spiele auch nicht den Aufpasser für die Jugendlichen von Lampsakos[29]; verschicke nicht überallhin deine Bücher[30], um jedem und jeder deine Weisheit zu demonstrieren, und triff nicht auch noch Anordungen für dein Begräbnis."[31] Was sollen denn die gemeinsamen Mahlfeiern? Was die Versammlungen der guten Gefährten[32]? Wozu die vielen Tausende von Zeilen auf Metrodor, auf Aristobul, auf Chairedem[33], geschrieben und sorgfältig redigiert, damit jene auch im Tod nicht in Vergessenheit geraten[34], wenn du es doch zum Gesetz machst, daß der Tugend

4. Εἰ δ᾽ ἐκ τοῦ βίου καθάπερ ἐκ συμποσίου φῶς ἀναιρεῖς τὴν γνῶσιν, ὡς πάντα ποιεῖν πρὸς ἡδονὴν [B] ἐξῇ λανθάνουσιν - λάθε βιώσας. πάνυ μὲν οὖν, ἂν μεθ᾽ Ἡδείας βιοῦν μέλλω τῆς ἑταίρας καὶ Λεοντίῳ συγκαταζῆν καὶ τῷ καλῷ προσπτύειν καὶ τἀγαθόν ἐν σαρκὶ καὶ γαργαλισμοῖς τίθεσθαι· ταῦτα δεῖται σκότους τὰ τέλη, ταῦτα νυκτός, ἐπὶ ταῦτα τὴν λήθην καὶ τὴν ἄγνοιαν. ἐὰν δέ τις ἐν μὲν φυσικοῖς θεὸν ὑμνῇ καὶ δίκην καὶ πρόνοιαν, ἐν δὲ ἠθικοῖς νόμον καὶ κοινωνίαν καὶ πολιτείαν, ἐν δὲ πολιτείᾳ τὸ καλὸν ἀλλὰ μὴ τὴν χρείαν, διὰ τί λάθῃ βιώσας; ἵνα μηδένα παιδεύσῃ, μηδενὶ ζηλωτὸς ἀρετῆς μηδὲ παράδειγμα καλὸν γένηται; εἰ Θεμιστοκλῆς Ἀθη-[C] ναίους ἐλάνθανεν, οὐκ ἂν ἡ Ἑλλὰς ἀπεώσατο Ξέρξην· εἰ Ῥωμαίους Κάμιλλος, οὐκ ἂν ἡ Ῥώμη πόλις ἔμεινεν· εἰ Δίωνα Πλάτων, οὐκ ἂν ἠλευθερώθη ἡ Σικελία. ὡς γὰρ οἶμαι τὸ φῶς οὐ μόνον φανεροὺς ἀλλὰ καὶ χρησίμους καθίστησιν ἡμᾶς ἀλλήλοις, οὕτως ἡ γνῶσις οὐ μόνον δόξαν ἀλλὰ καὶ πρᾶξιν ταῖς ἀρεταῖς δίδωσιν. Ἐπαμεινώνδας γοῦν εἰς τεσσαρακοστὸν ἔτος ἀγνοηθεὶς οὐδὲν ὤνησε Θηβαίους· ὕστερον δὲ πιστευθεὶς καὶ ἄρξας τὴν μὲν πόλιν ἀπολλυμένην ἔσωσε, τὴν δὲ Ἑλλάδα δουλεύουσαν ἠλευθέρωσε, καθάπερ ἐν φωτὶ τῇ δόξῃ τὴν ἀρετὴν ἐνεργὸν ἐπὶ καιροῦ παρασχό-[D] μενος.

λάμπει γὰρ ἐν χρείαισιν ὥσπερ εὐγενὴς
χαλκός, χρόνῳ δ᾽ ἀργῆσαν ἤμυσεν

οὐ μόνον στέγος, ὥς φησι Σοφοκλῆς, ἀλλὰ καὶ ἦθος ἀνδρός, οἷον εὐρῶτα καὶ γῆρας ἐν ἀπραξίᾳ δι᾽ ἀγνοίας ἐφελκόμενον. ἡσυχία δὲ κωφὴ καὶ βίος ἑδραῖος ἐπὶ σχολῆς ἀποκείμενος οὐ μόνον σώματα ἀλλὰ καὶ ψυχὰς μαραίνει· καὶ καθάπερ τὰ λανθά-

nicht gedacht wird[35], Können nicht umgesetzt wird, Philosophie schweigt und große Taten dem Vergessen anheimfallen.
4. Wenn du aus dem Leben das Erkennen[36] wegnehmen willst wie das Licht aus einem Symposion[37], damit man unentdeckt nach Lust und Laune alles treiben kann – dann freilich gilt: „Lebe im Verborgenen!" Ganz sicher natürlich, wenn ich darauf aus bin, das Leben mit der Hetäre Hedeia zu verbringen, mit Leontion zusammenzuleben[38], „auf das Edle zu spucken"[39] und das Gute „im fleischlichen Kitzel" zu suchen.[40] Solche Lebensziele[41] brauchen Dunkelheit, brauchen Nacht, für sie ist Vergessen und Unkenntnis bestimmt. Wenn aber jemand in der Naturbetrachtung Gott, die Gerechtigkeit und die Vorsehung preist, in der Ethik Gesetz, Gemeinschaft und Gemeinwesen und in der Politik[42] das Edle anstelle des bloßen Nutzens[43], warum sollte der im Verborgenen leben? Damit er niemanden erziehen kann, sich niemandem als nacheifernswert wegen seiner Tugend und damit als edles Vorbild zeigt?[44] Wenn Themistokles den Athenern verborgen geblieben wäre, dann hätte Griechenland den Xerxes nicht zurückgeschlagen. Wenn Camillus den Römern verborgen geblieben wäre, dann hätte Rom als Stadt keinen Bestand gehabt, wenn Platon dem Dion, dann wäre Sizilien nicht frei geworden.[45] Wie das Licht uns füreinander nicht nur sichtbar, sondern auch nützlich macht, so verleiht, meine ich, auch die Öffentlichkeit den Fähigkeiten nicht nur glanzvollen Ruhm, sondern auch tatkräftige Verwirklichung. Epameinondas zum Beispiel war bis zum vierzigsten Lebensjahr unbekannt geblieben und hatte nichts für Theben geleistet; als er sich später jedoch Vertrauen erworben hatte und in ein Amt eintrat, rettete er die Stadt vor dem drohenden Untergang und befreite das unterjochte Griechenland. Im entscheidenden Augenblick traten seine Fähigkeiten im Licht seines öffentlichen Ansehens wirksam hervor.
Nicht nur ein Haus

> *erstrahlt wie edles Erz, wenn es benutzt wird,*
> *doch müßig sinkt es nieder mit der Zeit*

wie Sophokles sagt[46], sondern auch der Charakter eines Menschen; untätig geworden wird er gleichsam durch die fehlende öffentliche Beachtung von Schimmel[47] und Altersschwäche befallen. Die taube Ruhe eines geruhsamen Lebens in untätiger Zurückgezogenheit läßt die Seelen ebenso wie die Körper dahinwelken. Auch verbor-

νοντα τῶν ὑδάτων τῷ περισκιάζεσθαι καὶ καθῆσθαι μὴ ἀπορρέοντα σήπεται, οὕτω τῶν ἀκινήτων βίων, ὡς ἔοικεν, ἄν τι χρήσιμον ἔχωσι, μὴ ἀπορρεόντων μηδὲ πινομένων φθείρονται καὶ ἀπογηράσκουσιν αἱ σύμφυτοι δυνάμεις.

5. Οὐχ ὁρᾷς, ὅτι νυκτὸς μὲν ἐπιούσης τά τε σώματα [E] δυσεργεῖς βαρύτητες ἴσχουσι καὶ τὰς ψυχὰς ὄκνοι καταλαμβάνουσιν ἀδρανεῖς, καὶ συσταλεὶς ὁ λογισμὸς εἰς αὑτὸν ὥσπερ πῦρ ἀμαυρὸν ὑπ' ἀργίας καὶ κατηφείας μικρὰ διεσπασμέναις πάλλεται φαντασίαις, ὅσον αὐτὸ τὸ ζῆν τὸν ἄνθρωπον ὑποσημαίνων,

ἦμος δ' ἠπεροπῆας ἀπεπτοίησεν ὀνείρους

ὁ ἥλιος ἀνασχὼν καὶ καθάπερ εἰς ταὐτὸ συμμίξας ἐπέστρεψε καὶ συνώρμησε τῷ φωτὶ τὰς πράξεις καὶ τὰς νοήσεις τὰς ἁπάντων, ὥς φησι Δημόκριτος,

νέα ἐφ' ἡμέρῃ φρονέοντες

ἄνθρωποι, τῇ πρὸς ἀλλήλους ὁρμῇ καθάπερ ἀρτήματι συντόνῳ σπασθέντες ἄλλος ἀλλαχόθεν ἐπὶ τὰς πράξεις ἀνίστανται;

[F] 6. Δοκῶ δὲ ἐγὼ καὶ τὸ ζῆν αὐτὸ καὶ ὅλως τὸ φῦναι καὶ μετασχεῖν ἀνθρώπων γενέσεως εἰς γνῶσιν ὑπὸ θεοῦ δοθῆναι. ἔστι δὲ ἄδηλος καὶ ἄγνωστος ἐν τῷ παντὶ πόλῳ κατὰ μικρὰ καὶ σποράδην φερόμενος· ὅταν δὲ γένηται, συνερχόμενος αὑτῷ καὶ λαμβάνων μέγεθος ἐκλάμπει καὶ καθίσταται δῆλος ἐξ ἀδήλου καὶ φανερὸς ἐξ ἀφανοῦς. οὐ γὰρ εἰς οὐσίαν ὁδὸς ἡ γένεσις, ὡς ἔνιοι λέγουσιν, ἀλλ' οὐσίας εἰς γνῶσιν· οὐ γὰρ ποιεῖ τῶν γινομένων ἕκαστον ἀλλὰ [1130] δείκνυσιν, ὥσπερ οὐδὲ ἡ φθορὰ τοῦ ὄντος ἄρσις εἰς τὸ μὴ ὄν ἐστιν, ἀλλὰ μᾶλλον εἰς τὸ ἄδηλον ἀπαγωγὴ τοῦ διαλυθέντος. ὅθεν δὴ τὸν μὲν ἥλιον Ἀπόλλωνα κατὰ τοὺς πατρίους καὶ παλαιοὺς θεσμοὺς νομίζοντες Δήλιον καὶ Πύθιον προσαγορεύουσι· τὸν δὲ τῆς ἐναντίας κύριον μοίρας, εἴτε θεὸς εἴτε δαίμων ἐστίν, ὀνομάζουσιν, ὡς ἂν

gene Gewässer werden dadurch faulig, daß sie im Schatten still stehen, weil sie keinen Abfluß haben. Ebenso verderben bei einem Leben ohne Bewegung, wie es scheint, die ihm eigenen Kräfte und werden hinfällig, wenn es zwar nützliche Anlagen hat, aber nichts aus ihm weiterfließt und niemand etwas aus ihm zu trinken bekommt.

5. Siehst Du denn nicht, wie sich, wenn die Nacht herannaht, bleierne Schwere der Körper bemächtigt und lähmendes Zaudern die Seelen ergreift[48], wie das Denkvermögen – träge und beklommen in sich selbst zurückgezogen wie ein glimmendes Feuer[49] – nur noch wenig zuckt unter Fetzen von Traumbildern[50], gerade genug, um ahnen zu lassen, daß der Mensch noch lebt, wie aber die Sonne bei ihrem Aufgang,

wenn sie alsdann verscheucht die Betrüger,
die nächtlichen Träume[51],

das Handeln und Denken aller durch ihr Licht gleichsam bündelt, ihnen eine Richtung und einen gemeinsamen Antrieb gibt, wie dann die Menschen nach dem Wort Demokrits[52]

neue Gedanken haben mit dem Tag

und sich – durch die sie aufeinander zutreibende Kraft wie durch einen kräftigen Auftrieb nach oben gezogen – erheben und aus allen Richtungen zusammenkommen zu ihrem Tagewerk.[53]

6. Meiner Überzeugung nach ist das Leben selbst und allgemein die Geburt, die Teilhabe am Werdeprozeß der Menschen[54] von Gott zum Zweck des Erkennens gegeben worden. Der Mensch ist nämlich unsichtbar und unerkennbar, solange er im Himmelsraum in kleinen Teilchen zerstreut umhertreibt. Wenn er aber in den Prozeß des Werdens eintritt, dann setzt er sich zusammen, gewinnt an Größe und tritt in Erscheinung; zuvor unsichtbar ist er nun sichtbar, zuvor verborgen nun offenbar.[55] Das Werden ist nicht der Weg zum Sein, wie manche sagen, sondern der Weg des Seins zum Erkennen.[56] Denn das Werden erschafft nicht alles, das wird, sondern macht es nur sichtbar, wie auch das Vergehen keine Aufhebung des Seins ins Nichtsein ist, sondern eher ein Wegführen des Aufgelösten in die Unsichtbarkeit.[57] Deshalb setzt man Apollon nach von den Vätern überkommener alter Überlieferung mit der Sonne gleich[58], und redet ihn mit „Delios“ und „Pythios“ an.[59] Den Herrn des entgegengesetzten Bereichs, sei er nun ein Gott

εἰς ἀειδὲς καὶ ἀόρατον ἡμῶν, ὅταν διαλυθῶμεν, βαδιζόντων,

νυκτὸς ἀιδνᾶς ἀεργηλοῖό θ' ὕπνου κοίρανον.

οἶμαι δὲ καὶ τὸν ἄνθρωπον αὐτὸν οὑτωσὶ φῶτα καλεῖν τοὺς παλαιούς, ὅτι τοῦ γινώσκεσθαι καὶ γινώσκειν ἑκάστῳ διὰ συγγένειαν ἔρως ἰσχυρὸς [B] ἐμπέφυκεν. αὐτήν τε τὴν ψυχὴν ἔνιοι τῶν φιλοσόφων φῶς εἶναι τῇ οὐσίᾳ νομίζουσιν, ἄλλοις τε χρώμενοι τεκμηρίοις καὶ ὅτι τῶν ὄντων μάλιστα τὴν μὲν ἄγνοιαν ἡ ψυχὴ δυσανασχετεῖ καὶ πᾶν τὸ ἀφεγγὲς ἐχθαιρεῖ, καὶ ταράττεται τὰ σκοτεινά φόβου καὶ ὑποψίας ὄντα πλήρη πρὸς αὐτήν· ἡδὺ δ' αὐτῇ καὶ ποθεινὸν οὕτω τὸ φῶς ἐστιν, ὥστε μηδ' ἄλλῳ τινὶ τῶν φύσει τερπνῶν ἄνευ φωτὸς ὑπὸ σκότους χαίρειν, ἀλλὰ τοῦτο πᾶσαν ἡδονὴν καὶ πᾶσαν διατριβὴν καὶ ἀπόλαυσιν, ὥσπερ τι κοινὸν ἥδυσμα καταμιγνύμενον, ἱλαρὰν ποιεῖ καὶ φιλάνθρωπον. ὁ [C] δ' εἰς τὴν ἄγνοιαν αὑτὸν ἐμβάλλων καὶ σκότος περιαμπισχόμενος καὶ κενοταφῶν τὸν βίον ἔοικεν αὐτὴν βαρύνεσθαι τὴν γένεσιν καὶ ἀπαυδᾶν πρὸς τὸ εἶναι.

7. † Καίτοι τῆς γε δόξης καὶ τοῦ εἶναι φύσιν † εὐσεβῶν χῶρον,

τοῖσι λάμπει μένος ἀελίου τὰν ἐνθάδε νύκτα κάτω, φοινικορόδοις ἐνὶ λειμώνεσσι,

καὶ τοῖσιν ἀκάρπων μὲν ἀνθηρῶν δὲ καὶ συσκίων δένδρων ἄνθεσι τεθηλὸς ἀναπέπταται πεδίον, καὶ ποταμοί τινες ἄκλυστοι καὶ λεῖοι διαρρέουσι, καὶ διατριβὰς ἔχουσιν ἐν μνήμαις καὶ λόγοις τῶν γεγονότων καὶ ὄντων παραπέμποντες αὑτοὺς καὶ συνόντες. ἡ δὲ τρίτη τῶν ἀνοσίως βεβιωκότων καὶ [D] παρανόμως ὁδός ἐστιν, εἰς ἔρεβός τι καὶ βάραθρον ὠθοῦσα τὰς ψυχάς,

ἔνθεν τὸν ἄπειρον ἐρεύγονται σκότον
βληχροὶ δνοφερᾶς νυκτὸς ποταμοί,

δεχόμενοι καὶ ἀποκρύπτοντες ἀγνοίᾳ καὶ λήθῃ τοὺς κολαζομένους. οὐ γὰρ οὔτε γῦπες κειμένων ἐν γῇ τῶν πονηρῶν κείρουσιν ἀεὶ τὸ ἧπαρ (κατακέκαυται γὰρ ἢ κατασέσηπεν), οὔτε βαρῶν τινων

oder ein Daimon, nennt man – in der Meinung, daß wir ins Gestaltlose und Unsichtbare gehen, wenn wir aufgelöst werden –

Herrscher der finsteren Nacht und des untätigen Schlafes.[60]

Die Alten haben, so denke ich, den Menschen deshalb mit dem Wort „Phos"[61] bezeichnet, weil jedem Menschen von Natur aus aufgrund der Verwandtschaft untereinander das starke Verlangen angeboren ist, erkannt zu werden und zu erkennen. Insbesondere ist die Seele nach der Meinung einiger Philosophen ihrem Wesen nach Licht.[62] Als Beweis dafür führen sie vor allem an, daß die Seele die Unwissenheit schwerer erträgt als alles andere, alles Lichtlose haßt und beunruhigt wird durch das Dunkel, das für sie lauter Angst und Unbehagen birgt. Das Licht dagegen ist ihr so angenehm und begehrenswert, daß sie auch an den von Natur aus angenehmen Dingen ohne Licht in der Dunkelheit keine Freude hat. Erst das Licht macht jede Lust, jede Vergnügung und jeden Genuß, wie das Salz in der Suppe[63], durch seine Beimischung erfreulich und liebenswert.[64] Wer sich aber selbst in die Verborgenheit stürzt, sich mit Finsternis umhüllt und seinem eigenen Leben ein Scheinbegräbnis bereitet[65], der empfindet offenbar sein Gewordensein als Last und verweigert sich dem Sein.

7. … einen Ort der Frommen[66],

denen die Kraft der Sonne scheint, wenn hier unten Nacht herrscht, auf Wiesen mit roten Rosen[67]

und denen sich eine prangende Ebene ausbreitet mit Blüten fruchtloser[68], aber blühender und schattiger Bäume. Flüsse durchströmen sie – still und ohne Wellen. Dort verweilen sie in Erinnerungen und Gesprächen über vergangene und gegenwärtige Dinge, denen sie sich gemeinschaftlich hingeben.

Der dritte Weg[69] aber ist für diejenigen bestimmt, die ein Leben in Frevel und Verbrechen geführt haben; er stößt ihre Seelen in einen Abgrund äußerster Finsternis[70],

da erbrechen das grenzenlose Dunkel
schleichend sich dahinwälzende Ströme trübschwarzer Nacht,[71]

packen sie und versenken sie in Unbekanntheit und Vergessen – das ist ihre Strafe.

Es ist nämlich nicht etwa so, daß Geier den auf der Erde liegenden Übeltätern immer wieder von neuem die Leber herausfressen – denn die ist längst verbrannt oder verfault –, noch auch drücken

ἀχθοφορίαι θλίβουσι καὶ καταπονοῦσι τὰ σώματα τῶν κολαζομένων –

οὐ γὰρ ἔτι σάρκας τε καὶ ὀστέα ἶνες ἔχουσιν,

οὐδ' ἔστιν ὑπόλειμμα σώματος τοῖς τεθνηκόσι τιμωρίας ἀπέρεισιν ἀντιτύπου δέξασθαι δυνά-
[E] μενον – ἀλλ' ἓν κολαστήριον ὡς ἀληθῶς τῶν κακῶς βιωσάντων, ἀδοξία καὶ ἄγνοια καὶ παντελῶς ἀφανισμός αἴρων εἰς τὸν ἀμειδῆ ποταμὸν τῆς Λήθης καὶ καταποντίζων εἰς ἄβυσσον καὶ ἀχανὲς πέλαγος ἀχρηστίαν καὶ ἀπραξίαν πᾶσάν τε ἄγνοιαν καὶ ἀδοξίαν συνεφελκόμενον.

und quälen irgendwelche schweren Lasten die Körper der Straffälligen,[72]

denn nicht mehr halten die Sehnen zusammen das Fleisch und die Knochen[73],

und es ist nichts übrig vom Körper der Toten, das eine körperliche Vergeltungsstrafe entgegennehmen könnte. Aber eine einzige Strafmöglichkeit gibt es tatsächlich für diejenigen, die ein schlechtes Leben geführt haben[74]: Ruhmlosigkeit und Unbekanntheit – also ein vollkommenes Verschwinden, das sie in den freudlosen Strom des Vergessens reißt[75], sie hineinspült in den Schlund eines bodenlos gähnenden Meeres, das alle Nutzlosigkeit und Untätigkeit, Ruhmlosigkeit und Unbekanntheit zugleich verschluckt.[76]

Anmerkungen

1 Die Überschrift nach der Lesart sämtlicher Handschriften; im Lamprias-Katalog ist das Werk als Nr. 178 unter dem Titel Περὶ τοῦ λάθε βιώσας verzeichnet.

2 Der Einstieg mit ἀλλ' οὐδέ wirkt hart, wenngleich die Wendung bei Plutarch verschiedentlich einen Einwand einleitet, vgl. etwa *Conv. sept. sap.* 13,155F; *De sera* 1,548B oder *Apophth. Lac.* 37,211A. Vielleicht nimmt Plutarch die sprachliche Härte um der Kohärenz des Textes willen bewußt in Kauf: Die Eingangszeile des 2. Kapitels (1128C: ἀλλὰ τοῦτο μὲν αὐτὸ κτλ.) nimmt von der Formulierung her die Eingangszeile des 1. Kapitels wieder auf (ἀλλ' οὐδὲ τοῦτο κτλ.).

3 Der aus einer unbekannten Euripidestragödie stammende sophistische Spruch (= *fr.* 905 Nauck) zielt ursprünglich wohl darauf ab, daß sich aus der Weisheit des Weisen Kapital schlagen lassen muß. Die Sophisten verlangten als Rede- und Weisheitslehrer für ihr Wissen Honorar. Im vorliegenden Kontext geht es dagegen darum, daß die Theorie der Praxis entsprechen muß. Plutarch bringt den Vers an anderer Stelle noch einmal, nämlich in der Alexandervita (*Alex.* 53), wo er der Kritik Alexanders an des Philosophen Kallisthenes unklugem Verhalten Worte verleiht. Zur Verwendung des Euripidesfragments bei Ennius und Cicero vgl. F. PORTALUPI, De latenter vivendo 10, mit Verweis auf Cic., *Ad fam.* XIII 15,2; *De off.* III 62.

4 τὸ ὄψον, „die Zukost", ist zunächst einmal das, was man zur μᾶζα, zum Brot, ißt. Das können auch Gemüse oder andere vegetarische Lebensmittel sein. In späterer Zeit hat man darunter aber zunehmend tierische Speisen verstanden, zuletzt den Fisch und die daraus bereiteten Leckerbissen, vgl. F. ORTH, Art. Kochkunst, in: RE 11.1 (1921) 944-982, hier 949f.; zur Thematik allgemein jetzt A. DALBY, Essen und Trinken im alten Griechenland. Von Homer bis zur byzantinischen Zeit, Stuttgart 1998.

5 Die Geschichte, die Plutarch hier auftischt, ist trotz des Hinweises auf die Überlieferung („Man erzählt sich") in dieser Form nicht nachzuweisen. Zusammen treten Philoxenos und Gnathon in den Quellen nicht auf. Gnathon, wörtlich übersetzt die „Dickbacke" oder „Pausbacke", ist der Name einer Komödienfigur, die (nach gegenwärtigem Kenntnisstand) in Menanders fragmentarisch erhaltener Komödie *Kolax* erstmals Premiere feiert und dort den Parasiten gibt. *Gnathonici* heißen dann bei Terenz (der die Figur des Parasiten von Menander für seinen *Eunuch* übernimmt) diejenigen, die sich von Gnathon in die „Nachfolge" rufen lassen (*Eun.* II 262-264: „und ich hieß ihn mir folgen, daß womöglich, wie der Philosophen Schulen nach diesen, auch Parasiten einst Gnathoniker sich nennen"). Das ist insofern aufschlußreich, als Plutarch die Sitte, daß ungeladene Gäste als „Schatten" eines Geladenen zum Gastmahl erscheinen, in Analogie zum Platonismus „Gnathonismus" nennt. Niemand habe es in dieser Kunst (an fremden Gastmählern teilzunehmen) weitergebracht als Gnathon (*Quaest. conv.* VII 6,2, 707E). Möglicherweise geht beides schon auf Menander zurück.

Eine bekannte Komödienfigur scheint auch „Philoxenos, der Sohn des Eryxis", gewesen zu sein. Athen., *Deipn.* VI 241e-f, zufolge spielt er nicht nur bei Menander und Machon eine Rolle, sondern auch in der von *Axionikos* stammenden Komödie *Chalkidikos* (*fr.* 6 K.-A.), die ihn in nächste Nähe zum Parasiten rückt (vgl. Athen., *Deipn.* VI 239f). Plutarch reiht Philoxenos an anderer Stelle zusammen mit dem Dichter Antagoras und dem Maler Androkydes unter die führenden Gourmets ein (*Quaest. conv.* IV 4,2, 668C). Nach einer sowohl bei Aristoteles (*Eth. Eud.* III 2,1231a17) wie Athenaios festgehaltenen Überlieferung (*Deipn.* I 6b) habe er sich um des besseren Hinunterschlingens willen den Schlund eines Kranichs gewünscht. Mehrfach trägt er den Beinamen *Pternokopis*, d.h. „Schinkenhauer".

6 Daß auch Epikur zu dieser Spezies gehört, leidet für Plutarch wenig Zweifel. Indizien sind ihm die Äußerung, Ruhm verschaffe eine gewisse Lust, sowie der Umstand, daß er nicht nur die Lehren seiner Lehrer als seine eigenen ausgab, sondern sich auch noch den Kniefall des Kolotes gefallen ließ (Plut., *Non posse* 18,1100A).

7 Schiffahrtsmetaphorik findet sich häufiger bei Plutarch; besonders interessant im Blick auf unseren Text ist vielleicht *Quaest. conv.* II 10,2, 644A, wo aus Anlaß der Frage, ob man aus einzelnen oder aus gemeinsamen Schüsseln essen soll, derjenige, der von den anderen beim gemeinsamen Essen übervorteilt wird, mit jemandem verglichen wird, der beim Rudern zurückbleibt.

8 Da das überlieferte περίρροια nur äußerst selten und ausschließlich in medizinischer Bedeutung belegt ist, erscheint die Konjektur von Pohlenz einleuchtend. Demgegenüber ist παλίρροια Plutarch geläufig. Vgl. *De aud. poet.* 2,17C, wo das Wort im unmittelbaren Zusammenhang der Hadesthematik und des in *De lat. viv.* 7,1130D wiederverwendeten Pindarzitats steht, sowie *Marius* 14,1, wo es ebenfalls bildhaft auf die Bewegung von Menschen angewendet ist; hier erscheinen die Truppenbewegungen der Barbaren als Flutwelle: ... τῶν γὰρ βαρβάρων ὥσπερ τινὰ παλίρροιαν τῆς ὁρμῆς λαβόντων, καὶ ῥυέντων πρότερον ἐπὶ τὴν Ἰβηρίαν.

9 EINARSON/DE LACY verweisen in ihrer Anmerkung zur Stelle auf die bei Plat., *Tim.* 58e–59a, und Aristot., *Phys.* IV 8,215a14ff. bezeugte Vorstellung der ἀντιπερίστασις, mit Hilfe derer man sich die Bewegung eines Objektes in der Luft, beispielsweise eines Steins, erklärte: Nachdem der Stein die Hand des Werfers verlassen habe, verdränge er die vor ihm befindliche Luft, wodurch wiederum andere Luft verdrängt werde; auf diese Weise komme es zu einer Art Kreisströmung, bei der sich die verdrängte Luft schließlich hinter dem Stein versammle und ihn vorwärtstreibe. Plutarch will das Bild wohl so verstanden wissen, daß der Kraft, die in die Gegenrichtung aufgewendet wird (denn die Ruderblätter gehen vom Bug zum Heck), notwendig eine Kraft entspricht, die das Schiff nach vorne stößt.

10 Falls Plutarch damit auf eine Schrift Epikurs mit dem Titel „Lebe im Verborgenen" o.ä. anspielt, so ist uns diese jedenfalls nicht mehr erhalten. Unter den 41 Buchtiteln, die Diog. Laert. X 27f. nennt, findet sich kein entsprechender Eintrag; gut möglich wäre aber auch, daß die Thematik in

den vier Büchern „Von den Lebensweisen" (περὶ βίων; bei Diog. Laert. die Nr. 15) angesprochen und abgehandelt wurde.

11 Die Formulierung des Satzes ist etwas verschlungen. Offenbar sind zwei Gedanken ineinandergewoben, die auseinandergedröselt ein *argumentum a minore ad maius* ergeben: Schon die öffentliche Lehrtätigkeit ignoriert den Grundsatz, daß Öffentlichkeit zu meiden ist. Umso mehr gilt dies für die schriftliche Fassung und Herausgabe dieser Lehre, die darauf zielt, sich auch bei der Nachwelt Ruhm zu erwerben. Ganz sicher also wollte Epikur nach seinem Ratschlag selbst nicht leben. Eine steigernde Argumentationsstruktur vom Streben nach Ruhm innerhalb des Lebens zum Ruhm bei der Nachwelt findet sich in Kap. 3.

12 τυμβωρυχέω ist ein plutarchisches Hapaxlegomenon. Eine schöne Illustration des angesprochenen Tatbestands findet sich bei Chariton I 9,1-7, wo der mitternächtliche Grabraub des Seeräubers Theron geschildert ist. Chariton I 7,5 steht τυμβωρυχία in einer Reihe mit λῃστεία und ἱεροσυλία (ähnlich Lukian, *Pisc.* 14). Sein Vergehen büßt Theron mit dem Tod am Kreuz, vgl. Chariton III 4,18.

13 ἵνα für ὥστε findet sich verschiedentlich bei Plutarch, vgl. z.B. *Quomodo adul.* 27,67F.

14 Am Anfang dieses zweiten Kapitels finden sich einige problematische Wendungen, die zu einer Reihe von Konjekturen Anlaß gegeben haben. Die elliptische Konstruktion von ἀγνοεῖν ist ungewöhnlich. Der Gedankengang scheint etwa folgender zu sein: Die Regel, man solle sein Leben im Verborgenen führen, ist deshalb schlecht, weil sie ihrerseits voraussetzt, daß der normale Lebensvollzug etwas so schändliches sei, daß alle anderen Menschen davon keine Kenntnis erhalten sollen. τὸ ζῆν wäre also als Objekt zu ἀγνοῶμεν zu verstehen. Das betonte πάντες unterstreicht den sozialen Charakter der Argumentation (vgl. wenig später τούτων δ' ἕκαστος [2,1128E]). In diese Richtung geht auch die erste Person Plural, die Wilamowitz zur 3. Person abändern wollte. Sie paßt zudem gut zum Diatribenstil und weist überdies darauf hin, daß Plutarch es persönlich als einen wichtigen Teil seines Wirkens ansieht, die Menschen durch eine Behandlung ihrer Schwächen in seinen Schriften zu bessern.

15 Trotz des Diatribenstils ist der Wechsel der Anrede merkwürdig und unschön: Zunächst ist der Adressat des Ratschlags angeredet, jetzt aber derjenige, der ihn formuliert hat, also Epikur. Soll Epikur damit auch zum Adressaten des Ratschlags werden?

16 Dasselbe Bild in ähnlicher Anwendung gebraucht Plutarch auch *Quomodo quis suos* 11,81F–82B. Unheilbar (ἀνήκεστος) ist bzw. keinen Fortschritt in der Tugend macht, wer „die innere Verunstaltung seiner Seele, seine verabscheuungswürdige Lebensführung, seine Neidgefühle (φθόνους), seine Tücke, seine Engstirnigkeit und Vergnügungssucht (φιληδονία) bedeckt und verhüllt (περιστέλλων καὶ ἀποκρύπτων), als ob es Geschwüre wären, und nicht zuläßt, daß jemand sie berührt oder auch nur ansieht".

17 Beiden Lastern hat Plutarch, der sich selbst als „Arzt" für solche Krankheiten verstanden hat, jeweils eine eigene Abhandlung gewidmet (*De invidia et odio; De superstitione*).

18 *De gen. Socr.* 12,581F parallel zu φλύκταινα (Wundblase?) für ein medizinisches Symptom.

19 Schon hier wird durch die Metaphorik eine schlechte ethische Haltung als Krankheit des Menschen interpretiert, ein Gedanke, der vor allem in *De sera numinis vindicta* eine große Rolle spielt. Dort schlüpft die Gottheit in die Rolle des Arztes. Gleichzeitig wird dieser ethische Makel auch als intellektuelles Defizit verstanden. Deshalb verbindet Plutarch immer wieder in einem Zeugma Verben aus dem Bereich der Heilung und aus dem Bereich der Belehrung (z.B. hier: νουθετεῖν καὶ ἰᾶσθαι). Vgl. R. HIRSCH-LUIPOLD, Gedeihen 110-112.

20 Plutarch zitiert ein bekanntes Exempel. In seiner frühesten Fassung findet es sich bei Herodot, der dies als eine Sitte der Babylonier berichtet; sie sei dort durch den Mangel an Ärzten motiviert (vgl. Hdt. I 197). Den hohen Bekanntheitsgrad des Exempels demonstriert seine Verwendung bei Strab., *Geogr.* III 3,7; XX 1,20; Max. Tyr., *Or.* 6,2f-g; Servius, *Aen.* 12,395; Isidorus, *Etym.* 10,72.

21 Vgl. μετανόησον oben 2,1128D. Die Abfolge von Zorn (ὀργή), Eifersucht (ζηλοτυπία) und heftigem Liebesverlangen (ἔρως) hat fast den Anstrich eines Lasterkatalogs, doch kommt die Trias bei Plutarch nicht wieder vor. Weitaus häufiger steht die Eifersucht neben dem Neid (φθόνος), vgl. *Quomodo quis suos* 37,74E; *De cap.* 9,91B; 10,91E: „und jegliche Natur des Menschen bringt Streitsucht, Eifersucht und Neid hervor"; *De amic. mult.* 7,96B; *De curios.* 5,517F; u.a.m. Über die Beherrschung des Zorns hat Plutarch einen eigenen Traktat geschrieben (*De cohibenda ira*); dort findet sich auch die Bemerkung, daß der Eifersüchtige zu den Menschen zähle, die am leichtesten zum Zorn neigten. Die Liebe ist in der stoisch beeinflußten Reihe ganz selbstverständlich unter die πάθη eingereiht. Das steht in auffälliger Spannung zu den sonstigen Äußerungen zur Liebe bei Plutarch bis hin zum *Amatorius*, wo der Eros als Gott gefeiert wird.

22 περιστέλλειν gehört ursprünglich in den Bereich der Bestattung und bedeutet „mit einem Leichentuch umhüllen; bestatten", vgl. etwa Hom., *Od.* XXIV 293; auch Plut., *Lyc.* 27,2. Mehr Belege bei R. HIRSCH-LUIPOLD, Gedeihen 112 Anm.53.

23 Den Ruhm des Epameinondas als glänzender Taktiker und Feldherr begründete die Schlacht von Leuktra bei Theben 371 v.Chr., wo er mit der „schiefen Schlachtordnung" (λοξὴ φάλαγξ) eine neue Epoche der Kriegsführung einläutete und das zahlenmäßig weit überlegene spartanische Heer unter Kleombrotos vernichtend schlug. Plutarch erwähnt seinen böotischen Landsmann mehrfach (vgl. *Pelopidas* 3-5, u.ö.; *De gen. Socr.* 8,579D; 14,583C; 16,585D-E usw.); die Epameinondasbiographie ist allerdings verlorengegangen. Diod. XV 39,2; 88,3f.; Cic., *Tusc.* I 4; *Orat.* III 139; Aelian, *Var. Hist.* VII 14, preisen ihn als „ersten aller Griechen". Weitere Informationen bei H. VOLKMANN, Art. Epameinondas, in: KP II, 280-282.

24 Dem sagenhaften Begründer der spartanischen Verfassung (mit Doppelkönigtum, Rat der Alten und Heeresversammlung, vgl. Plut., *Lyc.* 5,6) hat Plutarch eine eigene Biographie gewidmet; erstmals erscheint Lykurg als Verfassungsgründer bei Hdt. I 65. Auch die berühmte spartanische *Agoge*,

die Erziehung der Jugendlichen, wie überhaupt die gesamte Lebensordnung werden auf Lykurg zurückgeführt (vgl. Plut., *Lyc.* 9-21).

25 Der bedeutende demokratische Politiker und Soldat Thrasybulos war 404/3 v.Chr. maßgeblich am Sturz der Dreißig beteiligt, vgl. Xenoph., *Hell.* II 4,2–43; Aristot., *Ath. Pol.* 37f. Plutarch nimmt an anderer Stelle (*De glor. Ath.* 7,349F) auf dieses Ereignis Bezug, ohne Thrasybulos namentlich zu erwähnen.

26 Diog. Laert. VIII 3 zufolge scharte Pythagoras in Kroton eine große Zahl von Schülern um sich; seine Lehrvorträge waren berühmt, „nicht weniger als 600 Zuhörer strömten zur Nachtzeit ihn zu hören zusammen" (VIII 15). Unter den ebenfalls bei Diogenes Laertios (VIII 6) ihm zugeschriebenen Schriften findet sich auch eine über Erziehung (Παιδευτικόν). Die Umrisse der pythagoreischen Erziehungsmethode werden noch bei Jambl., *Vit. Pyth.* 63-114, faßbar; grundsätzlich müsse „man wissen, daß Pythagoras viele Wege der Erziehung (παιδείας) entdeckt" habe (*Vit. Pyth.* 90). Dazu gehören an erster Stelle die Musik, die der Harmonie der Seele zuträglich sein soll, die bekannten symbolischen Sprüche (überliefert auch bei Ps.-Plut., *De lib. ed.* 17,12E-F; *Numa* 14,3) und schließlich auch eine richtige Ernährung (Vegetarismus). Plat., *Rep.* X 600a, nennt Pythagoras (neben Homer) einen ἡγεμὼν παιδείας. Knappe, aber solide Informationen zu Pythagoras und seinem Nachwirken jetzt bei C.A. HUFFMAN, Die Pythagoreer, in: F. RICKEN (Hrsg.), Philosophen I 52-72.

27 Wie Pythagoras durch das παιδεύειν, so wird Sokrates durch das διαλέγεσθαι charakterisiert, also jenes bekannte Wechselspiel zwischen Frage und Antwort, dessen Ziel darin besteht, die Wahrheit ans Licht zu bringen (Plat., *Rep.* VII 539c; *Apol.* 33b). Es ist die Weise der Unterredung, wie sie zwischen Freunden üblich ist. Bei Plutarch gehört im übrigen das διαλέγεσθαι zur Ausstattung des philosophischen Lehrers (vgl. *Cic.* 24,7), und auch der lukanische Paulus bedient sich dieser Form der Unterweisung (vgl. Apg 19,8f.). Mehr Belege bei B. HEININGER, Einmal Tarsus und zurück (Apg 9,30; 11,25-26). Paulus als Lehrer nach der Apostelgeschichte, in: MThZ 49 (1998) 125-143, hier 138f.

28 Auch nach der Übersiedlung nach Athen 307 v.Chr. reißt die Verbindung Epikurs zu den Schülern und Freunden in Kleinasien nicht ab; vielmehr legen die zahlreichen Brieffragmente dafür Zeugnis ab, daß die Beziehungen zu den fernen Gemeinden aufrechterhalten und noch vertieft werden. Einen Beleg für ein Schreiben „an die Freunde in Kleinasien" findet man außerhalb unserer Plutarchstelle zwar nicht, wohl aber Briefe „An die Freunde in Lampsakos" (*fr.* 88f. Arrighetti) oder „An die Philosophen in Mytilene" (*fr.* 93-112 Arrighetti). Allgemein zu den Briefen Epikurs vgl. jetzt H.J. KLAUCK, Die antike Briefliteratur und das Neue Testament. Ein Lehr- und Arbeitsbuch (UTB 2022), Paderborn 1998, 121-126.

29 Über das Anwerben von Schülern in Ägypten ist weiter nichts bekannt; generell zur Rekrutierung potentieller Epikureer vgl. allerdings B. FRISCHER, The Sculpted Word. Epicureanism and Philosophical Recruitment in Ancient Greece, Berkeley 1982, 46-86. Nicht weniger dunkel als die Werbung von Schülern in Ägypten bleibt auch die Anspielung auf die „Begleitung" der Epheben von Lampsakos. Das von Plutarch gebrauchte

Wort δορυφορέω ist eigentlich Terminus technicus für „jemanden als Leibwache begleiten, Leibwächter sein" o.ä., und in diesem Sinn verwendet es Plutarch auch sonst, vgl. *Caes.* 57,7; *De superst.* 11,170E; *Praec. ger. reip.* 14,810B. Weder bei Aristot., *Ath. Pol.* 42,2-5, noch in den zahlreichen Ephebeninschriften ist allerdings das Amt eines δορυφόρος im Umkreis der Ephebie bezeugt. Von seiner Grundbedeutung her („Lanzenträger") ließe sich vielleicht an eine Art Assistent denken, der dem ἀκοντιστής, dem Lehrer für das Speerwerfen, oder dem Epheben selbst beim Speerwurftraining zur Hand geht. Doch kann dies nicht mehr als eine Vermutung sein. Zur Ephebie vgl. O.W. REINMUTH, Art. Ephebia, in: KP II, 287-291, mit den wesentlichen Informationen, sowie zuletzt L.A. BURCKHARDT, Bürger und Soldaten. Aspekte der politischen und militärischen Rolle athenischer Bürger im Kriegswesen des 4. Jahrhunderts v.Chr. (Hist. Einzelschriften 101), Stuttgart 1996, 26-76 (mit Literatur!).

30 Nach B. FRISCHER, Word (s. Anm. 29) 50, waren die epikureischen Schriften der breiten Öffentlichkeit nicht zugänglich; doch gibt das die Cicerostelle aus den *Tusculanen*, auf die sich Frischer stützt, zumindest in dieser Deutlichkeit nicht her: „Den Platon und die übrigen Sokratiker und die, die von ihnen ausgehen, liest jedermann ... Den Epikur und den Metrodoros aber nimmt kaum einer in die Hand außer den Gesinnungsgenossen" (*Tusc.* II 8). Mindestens unter den epikureischen Gemeinschaften selbst fand ein reger Schriftenaustausch statt, wie zwei Briefe aus dem 2. Jh. n.Chr. belegen, vgl. Diogenes von Oinoanda, *fr.* 15-16 Chilton, sowie J.G. KEENAN, A Papyrus Letter about Epicurean Philosophy Books, in: J. Paul Getty Museum Journal 5 (1977) 91-94.

31 Plutarch dürfte das Testament Epikurs im Auge haben, das nach seiner bei Diog. Laert. X 16–21 überlieferten Fassung u.a. vorsah, die Ausgaben „für die gewohnte jährliche Feier meines Geburtstages (sc. Epikurs) am zehnten des Monats Gamelion sowie auch für die übliche festliche Zusammenkunft meiner philosophischen Genossen am zwanzigsten jeden Monats zu meinem und des Metrodoros Gedächtnis" aus dem hinterbliebenen Vermögen Epikurs zu bestreiten (X 18).

32 Wörtlich: „der Gefährten und Schönen/Guten", wobei die Näherbestimmung der „Schönen" bzw. „Guten" (καλῶν) Schwierigkeiten macht: Daß Plutarch damit die wenige Zeilen später genannten Hetären Hedeia und Leontion aus dem Kepos meint, ist kaum anzunehmen, ebensowenig, daß er dem Wort einen moralischen Sinn beilegt, weil dies dem Duktus seiner Gedankenführung völlig zuwiderliefe. Wilamowitz hat sich deshalb mit der Konjektur φίλων beholfen, was sich eventuell mit einer Inschrift aus Orchomenos stützen ließe, wo ὑπογεγραμμένοι, das sind die eigentlichen Vereinsmitglieder, und φίλοι unterschieden werden (IG VII Nr. 3224; der Hinweis bei M. KLINGHARDT, Gemeinschaftsmahl und Mahlgemeinschaft. Soziologie und Liturgie frühchristlicher Mahlfeiern [TANZ 13], Tübingen 1996, 32f. Anm. 10). Die Praxis des Kepos, zum Kultmahl „alle Hausgenossen (sc. die Epikureer selbst) ... und auch von den Außenstehenden alle einzuladen, soweit sie ihm (sc. dem einladenden Schulhaupt) und seinen Freunden mit Wohlwollen begegnen", geht aus einem Philodemfragment

(*fr.* 8, col. 1, aus der Schrift „Über Epikur“, zitiert nach R. SCHMID, RAC V 748) hervor.

33 Aristobul und Chairedem hießen zwei Brüder Epikurs (vgl. Diog. Laert. X 3); Metrodor war einer seiner herausragenden Schüler, der auch selbst eine Reihe von Schriften verfaßte (vgl. die Liste bei Diog. Laert. X 24). Er starb noch vor Epikur, weshalb letzterer in seinem Testament auch die Versorgung von dessen Kindern regelte. Unter den bei Diogenes Laertios genannten Werken Epikurs finden sich auch eines mit dem Titel Χαιρέδημος, ein weiteres mit dem Titel Ἀριστόβουλος und fünf Bücher mit der Überschrift Μητρόδωρος. Ob diese mit den hier genannten „Tausenden von Zeilen“ identisch sind, muß offenbleiben; vgl. dazu F. PORTALUPI, De latenter vivendo 16, und seinen Hinweis auf eine in den herculanensischen Papyri erhaltene Elegie (*fr.* 39 Arrighetti), die Aristobul gewidmet gewesen sein könnte.

34 Im Griechischen ein feines Wortspiel, das sich im Deutschen nicht adäquat wiedergeben läßt: μηδὲ ἀποθανόντες λάθωσιν spielt auf die epikureische Maxime λάθε βιώσας an.

35 Daß Epikur der Tugend eine „Amnestie“ verordnet habe, ist – in dieser Deutlichkeit jedenfalls – nicht weiter bekannt. Vielleicht hilft aber Plut., *Adv. Col.* 17,1117A, weiter, wo Plutarch einen Brief Epikurs an Anaxarchos zitiert, in dem ersterer letzteren zu „fortdauernden Lustempfindungen (ἡδονὰς συνεχεῖς) und nicht zu sinnlosen und nichtssagenden Tugenden (ἀρετὰς κενὰς καὶ ματαίας)“ aufruft.

36 Die adäquate Wiedergabe von γνῶσις an dieser und anderen Stellen im weiteren Verlauf des Traktats ist im Deutschen kaum möglich. Lexikalisch kann das Wort in seiner Grundbedeutung ebenso das „Erkennen“ wie das „Erkanntwerden“ bezeichnen, wovon sich dann als weitere Bedeutungen „Erkenntnis“ bzw. „Bekanntsein“ herleiten (vgl. Passow I/1 566; Liddell-Scott 355). Vom unmittelbaren Kontext her, d. h. aufgrund der durch den Vergleich vollzogenen Parallelisierung von γνῶσις und φῶς, käme auch eine Übersetzung mit „Öffentlichkeit“ o. ä. in Frage, weil das Licht beim Symposion ja überhaupt erst die Wahrnehmung der Symposiasten und ihres Treibens ermöglicht. Von daher besteht für eine gnostische Interpretation des Terminus, wie sie H.D. BETZ, Observations 136-139, vollzieht, kein Anlaß. Vgl. dazu auch R. HIRSCH-LUIPOLD, Gedeihen 106-108.114f.

37 Der Vergleich mit dem Symposion bringt nicht nur die eingangs geschilderten Leckermäuler Philoxenos und Gnathon wieder in Erinnerung (1,1128B), sondern bereitet auch das Folgende vor: Die Teilnahme am Symposion gilt in der ikonographischen und literarischen Tradition als das Hauptbetätigungsfeld der Hetären (vgl. C. REINSBERG, Ehe, Hetärentum und Knabenliebe im antiken Griechenland [Beck's Archäologische Bibliothek], München 1989, 89-112). Insbesondere das Wegschaffen oder Auslöschen der Lampen dürfte für Plutarch die Assoziation zu sexuellen Exzessen wachrufen, vgl. Lukian, *Conv.* 46: der Leuchter beim Symposion verlöscht und es herrscht große Dunkelheit; als man wieder Licht herbeischafft, ertappt man den Kyniker Alkidamas dabei, wie er die Flötenspielerin entkleidet und ihr Gewalt anzutun versucht. Dazu paßt die bei Diog. Laert. X 6 überlieferte Notiz des epikureischen Dissidenten Timokrates,

des Bruders Metrodors, er habe sich „nur mit Mühe der Teilnahme an jenem nächtlichen philosophischen Exerzitien und jener mystischen Gemeinschaft erwehren können“, die Diogenes freilich als Unsinn abtut. Dasselbe Motiv als Vorwurf an die Christen bei Minucius Felix, *Oct.* 9,6.

38 Hedeia (etwa „die Liebliche“) und Leontion („kleine Löwin“) gehörten wie einige andere, bei Diog. Laert. X 7, und Plut., *Non posse* 16,1097D–E, mit Namen genannte Frauen (Mammarion, Erotion, Nikidion, Boidion) zum Kepos Epikurs in Athen; Plut., *Non posse* 4,1089C, läßt darauf schließen, daß Epikur mit beiden sexuelle Beziehungen pflegte. Die unterschiedliche Wortwahl (μεθ' Ἡδείας βιοῦν – Λεοντίῳ συγκαταζῆν) hält allerdings einen gewissen Unterschied in den Beziehungen Epikurs zu den beiden Frauen fest; Leontion soll wohl als langjährige Lebensgefährtin Epikurs vorgestellt werden. Ihre hohe Bildung und geistige Ausstrahlung waren in der Antike berühmt (Cic., *Nat. Deor.* I 33; Theon, *Progymn.* 8; Plin., *Nat. Hist. Praef.* 29), ihrer Schönheit wegen wurde sie mehrfach gemalt (Plin., *Nat. Hist.* XXXV 99.144).

39 Teil eines Zitates, das vollständiger bei Athenaeus, *Deipn.* XII 547a (= Epic., *fr.* 315 Usener), erhalten ist und ursprünglich offenbar in einem Brief an Anaxarchos stand: „Ich spucke auf das Schöne und jene, die es sinnlos anstaunen, wenn es keine Lust erzeugt.“ Eine Interpretation, die Epikur gerecht werden will (an der Plutarch gleichwohl nicht interessiert ist), wird auch folgende Stobaeus-Stelle (III 17,33 = *fr.* 181 Usener) im Auge behalten: „Ich quelle in meinem Körperchen über vor Lust, wenn ich Wasser und Brot zu mir nehme, und ich spucke auf jene Lustempfindungen, die durch aufwendige Mittel hervorgerufen sind“.

40 Nach Athen., *Deipn.* XII 546e, soll sich Epikur in seiner Schrift περὶ τέλους, „Über das Endziel“, mehrfach zum Thema γαργαλισμοί geäußert haben; er zitiert dazu folgende Textpassage: „Ich wüßte nicht, was ich mir überhaupt noch als ein Gut vorstellen kann (νοῆσαι τἀγαθόν), wenn ich mir die Lust am Essen und Trinken wegdenke, wenn ich die Liebesgenüsse verabschiede und wenn ich nicht mehr meine Freude haben soll an dem Anhören von Musik und dem Anschauen schöner Kunstgestaltungen“ (= *fr.* 120 Usener; bei Athenaios auch früher schon in *Deipn.* VII 280a; vgl. weiter Diog. Laert. X 6). Im selben Werk stehe auch zu lesen, daß das Schöne (τὸ καλόν) und die Tugenden (τὰς ἀρετάς) nur zu schätzen seien, wenn sie Lust verschafften (Athen., *Deipn.* VII 280b; XII 546f.), wie überhaupt „Ursprung und Wurzel alles Guten (παντὸς ἀγαθοῦ) die Lust des Magens sei“ (*Deipn.* VII 280a; XII 546f = *fr.* 409 Usener).
Über die beiden Epikurzitate, genauer deren Kombination („auf *das Schöne* [τῷ καλῷ] spucken“; „*das Gute* [τἀγαθοῦ] im fleischlichen Kitzel suchen“), hat Plutarch gleichsam unter der Hand eine Größe eingebracht, die in der sokratischen Tradition als das Ziel des menschlichen Strebens gilt (vgl. etwa Xenoph., *Symp.* 2,4; *Mem.* I 7,14), nämlich die καλοκἀγαθία. An diesem Ziel, so suggeriert Plutarch, hält auch Epikur vordergründig fest, aber er verkehrt es in sein Gegenteil, wenn er es in Gaumenfreuden und sexuellen Stimuli lokalisiert (in der sokratischen Tradition xenophontischer Prägung bleibt die präzise inhaltliche Bestimmung der καλοκἀγαθία zwar ebenfalls offen [vgl. *Symp.* 8,3: „was auch immer ihr Wesen sein

mag"), man bemüht sich aber um eine Umschreibung und bringt sie mit der Achtung vor den Eltern ebenso in Verbindung wie mit dem Gehorsam gegenüber der Obrigkeit, mit der Gerechtigkeit oder – etwas überraschend vielleicht – der Körperertüchtigung, vgl. Xenoph., *Mem.* III 5,15.19; IV 2,23; *Symp.* 3,4). Die o.a. Epikurfragmente könnten nun den Eindruck erwecken, als ob Plutarchs Kritik ins Schwarze treffe. Doch argumentiert Epikur, wie so oft, differenzierter. Zwar heißt es im Menoikeusbrief, die Lust (ἡδονή) sei „Ursprung und Ziel (τέλος) des glückseligen Lebens" (*Men.* 128; vgl. auch Cic., *De Fin.* 2,6), das ist aber bei Epikur gerade nicht im Sinne eines völlig entschränkten Libertinismus zu verstehen, vgl. U. BERNER, Plutarch und Epikur 117-139, in diesem Band.

41 τέλος, zentraler Begriff der aristotelischen Ethik, bezeichnet das „Ziel, Ende", auch den „Endzweck", und in diesem Sinn dürfte Plutarch das Wort primär verstehen, zumal ja unmittelbar zuvor an die Lust als τέλος der epikureischen Philosophie erinnert wurde. Nach Ausweis der Lexika (vgl. Passow II/2 1838; Liddell-Scott 1773) kann τέλος, insbesondere im Plural, jedoch auch dieselbe Bedeutung wie τελετή annehmen, also „Zeremonie, Feier, heiliges Fest, Mysterien" heißen. Speziell die eleusinischen Mysterien sind Soph., *Oed. C.* 1050, gemeint; möglicherweise wird auf diese auch bei Eur., *Hipp.* 25; Plat., *Rep.* VIII 560e, rekurriert, wenngleich der Mysterienbezug gerade bei Platon nicht völlig gesichert erscheint. Weil Mysterienfeiern gewöhnlich bei Nacht stattfanden und spätestens seit Platon Affinitäten zwischen Symposion und Mysteriensprache zu konstatieren sind, wird man diese Konnotation von τὰ τέλη auch für Plutarch nicht völlig ausschließen können (RUSSEL übersetzt dementsprechend mit „rites"). Unterstützung erhält diese Sicht der Dinge durch das längere der beiden 1987 in Trikka in Thessalien gefundenen orphischen Goldblättchen. Dort heißt es in der letzten Zeile: κἀπιμενει σ' ὑπὸ γῆν τέλεα ἅσ[σ]απερ ὄλβιοι ἄλλοι. F. GRAF, Dionysian and Orphic Eschatology: New Texts and Old Questions, in: T.H. CARPENTER – C.A. FARAONE (Hrsg.), Masks of Dionysos (Myths and Poetics), Ithaka/London 1993, 239-258, hier 241f., gibt τέλεα mit „prizes" wieder, räumt aber auch die Möglichkeit der Übersetzung mit „rites" (in Klammern) ein.

42 Die Reihung von Physik, Ethik und Politik läßt vermuten, daß Plutarch das schriftstellerische Werk eines konkreten Philosophen vor Augen hat (Platon?), das sozusagen die Gegenposition zur Lehre Epikurs darstellt. Dessen Philosophie unterteilt Diog. Laert. X 29 in Kanonik (= Erkenntnislehre), Physik und Ethik. Epikurs Hauptwerk sind die – nurmehr in wenigen Fragmenten erhaltenen – 37 Bücher „Über die Natur" (περὶ φύσεως).

43 Plutarch spielt auf die in der politischen Rhetorik wichtige Unterscheidung des Vorteilhaften (χρήσιμον) und des Gerechten (δίκαιον) an.

44 Amyots Konjektur καλοῦ, die RUSSELL in seiner Übersetzung aufgreift (a paradigm of goodness), ist natürlich sehr verlockend.

45 Wieder bemüht Plutarch eine Reihe von – dieses Mal drei – historischen Exempla (Themistokles, Camillus, Platon), dem sich wenig später noch ein viertes anschließt (Epameinondas). Themistokles, den Helden der Seeschlacht von Salamis, bei der Xerxes vernichtend geschlagen wurde (480 v.Chr.), und Camillus, der Rom aus der Hand der Gallier befreite (387

v.Chr.), hat Plutarch in einer Parallelbiographie zusammengespannt. Der Sturz des Tyrannen Dionysios II. durch den leidenschaftlichen Platonbewunderer Dion (409–354 v.Chr.) und die damit einhergehende Befreiung der sizilischen Städte 357 v.Chr. ist in Plutarchs Dionbiographie festgehalten.

46 Das Sophokleszitat (= *fr.* 864 Radt) kehrt in Plutarchs Alterswerk *An seni respublica gerenda sit*, „Ob man als alter Mann (noch) Politik machen soll" noch zweimal wieder (*An seni* 8,788B; 15,792A), und auch dort stützt es die These, daß eine aktive politische Tätigkeit selbst im hohen Alter dem Nichtstun (ἀργία 788B, vgl. *De lat. viv.* 5,1129E!) vorzuziehen sei. Unter den Exempla, die Plutarch für diese These anführt, findet sich auch wieder der Name Epameinondas.

47 APELT und RUSSELL übersetzen „Rost", was zwar an die bisherige Metaphorik anschließt, aber wohl übersieht, daß Plutarch hier noch in einen anderen Bereich wechseln will. Hier steht die Alltagserfahrung des modrigen, dunklen Raumes im Hintergrund, in dem die Dinge notwendig Schimmel ansetzen. In der Schrift „Über das Zuhören" (*De audiendo*) spricht Plutarch vom εὐρῶς τῆς ψυχῆς (18,48C). Der Zusammenhang weist wiederum auf die Verbindung von Philosophie und Ethik, denn es ist die Philosophie, die in uns das Licht in der Seele anzündet, das Feuer, das sie wärmt, so daß kein Schimmel mehr entstehen kann (vgl. 1129E). Dunkelheit ist für Plutarch immer eine Verbindung von fehlender philosophischer Erkenntnis (des Guten) und daraus resultierender falscher Ausrichtung des Lebens.

48 Wörtlich: „und die Seelen kraftlose Unlust ergreift". Dies hat offenbar eine individuelle und eine soziale Komponente, wie aus dem Fortgang deutlich wird. Durch die Dunkelheit der Nacht wird der Einzelne nicht nur untätig, sondern auch von der Gemeinschaft isoliert. So kommt auch das soziale Leben zum Erliegen. Echtes Leben aber, das über die bloße Lebendigkeit (αὐτὸ τὸ ζῆν) hinausgeht, ist nur in der Gemeinschaft möglich.

49 Dieselbe Vorstellung findet sich auch in der fragmentarisch erhaltenen Schrift *De anima* (*fr.* 178,3 Sandbach), dort allerdings mit der ψυχή anstelle des λογισμός als Subjekt: „Denn im Schlaf sondert die Seele sich (vom Körper) ab. Sie erhebt sich wieder und zieht sich in sich selbst zusammen, während sie zuvor im Körper ausgespannt und über die Sinnesorgane zerstreut war." Vgl. weiter *Cons. ad ux.* 10,611F, wo die Seele im Körper mit einem verlöschenden Feuer identifiziert wird.

50 Mit den φαντασίαι, durch die der λογισμός – so wörtlich – „in Schwingung versetzt wird", sind sicherlich die Traumbilder gemeint (in diesem Sinn auch Plut., *De aud. poet.* 1,15B). Daneben begegnet der Begriff mehrfach dort, wo es um mantische Phänomene geht, Plut., *De Pyth. orac.* 6,397C, beispielsweise erklärt den *Enthusiasmos* der Seherin so, daß der Gott φαντασίαι bewirke und Licht in ihrer Seele im Blick auf das Zukünftige mache, vgl. B. HEININGER, Paulus als Visionär. Eine religionsgeschichtliche Studie (HBS 9), Freiburg i.Br. 1996, 92-94. Das ist insofern nicht ganz ohne Bedeutung, als im folgenden die Sonne mit ihrem Licht genannt und diese später mit Apollon identifiziert wird (6,1130A), auch

wenn der Gedankengang natürlich ein anderer ist. Die Metaphorik ist aber schon da.

51 Callim., *fr.* 93 Schneider.

52 Das folgende Demokritzitat (= *fr.* B 158 DK) findet sich in Plutarchs Gastmahlsgesprächen wieder, vgl. *Quaest. conv.* III 6,4, 655D; VIII 3,5, 722D. Insbesondere zur erstgenannten Parallele gibt es Berührungen. Die Worte Demokrits schließen dort eine Diskussion ab, die durch eine Äußerung Epikurs in seinem Werk *Symposion* – es geht um den richtigen Zeitpunkt des Beischlafs – provoziert ist (vgl. *Quaest. conv.* III 6,1, 653B).

53 ἄρτημα, seiner Grundbedeutung nach das „Gehänge" bzw. „alles an einen Gegenstand Angehängte" (Passow I/1 401; vgl. Hdt. II 92: „Ohrgehänge"), dann auch das „Seil" oder die „Schnur für eine Aufhängung" (Liddell-Scott 248: „cord for suspension", mit Verweis auf Aristot., *Mech* VIII 53a34; b25), hat bei Plutarch sonst die Bedeutung „Schwimmer, Boje", wie aus *Cato min.* 38,1 eindeutig hervorgeht: Cato hatte eine erkleckliche Menge Silber nach Hause zu verschaffen; er verstaute es in kleinere Behälter „und verknüpfte (προσήρτησεν) einen jeden mit einem langen Seil, an dessen Ende jeweils ein außerordentlich großes Stück Kork befestigt war, damit, falls das Schiff berste, ‘der Schwimmer' (τὸ ἄρτημα) die Stelle (der Behälter) in der Tiefe anzeige." *De gen. Socr.* 22,591D-E kehrt der Begriff im Rahmen des Timarchosmythos in übertragener Bedeutung wieder: Hier steht er für den reinsten Seelenteil, den νοῦς, der sich nicht in den Körper hinabziehen läßt, sondern nur leicht den Kopf des Menschen berührt, „gleich dem Schwimmer eines in die Tiefe gesunkenen Gegenstandes. An ihm richtet sich die Seele auf, wenn sie zu gehorchen weiß und sich nicht von den Leidenschaften beherrschen läßt."
Das Besondere an unserer Stelle ist die Parallelisierung des ἄρτημα mit der „Kraft" (ὁρμή) und über diese wiederum mit dem Licht der Sonne, weshalb hier die Assoziation an ein straffes oder gespanntes Seil näher liegt und die Übersetzung mit „Auftrieb" vertretbar erscheint. Vgl. dazu auch R. HIRSCH-LUIPOLD, Gedeihen 105 mit Anm.22.

54 Die Textausgaben folgen Wyttenbachs Konjektur ἀνθρώπῳ; zur Diskussion vgl. A. BARIGAZZI, Declamazione 124.

55 Spielt Plutarch hier auf die Geburt des einzelnen Menschen an, oder handelt es sich bei dem von ihm beschriebenen Werdeprozeß des Menschen um eine soziologische Größe, nämlich die – gleichsam natürliche – Herausbildung der menschlichen Gemeinschaft (vgl. Aristot., *Polit.* I 2,1253a 29: „Von Natur aus nun gibt es in allen den Trieb nach einer solchen Gemeinschaft")? Letzteres vertritt A. BARIGAZZI, Declamazione 125f., doch dürfte die individualanthropologische der sozialanthropologischen Interpretation vorzuziehen sein: Wie schon im vorherigen Kapitel greift Plutarch auch an dieser Stelle auf die Lehre Demokrits zurück, demzufolge das Sein (τὸ πλῆθος οὐσίας) aus unzähligen verstreuten (διεσπαρμένας) Einzelteilchen besteht, die – wenn sie sich miteinander verbinden – als Pflanze, Tier und eben auch als Menschen in Erscheinung treten (vgl. Plut., *Adv. Col.* 8,1110F-1111A = Demokrit, DK 68A57). Diese „den Augen erscheinenden und wahrnehmbaren Massen" bleiben solange zusammen", bis eine stärkere, aus ihrer Umgebung kommende Notwendigkeit sie völlig

erschüttert, trennt und zerstreut (διασπείρῃ)". Aristoteles zufolge beschreibt Demokrit damit „die Entstehung (γένεσις) sowie deren Gegenteil, die Auflösung ... von wahrnehmbaren Körpern überhaupt" (Aristot., *fr.* 208 Rose).

56 Der Text nach einer Konjektur Turnebus'; hingegen übersetzt APELT mit den Handschriften: „Denn die Erkenntnis ist nicht der Weg zum Dasein (οὐ γὰρ εἰς οὐσίαν ὁδὸς ἡ γνῶσις), wie einige behaupten, sondern das Dasein der Weg zum Erkennen". Zu Für und Wider vgl. O. SEEL, Schrift 375f.; A. BARIGAZZI, Declamazione 130f. Wen Plutarch im Blick hat („wie manche sagen"), ist schwer zu sagen; vielleicht steht ein innerplatonischer Schulstreit im Hintergrund, vgl. Aristot., *Metaphys.* III, 2 1003 b 7; *Top.* VI, 2 139 b 20 (ἡ γένεσις ἀγωγὴ εἰς οὐσίαν), sowie Ps.-Plat., *Def.* 411 A (γένεσις κίνησις εἰς οὐσίαν).

57 Neben Demokrit gibt es an dieser Stelle auch eine gewisse Nähe zur Stoa, vgl. etwa Epikt., *Diss.* IV 7,15, wo Epiktet im Blick auf den Tod des Menschen festhält, die Materie, aus der er zusammengesetzt sei (ἐξ ὧν συνῆλθεν, vgl. *De lat. viv.* 6,1129F: συνερχόμενος αὐτῷ!), löse sich wieder auf, nämlich in die Elemente Feuer, Erde, Luft und Wasser (*Diss.* III 13,14f.). Ähnlich Sen., *Cons. Marc.* 26,7: beim Tod werden wir uns in die alten Urbestandteile zurückverwandeln.

58 Zur ungewöhnlichen Stellung des Artikels beim Prädikatsnomen vgl. *De Is. et Os.* 11,355B. Die Gleichsetzung Apollons mit der Sonne (in dieser Reihenfolge!) begegnet bei Plutarch relativ oft, *De E* 4,386B gilt sie als die Meinung aller Griechen, vgl. auch *De Pyth. orac.* 12,400C-D; 16,402A; *De def. orac.* 46,434F. Plutarch korrigiert dies dahin, daß es um ein Analogieverhältnis gehe – der δύναμις der Sonne, der Wahrnehmung durch ihr Licht zum Sehen zu verhelfen, entspreche die φύσις Apollons, die menschliche Seele zu erleuchten (*De def. orac.* 42,433D) – und daß die Sonne deshalb präziser als εἰκών Apollons zu betrachten und zu verehren sei (*De E* 21,393D).

59 *Delios* und *Pythios* sind die beiden prominentesten aller apollinischen Epitheta. *Delios* heißt Apollon nach seinem Heiligtum auf der Kykladeninsel Delos, die dem Mythos zufolge der Geburtsort des Gottes ist (vgl. Hom., *Hymn.* 3; Kallimachos, *Hymn.* 4,255f.); *Pythios* verweist auf die Eigenschaft des Gottes als Herrn des delphischen Orakels. Während die Funktion des zweiten Epithetons im vorliegenden Kontext nicht recht einleuchtet, klingt Δήλιος nicht nur an ἥλιος, „Sonne", an, sondern weist auch auf den unmittelbar zuvor geäußerten Gedanken zurück, wonach der Mensch bei seiner Geburt „sichtbar" (δῆλος) wird. Zur etymologischen Bedeutung der Beinamen vgl. auch R. HIRSCH-LUIPOLD, Gedeihen 108f.

60 Zur Gegenüberstellung von Apollon und (dem hier nicht namentlich genannten) Hades, dessen etymologische Ableitung von ἀειδής = unsichtbar im Hintergrund mitschwingt (vgl. Plat., *Crat.* 403a; 404b), vgl. auch *De E* 21,394A, wo das hier eingebrachte Dichterzitat (= Poet. Mel. Graec., *fr.* 996 = *fr. adesp.* 78 Page) ebenfalls zur Anwendung kommt und Plutarch der Auffassung ist, der chtonische Gegenspieler Apollons solle besser als δαίμων bezeichnet werden.

61 φώς als Bezeichnung für den Menschen ist seit Homer belegt, vgl. nur Hom., *Il.* V 214; *Od* XVI 102; Aesch., *Prom.* 348; Soph., *Ai.* 300. Die Etymologie des Begriffs ist vermutlich nicht mehr exakt zu klären (von φημί, der Sprechende, mit Sprache Begabte, von φάω, φαίνω, der Vorscheinende, oder gar von φύω, der Erzeugende, Erzeugte?); Plutarch assoziiert ihn jedenfalls mit φῶς, Licht, wie der Zusammenhang erhellt.

62 Vgl. Plut., *Quaest. Rom.* 72,281B, wo Körper und Seele mit einer Laterne verglichen werden, die das in ihr leuchtende Licht umgibt. Nach F. PORTALUPI, De latenter vivendo 23, bezieht sich Plutarch mit „der Meinung einiger Philosophen" möglicherweise auf Herkleides Pontikos.

63 Mit deutlichem Bezug zur Symposiensituation in Kap. 1 und 4 wird die Metaphorik des Essens wieder aufgenommen. Plutarchs Formulierung ist ein Wortspiel: κοινὸν ἥδυσμα, das ist ein „gewöhnliches" Würzmittel, das zu allen Speisen gehört. Plutarch spielt aber zugleich auf die Bedeutung „gemeinschaftlich" von κοινόν an; vgl. *Adv. Col.* 2,1108C oder die erste der *Quaestiones convivales*. Dort fällt bei der Frage, ob man beim Symposion philosophieren soll, der Satz: δεῖ γὰρ ὡς τὸν οἶνον κοινὸν εἶναι καὶ τὸν λόγον (I 1,3,614E). In unserer Schrift steht dieser gemeinschaftliche Aspekt im Gegensatz zu denjenigen, die alles für sich haben wollen; vgl. Kap. 1.

64 φιλανθρωπία wird (als Reaktion auf Anschuldigungen?) von Diog. Laert. X 10 als Charaktereigenschaft an Epikur besonders gerühmt.

65 In Eur. *Hel.* 1060; 1546 bezeichnet das seltene Verb ein Scheinbegräbnis für den angeblich auf See umgekommenen Menelaos; vgl. R. HIRSCH-LUIPOLD, Gedeihen 113.

66 Der Text eingangs des 7. Kapitels ist korrupt. Die Herausgeber und Übersetzer behelfen sich deshalb mit diversen Konjekturen, vgl. nur den jüngsten Versuch von A. BARIGAZZI, Declamazione 139, der folgenden eleganten Vorschlag macht: καίτοι τῆς γε δόξης καὶ τοῦ εἶναι φύσιν <ἡ εἰς τὸν οὐρανὸν τῶν ἡρώων ὁδὸς δηλοῖ καὶ ἡ εἰς τὸν τῶν> εὐσεβῶν χῶρον.

67 Zur Rezeption des Pindarzitats (= *fr.* 129 Snell), das ausführlicher auch in der vermutlich unechten Trostschrift an Apollonius Verwendung findet (*Cons. ad Apoll.* 35,120B-C) vgl. B. HEININGER, Ort 154f.

68 Vgl. *Od.* X 510: Die Bäume in der Unterwelt tragen keine Frucht.

69 Die unvermittelte Erwähnung eines dritten Weges stellt die Auslegung vor erhebliche Probleme, weil ein zweiter Weg zu fehlen scheint bzw. nur mit Mühe dem Text abgewonnen werden kann. Anders als Barigazzi rechnet die Mehrheit der Interpreten und Übersetzer (APELT, RUSSELL, vgl. auch G. LATTANZI, Composizione 334) mit einer größeren Lücke zwischen der Beschreibung des Ortes der Frommen und dem dritten Weg (also unmittelbar vor ἡ δὲ τρίτη). EINARSON/DE LACY in der Loeb-Ausgabe greifen zu einer anderen Option und suchen den zweiten Weg bzw. die ihm korrespondierende Gruppe von Kandidaten der Unterwelt in den τοῖσιν 1130C zu identifizieren (was grammatisch nicht unbedingt elegant, aber wohl möglich ist), so daß dem Ort der Frommen nurmehr das Leuchten der Sonne auf rosenroten Wiesen bleibt, während die blumenübersäte und mit schattigen Bäumen bewachsene Ebene samt der sie durchfließenden Flüsse nun „the habitation of the good" sein soll. Ob damit wirklich etwas gewonnen

ist, bleibt fraglich, zumal nicht recht zu sehen ist, worin denn der Unterschied zwischen den Frommen und Guten liegt.
Überhaupt wirkt die Rede von einem dritten Weg in einem Traktat seltsam, der bislang ausschließlich dualistisch operierte, d.h. zwischen solchen, die im Verborgenen leben, und solchen, die das nicht tun, unterschied. Die uns von Platon her geläufigere Vorstellung vom „Kreuzweg, wo die beiden Wege abgehen, der eine nach der Insel der Seligen, der andere nach dem Tartaros" (*Gorg.* 524a; vgl. auch *Rep.* X 614a; *Phaedr.* 249a; einige Belege mehr noch bei S. HALLIWELL, Plato. Republic 10, with translation and commentary, Warminster 1988, 173f.) findet allerdings schon bei Platon selbst eine Variation, insofern er im *Phaidon* von den καλῶς καὶ ὁσίως βιώσαντες, die in die reine Behausung bzw. noch schönere Wohnungen gelangen (113d.114b-c), noch zwei weitere Gruppen abhebt: Diejenigen, die mittelmäßig gelebt haben (μέσως βεβιωκέναι), müssen zum Acherusischen See, wo sie sich reinigen und ihre Vergehen abbüßen (113d), alle anderen hinab in den Tartaros, wo es zumindest für die mit den schweren, aber heilbaren Vergehen nach einem Jahr eine Chance auf Entrinnen gibt (113c-114b). Plutarch weiß um diese Dreiteilung und setzt sie wohl auch voraus, wenn er in *Non posse* 25,1104A (vgl. auch 22,1102D) die Menschen mit Blick auf die therapeutische bzw. ethische Wirkung von Jenseitsmythen in drei Klassen (γένη) unterteilt: in Ungerechte und Schlechte, in die große Masse und die Ungebildeten und die Tugendhaften und Vernünftigen.

70 Während das βάραθρον besonders in Athen, aber auch in Sparta (vgl. Pausan. IX 18,4-6; dazu Thuk. I 134) einen Felsenschlund bezeichnete, in den zum Tode verurteilte Verbrecher gestürzt wurden (vgl. Xenoph., *Hell.* I 7,20, aus einem Volksbeschluß des Kannonos: „Wenn jemand am Volk der Athener Unrecht begeht, soll er gefesselt sich vor dem Volk verantworten, und wenn er für schuldig an dem Unrecht befunden wird, soll er mit dem Tode bestraft und in das Barathron geworfen werden"; weiter Thuk. II 67,4; Plat., *Gorg.* 516d), und von Plutarch gleichsam erst sekundär mythologisiert wird (vgl. neben unserer Stelle noch *De sera* 30,566F), ist ἔρεβος immer schon eine mythische Größe: Bei Homer bezeichnet ἔρεβος einen finsteren Ort unter der Erde (anders Hesiod, *Theog.* 125), genauer zwischen der Erdoberfläche und dem noch tiefer gelegenen Hades, von dem das Erebos ausdrücklich unterschieden wird (*Il.* VIII 356). Homer versteht deshalb (im Unterschied zu Plutarch) das Erebos weniger als Aufenthaltsort denn als Durchgangsort der Seelen auf ihrem Weg zum Hades (*Il.* XVI 327; *Od.* X 528; XI 564; XII 81; XX 356).

71 Pindar, *fr.* 130 Snell; vgl. auch Plut., *De aud. poet.* 2,17C, wo dasselbe Pindarfragment eine Reihe von Dichterzitaten anführt, der Plutarch einen bemerkenswerten Satz vorausschickt: Weder Pindar noch Homer noch Sophokles hätten den von ihnen überlieferten Mythen Glauben geschenkt. Das „Mythenmachen" (17B: μυθοποίημα) geschieht vielmehr πρὸς ἡδονὴν ἢ ἔκπληξιν ἀκροατοῦ (17B).

72 Angespielt wird auf die Bestrafung des Tityos und des Sisyphos in der Unterwelt, wie sie bei Hom., *Od.* XI 576-581.593-600, geschildert ist. Tityos hatte die Leto zu vergewaltigen versucht, Sisyphos die Geheimnisse

der Götter verraten und sich durch allerlei Listen (Fesselung des Hades, Täuschung der Persephone) vor dem Tod bzw. dem Gang in die Unterwelt zu drücken versucht (Theogn. 712-722).

73 *Od.* XI 219.

74 *De superst.* 11,166C ist das Vergessen der Übel im Schlaf gerade etwas gutes, und durch die *superstitio* macht man sich auch den Schlaf noch zum κολαστήριον; *De sera* 9,554A-B steht κολαστήριον für das Folterwerkzeug, analog zum Kreuz, das jeder Verbrecher mit seinem eigenen Körper tragen muß.

75 Mit Reiske wurde ἀπό vor τῆς Λήθης getilgt und ein καί danach eingefügt. Plutarch spielt ein letztes Mal den etymologischen Zusammenhang von „Verborgensein" (λανθάνειν) und „Vergessen" (Λήθη) aus, das hier personifiziert erscheint. Die Lethe, der Ort des Vergessens erscheint in *De sera* als Platz in der Jenseitsgeographie.

76 Die Reihung der α-privativa unterstreichen den Weg ins völlige Nichts. Allerdings ist die Reihung durch ihre Überladenheit stilistisch unschön, zumal im letzten Satz die Begriffe ἀδοξία und ἄγνοια zuerst als Subjekt erscheinen, um dann noch einmal als Objekt aufzutauchen. Die Metaphorik des „bodenlos gähnenden Meeres", in das die Seelen hineingespült werden, verwendet Plutarch auch im Zusammenhang seiner Auseinandersetzung mit dem epikureischen Postulat der „Wahrnehmungslosigkeit" der Seele nach dem Tod (*Non posse* 30,1107A).

Interpretationen:

Anthropologie
Metaphorik
Philosophie
Eschatologie

Der Mensch als Wesen der Öffentlichkeit

De latenter vivendo als Auseinandersetzung um die menschliche Daseins- und Handlungsorientierung

(Reinhard Feldmeier)

1. Der Streit um das gelingende Leben: Der geistesgeschichtliche Hintergrund und die Intention der Auseinandersetzung.

Epikurs Maxime „Lebe im Verborgenen" (λάθε βιώσας), mit der sich Plutarch hier auseinandersetzt, rät, in einer unberechenbaren Welt auf Ambitionen zu verzichten, durch die man nur den Neid und die Feindschaft anderer hervorrufen würde. Stattdessen soll der Weise sich zurückziehen[1] und durch ein unauffälliges Dasein in der Gemeinschaft von Gleichgesinnten das dem menschlichen Leben mögliche Optimum an Lust zu erreichen suchen. Der Ratschlag will also Anleitung zu einem gelingenden Leben sein[2] und ist als solcher aus dem Zusammenhang von Epikurs Philosophieverständnis als *ars vitae* zu verstehen.[3] Damit ist Epikur – bei aller Eigenheit – zunächst ein typischer Vertreter der hellenistischen Philosophie, die in der Anthropologie und Ethik gegenüber der klassischen Philosophie eine grundsätzliche Neuorientierung vornimmt.

Platon und Aristoteles hatten den Menschen als Gemeinschaftswesen verstanden und entsprechend das öffentliche Engagement als die höchste menschliche Tätigkeit aufgefaßt.[4] Dabei setzten sie (noch) den in die Polisgemeinschaft eingebundenen Menschen

---

[1] Vgl. *Rat. Sent.* 14: „Wenn auch die Sicherheit vor den Menschen bis zu einem gewissen Grade eintritt durch eine bestimmte Macht, Störungen zu beseitigen, und durch Reichtum, so entspringt doch die reinste Sicherheit aus der Ruhe und dem Rückzug vor der Masse."

[2] Vgl. M. ERLER, Epikur 42.

[3] Philosophie ist für ihn die „Tätigkeit, die durch Argumentation und Diskussion das glückliche Leben verschafft" (*fr.* 230 Arrighetti).

[4] Für Platon ist deshalb der Philosoph zum politischen Führer bestimmt (*Rep.* V 473c-d; Plutarch spielt in *Numa* 20,9 und *Cic.* 52,4 darauf an). Aristoteles bestimmt gleich am Beginn seiner *Nikomachischen Ethik* die Staatskunst als die wichtigste Tätigkeit, die allen anderen ihren Sinn gibt (I 2,1094a26-28).

voraus.[5] Aristoteles etwa konnte sagen: „die Polis/der Staat besteht von Natur aus und ... von Natur aus ist der Mensch ein nach staatlicher Gemeinschaft strebendes Wesen".[6] Für Aristoteles ist die Polis dabei sogar dem einzelnen und der Familie explizit als das πρότερον δὲ τῇ φύσει, als das Elementarere vorgeordnet: „Auch ist die Polis von Natur aus ursprünglicher als das Haus oder jeder einzelne von uns" (*Pol.* I 2,1253a 19f.). Er begründet dies mit dem axiomatischen Grundsatz: „Denn das Ganze ist notwendig ursprünglicher als der Teil".[7] Damit ist der entscheidende Punkt benannt, denn um diese Frage der Vor- und Zuordnung von Teil und Ganzem werden sich sowohl in der Ontologie wie in der Gesellschaftstheorie und Ethik die kommenden Auseinandersetzungen drehen.

In der hellenistischen Zeit wird die klassische Vorordnung des Ganzen vor das Teil zunächst auf den Kopf gestellt. Das hat nicht zuletzt mit den sozialgeschichtlichen Umbrüchen dieser Zeit zu tun. Denn in den vergleichsweise riesigen, von Alexanders Generälen aus dessen Weltreich herausgebrochenen und autokratisch regierten Flächenstaaten bildet sich eine hellenistische Oberschicht, die hier im Solde der Könige Karriere macht. Damit verliert die Einbindung des Menschen in eine gewachsene, überschaubare Gemeinschaft, in der er durch Abstammung und Verfassung festumrissene Rechte und Pflichten hat, ihre Selbstverständlichkeit. Zugleich wird durch die intensive Begegnung mit anderen Kulturen der „väterliche Nomos" in seiner Gültigkeit relativiert. Der sich ohne Bezug auf eine Polis verstehende und bestimmende Mensch, der für Aristoteles noch der widernatürliche Ausnahmefall ist[8], wird nun zunehmend zum Normalfall. Folglich kann auch die

---

[5] Zu überlegen ist, inwieweit die vor allem bei Aristoteles so auffällige Betonung der Naturgegebenheit der Polis bereits den Verlust an Selbstverständlichkeit andeutet.

[6] *Pol.* I 2,1253a 1-3: τῶν φύσει ἡ πόλις ἐστί, καὶ ... ὁ ἄνθρωπος φύσει πολιτικὸν ζῷον.

[7] *Pol.* I 2,1253a 20f.: τὸ γὰρ ὅλον πρότερον ἀναγκαῖον εἶναι τοῦ μέρους. Eine analoge Vorordnung des Ganzen vor das Teil findet sich etwa auch bei Plat., *Leg.* X 903C.

[8] Demjenigen, der nicht aufgrund äußerer Umstände, sondern aufgrund seiner Veranlagung außerhalb einer solchen Gemeinschaft lebt, dem ἄπολις διὰ φύσιν, kommt nach Aristoteles das Prädikat „Mensch" eigentlich gar nicht zu – er ist entweder über- oder untermenschlich, Gott oder Tier (*Pol.* 1253a 3-5).

Philosophie nicht mehr die Verankerung des Menschen als verantwortlichem Bürger einer überschaubaren Polis als gleichsam naturgegebenes Konstitutivum der *conditio humana* voraussetzen. So unterschiedlich die Ansätze der frühhellenistischen Zeit sind – sie haben von der pyrrhonischen Skepsis[9] über die Stoa bis zu Epikur dies gemeinsam, daß nun nicht mehr die Gemeinschaft, sondern der auf sich selbst gestellte einzelne und sein Verhältnis zur ganzen Wirklichkeit Ausgangspunkt und Basis aller Überlegungen ist. Zugespitzt formuliert: *Die Philosophie geht nun nicht mehr vom Ganzen als dem Elementaren aus, sondern vom Teil.* Konkret sah sie sich dabei v.a. vor die praktische Aufgabe gestellt, „dem Individuum, das den Rückhalt der Polis verloren hatte, den Weg zum Glück in allen Lebenslagen" aufzuzeigen.[10] Insofern handelt es sich bei allen diesen Entwürfen „ursprünglich um zutiefst unpolitische Philosophien".[11]

Während allerdings die Stoa versucht, mit Hilfe der Logoskonzeption die Dimension des „Ganzen" aus der Perspektive des einzelnen wieder zu gewinnen (und entsprechend auch eine allgemein verbindliche Ethik formuliert, die den Menschen wieder – im Kosmos – beheimaten soll), geht Epikur den Weg des Individualismus konsequent zu Ende. Wie in seiner Ontologie die einzelnen Atome das Eigentliche sind, die durch ihre zufällige Zusammenballung die sich immer wieder wandelnde Wirklichkeit entstehen lassen, so macht er in der Ethik die Lustempfindung des „Individuums" (der lateinischen Übersetzung des griechischen *atomon*) zur Grundlage seines gesamten Wertesystems. Ungeachtet der relativ maßvollen Konsequenzen, die Epikur selbst daraus zog[12], be-

---

[9] A. ENGSTLER, Die pyrrhonischen Skeptiker, in: F. RICKEN, Philosophen II 9-23, hier 9: „Den Pyrrhoneern ist die Skepsis ein Mittel, angesichts von Krisen öffentlicher, gemeinschaftlicher Orientierung Instanzen subjektiver, individueller Orientierung zu restituieren."

[10] H. FLASHAR/W. GÖRLER, Die hellenistische Philosophie im allgemeinen, in: H. FLASHAR, Philosophie 8.

[11] K. HELD, Entpolitisierte Verwirklichung des Glücks. Epikurs Brief an Menoikeus, in: P. ENGELHARDT (Hrsg.), Glück und geglücktes Leben. Philosophische und theologische Untersuchungen zur Bestimmung des Lebensziels, Mainz 1985, 77-127, hier 77.

[12] Das meiste, was auf dem Gebiet der materialen Ethik gegen Epikur vorgebracht wird, ist bloße Unterstellung. Epikur propagiert gerade nicht ein hemmungsloses Genußleben. Sein Lustbegriff ist vielmehr auffällig restriktiv (Vgl. *Men.* 131f.); es geht ihm v.a. um Vermeidung von Unlust und Unruhe

deutet dies eine revolutionäre Verkehrung des bisherigen Denkens: Es gibt keine übergreifende Ordnung im Kosmos und keine göttliche Lenkung; entsprechend wird auch keine absolute Verpflichtung mehr anerkannt. Zwar hält auch Epikur an den durch eine Art Gesellschaftsvertrag entstandenen Regeln des Zusammenlebens fest, aber deren Gültigkeit liegt im Nutzen für den einzelnen begründet. Die Folgen dieser Privatisierung[13] und Relativierung der Werte werden dort deutlich, wo sich Epikur zu den klassischen „Gütern" äußert. Gesetze etwa sind jetzt nicht mehr dazu da, damit man kein Unrecht tut, sondern damit man kein Unrecht leidet.[14] Konsequenterweise haben auch die Tugenden – so sehr sie Epikur als Mittel zu einem „süßen" Leben preisen kann (*Rat. Sent.* 5) – für ihn keinen Selbstwert.[15] Entsprechend ist auch die Ungerechtigkeit nicht mehr ein Übel an sich, sondern nur wegen ihrer schädlichen Rückwirkung auf die Seelenruhe abzulehnen.[16]

Wie gezeigt, spielt auch zur Zeit Plutarchs der Epikureismus in den gehobenen Schichten noch eine nicht zu unterschätzende Rolle.[17] Daher fühlt sich Plutarch bemüßigt, immer wieder bei verschiedenen Themen gegen diesen Stellung zu beziehen. Neben der religiösen Problematik sind es dabei vor allem ethische und gesellschaftspolitische Fragen, bei denen Plutarch sich gegen Epikur wendet. Im schroffen Gegensatz zum Subjektivismus Epikurs betont er dabei durchweg den untrennbaren Zusammenhang von ein-

---

durch Selbstgenügsamkeit (Marcuse: „negativer Hedonismus"). Höchster Wert ist die Gemütsruhe und Gelassenheit, die Ataraxie, und keineswegs die Ausschweifung!

[13] Zur Privatisierung des Wertesystems bei Epikur vgl. die Ausführungen von M. HOSSENFELDER, Epikur 53ff.

[14] Epic., *fr.* 183 Arrighetti.

[15] *Rat. Sent.* 33 sagt er ausdrücklich von der Gerechtigkeit, daß sie keinen Wert an sich hat, sondern dadurch, daß sie das Zusammenleben durch den Gesellschaftsvertrag ermöglicht, ihren Wert aus diesem Nutzen bezieht. Auch die „Tugenden" sind so kein Selbstzweck, sondern Mittel zu einem angenehmen Leben. Schön kommt die hier vorgenommene Neudeutung in dem polemischen Bild des Kleanthes zum Ausdruck, daß bei Epikur die Lust auf dem Thron sitzt und die Tugenden ihr als „Mägdlein" (*ancillulae*) aufwarten (Cic., *De fin.* II 69).

[16] Vgl. *Rat. Sent.* 34: „Die Ungerechtigkeit ist nicht an und für sich ein Übel (ἡ ἀδικία οὐ καθ' ἑαυτὴν κακόν), sondern nur durch die aus dem Argwohn erwachsende Furcht, es werde mißlingen, den für solche Angelegenheiten eingesetzten Strafrichtern verborgen zu bleiben".

[17] Vgl. R. FELDMEIER, Einleitung 43-45.

zelnem und Gemeinschaft. Für ihn gehört das öffentliche Engagement geradezu zum Wesen des Menschen als eines „zivilisierten und der Allgemeinheit verpflichteten und gemeinschaftsbezogenen Lebewesens" (*An seni* 13,791C). Dies ist nicht nur eine begrenzte Aufgabe unter anderen, sondern eine (lebenslange) Lebensweise, die den Menschen dazu bestimmt, „in der ihm zugeteilten Zeit der Gemeinschaft verpflichtet (πολιτικῶς), ethisch verantwortlich (φιλοκάλως) und den Menschen zugewandt (φιλανθρώπως) zu leben" (*An seni* 13,791C). Prima facie wiederholt Plutarch einfach nur die Position der klassischen Philosophie. Genaueres Hinsehen zeigt jedoch, daß er sich keineswegs auf die reaktionäre Wiederholung früherer Ansichten beschränkt. Vielmehr versucht er, diese „alten" Werte in eine veränderte Wirklichkeit zu vermitteln und sie von neuem zu begründen. Das zeigt sich nicht zuletzt darin, daß er seine Gegenposition zu Epikurs Hedonismus nun ebenfalls im Horizont dieser Frage des einzelnen nach einem gelingenden Leben entfaltet. Denn gerade die Suche des Menschen nach seinem Lebensglück – das wird Plutarch nicht müde aufzuzeigen – widerlegt Epikur, weil der einzelne dieses Glück eben nicht in sich selbst findet. Plutarch greift dabei bewußt den für Epikur zentralen Begriff der ἡδονή auf und reklamiert diesen exklusiv für die von ihm selbst propagierte Daseins- und Handlungsorientierung.[18] Während die epikureische Leugnung der Vorsehung dieses Leben jeglicher „Freude und Lust" (χαρὰ καὶ ἡδονή) beraubt, verschafft der Gottesbezug (als Voraussetzung der Einbindung des einzelnen in ein größeres Ganzes) erst wahres Glück.[19] Geradezu sentenzenhaft bringt er es in der Auseinandersetzung mit dem Epikurschüler Kolotes auf den Begriff: „Das glückliche Leben ist ein Leben, das der Gemeinschaft verpflichtet, von der Liebe bestimmt, besonnen und gerecht ist".[20] Entsprechend ist es gerade der Einsatz für die

---

[18] Der Mittelplatoniker begibt sich im Streit mit Epikur um das ἡδέως ζῆν, die „*dolce vita*", begrifflich fast schon unter die Hedonisten! So trägt auch die wichtigste Auseinandersetzung mit Epikur den bezeichnenden Titel: „Daß man nach Epikur nicht angenehm leben kann" (ἡδέως ζῆν, angenehm [„süß"] leben ist ebenso wie ἡδονή ein terminus technicus der epikureischen Philosophie!).

[19] *Non posse* 22,1103A; der ganze Zusammenhang ist ein einziger Lobpreis der durch die Religion dem Leben eröffneten Freuden (21-22,1101C-1103A), während die epikureische Philosophie freudlos ist.

[20] *Adv. Col.* 2,1108C: τὸ δὲ εὖ ζῆν ἐστι κοινωνικῶς ζῆν καὶ φιλικῶς καὶ σωφρόνως καὶ δικαίως, vgl. dazu das κοινὸν ἥδυσμα in *De lat. viv.* 6,1130B.

Gemeinschaft, der nach Plutarch die „schönsten und größten Freuden (ἡδοναί!)“ verschafft (*An seni* 5,786B). Insofern kann Plutarch sogar sagen, daß der moralische Wert eines für andere tätigen Lebens noch übertroffen wird von dem dadurch verschafften Vergnügen![21] So kommt er zu der fast schon paradoxen Schlußfolgerung, daß die wahre „Lebenslust“ nur dort erreicht wird, wo die Lust gerade nicht zum Endzweck wird. Zusammengefaßt: Gegen die konsequente Individualisierung des epikureischen Hedonismus stellt also Plutarch die These auf, daß *gelingendes Leben nur dort möglich ist, wo sich der Mensch als ein elementar auf andere bezogenes Wesen versteht.*

Darum geht es auch in der hier vorliegenden kurzen Abhandlung, in der nun allerdings – in Abgrenzung von Epikurs Maxime – gezielt ein wesentlicher anthropologischer Aspekt dieser Problematik herausgegriffen wird, nämlich die Frage, inwieweit der Mensch seinem Wesen nach auf die Wahrnehmung durch andere und damit auf Öffentlichkeit angewiesen ist. Dabei ist auch Plutarch durch die Schule des Skeptizismus gegangen und weiß, daß er nicht mehr wie die klassische Philosophie von einer vorgegebenen „natürlichen“ Verankerung des Menschen in der Gemeinschaft ausgehen kann. Es kann also nur darum gehen, die eigene Weltsicht als die gegenüber Epikur überzeugendere und wahrscheinlichere zu erweisen.[22] Um dies zu erreichen, kombiniert er zunächst in einer für ihn nicht untypischen Weise psychologische Beobachtungen und Einsichten in gesellschaftliche Zusammenhänge mit naturwissenschaftlichen Erkenntnissen und geschichtlichen Beispielen. Diese durch die Deutung von Erfahrungen erreichte Plausibilität ist dann der Ausgangspunkt für die grundsätzlichen ontologischen Überlegungen, die nun den Anspruch seiner Position auf universelle Geltung unterstreichen, wobei sich Plutarch auch hier

---

Ein Leben, das dagegen keine Verbindlichkeiten in Form der Götter und ihrer Gerechtigkeit über sich anerkennt, wird unmenschlich und zerstörerisch (*Adv. Col.* 30,1124E-1125A).

[21] *Non posse* 16,1098A: τῷ πρακτικῷ βίῳ τὸ ἡδὺ πλέον ἢ τὸ καλόν ἐστιν. *Non posse* 17,1098D preist dann überschwenglich im Gegensatz zu der durch den Bauch allein definierten ἡδονή und dem dieser entsprechenden βίος ἀνέξοδος καὶ ἀπολίτευτος καὶ ἀφιλάνθρωπος die „leuchtende und königliche Freude, die wahrhaft Licht und Ruhe (γαλήνη) über alles ergießt“.

[22] Ähnlich ist sein Vorgehen auch in *De sera*, wo er die Möglichkeit des Urteilens angesichts der Begrenztheit unserer Erkenntnis ausdrücklich thematisiert; vgl. dazu R. FELDMEIER, Philosoph 412-425.

bewußt bleibt, daß er über Wahrscheinlichkeitsurteile nicht hinaus kommt.[23] Durch Einbeziehung mythologischer Elemente wird die Erörterung soteriologisch abgerundet und zugleich wieder in einer vertieften Weise auf die Existenz des einzelnen und die Frage nach seinem Leben zurückbezogen.

2. *Ein „endloses Gewirr von Selbstwidersprüchen" – Plutarchs Wahrnehmung Epikurs und deren Ursachen*

De latenter vivendo ist eine Streitschrift, in der von Anfang an die Fronten klar sind: Die „Lebensregel" ist „schlecht", und es kann nur darum gehen, sie möglichst gründlich zu eliminieren.[24] Dieses Urteil Plutarchs basiert allerdings keineswegs auf Unkenntnis. Er kannte nicht nur Epikurs Schriften, sondern war auch persönlich mit einigen Epikureern bekannt: „his hostility was based not on ignorance, but on an apparently good knowledge of Epicurean philosophy".[25] Umso auffälliger ist diese Unbedingtheit der Ablehnung bei diesem sonst so gesprächsbereiten und ausgewogenen Denker. Ehe daher der Argumentationsgang als ganzer gewürdigt wird, soll zunächst auf Art und Ursache der Polemik Plutarchs eingegangen werden, die nicht wenig dazu beigetragen hat, daß man diese Schrift als ein wenig ernstzunehmendes rhetorisches Übungsstück abgetan hat. Dabei wird übersehen, daß die Auseinandersetzung sich zunehmend aus der bloßen Polemik löst und

---

[23] Plutarch zieht zwar aus Epikurs Atomismus die durchaus originelle Folgerung, daß Sichtbarwerden und Ins-Dasein-Treten zusammengehören. Wenn er dies aber als die planvolle Bestimmung allen Seins behauptet, so muß er auf den Gottesbegriff rekurrieren, und hier begegnet dann auch ein assertorisches „meiner Überzeugung nach" (*De lat. viv.* 6,1129E-F).

[24] Es wird außer dem isoliert zitierten Grundsatz λάθε βιώσας sowie einigen tendenziös dargebotenen Einzelheiten aus Epikurs Biographie nicht auf die epikureische Philosophie eingegangen. Person und Werk des Philosophen dienen von vornherein als Negativfolie. So wird gar nicht erörtert, was Epikur mit seinem Ratschlag, im Verborgenen zu leben, gemeint hat (nämlich eine Form genügsamer Selbstbescheidung). Vielmehr unterstellt Plutarch einfach, daß hier völlige Verborgenheit gemeint sei – um damit Epikur sofort eines Selbstwiderspruchs zu überführen. Diese moralische Diskreditierung Epikurs setzt sich fort in der ebenso fragwürdigen Unterstellung, daß Epikur mit seinem Ratschlag der heimlichen Unzucht Vorschub leiste. Dadurch wird der falsche Eindruck erweckt (bzw. das Vorurteil zementiert), daß Epikur ein primitiver Sinnenmensch sei.

[25] So ein Fazit der Untersuchung von J.P. HERSHBELL, Epicureanism 3381.

Plutarch das Problem immer grundsätzlicher und auch gründlicher angeht.[26]

Zu Beginn vergleicht er Epikurs Philosophieren mit dem widerlichen und unsozialen Verhalten eines Philoxenos und Gnathon. Demzufolge ist der heuchlerische Widerspruch zwischen Lehre und Lebenspraxis geradezu ein Charakteristikum Epikurs, wobei die besondere Niedertracht darin besteht, daß er durch seine Lehre sich der fairen Auseinandersetzung entzieht und auf hinterhältige Weise seiner Ruhmgier frönt.[27] Dieser polemische Stil hat durchaus seine Entsprechung bei der Gegenseite. Plutarch kann sich heftig darüber beklagen, daß die Epikureer die vorzüglichsten Geister als „Possenreißer, Schreihälse, Aufschneider, Knabenschänder, Mörder, Simulanten, Volksverführer und Dummköpfe" schmähen und beschimpfen.[28] Diese Verunglimpfungen wiederum scheinen allerdings den Epikureern nicht nur Rhetorik zu sein, sondern die Kehrseite einer geradezu religiösen Stilisierung Epikurs, die offenbar bereits auf den Schulgründer zurückgeht[29] und die Anhängerschaft geprägt hat. Für diese war im Unterschied zu anderen Philosophenschulen gerade die treue Bewahrung der Lehren des Meisters und die Nachfolge als *imitatio Epicuri* bezeichnend.[30] Verständlicherweise scheiden sich an Epikur deshalb besonders deutlich die Geister: Entweder man vergöttert ihn und folgt ihm nach – oder man verwirft und verdammt ihn. Vermutlich hat Epikur durch dieses autoritative Auftreten die der Vernunft nicht mögliche Letztbegründung seiner Philosophie zu sichern versucht.[31] Für seine Gegner war dies jedoch schwerlich ein Trost,

---

[26] Vgl. A. BARIGAZZI, Declamazione 119: „...la disposizione della materia è pensata e lo svolgimento è unitario: da argomenti più leggeri si passa ad argomenti sempre più profondi". Vor allem der zweite Teil der Schrift erweist sich so als „più seria e ponderata" (123).

[27] *De lat. viv.* 1,1128A-C.

[28] *Non posse* 1,1086E, vgl. *Adv.Col.* 2,1108B.

[29] Vgl. M. HOSSENFELDER, Epikur 19f.

[30] Vgl. R. FELDMEIER, Einleitung 44.

[31] Mit der konsequenten Ableitung aller Werte aus der „Lust" werden die Sinne zum Wahrheitskriterium erhoben (vgl. Lukrez, *De rer. nat.* IV 478-483). Da die Vernunft nichts weiter als ein Instrument des Menschen zur Orientierung in einer irrationalen Welt ist, kann dieses System nicht mehr rational begründet werden. „Für die Lehre bedarf es daher einer Autorität, die über die Grundgedanken entscheidet, die nicht mehr bewiesen, sondern nur noch gelernt werden können. Deswegen war Epikur bestrebt, sich selbst als eine Art

und Plutarch kann denn auch in dieser auf Kosten anderer vorgenommenen Selbststilisierung nur den Ausdruck einer seelenschädigenden Ehrsucht (φιλοτιμία) sehen: „Wer – nach Ruhm hungrig – ihn von anderen nicht zu erlangen vermag, der erzwingt ihn durch Selbstlob".[32] Durch ein solches Verhalten widerlegen die Epikureer schon formal ihren Anspruch auf Weisheit.[33]

Diese Widersprüchlichkeit kennzeichnet nach Plutarch die gesamte epikureische Philosophie, die er als ein „endloses Gewirr von Selbstwidersprüchen" bezeichnet.[34] Diese „Selbstwidersprüche" weist Plutarch auch auf dem theoretischen Gebiet nach[35]; vor allem aber will er – wie in unserer Schrift auch – Epikur auf dem Gebiet schlagen, das für diesen das Zentrum bildet, nämlich die praktische Philosophie, die „Lebenskunst" (τέχνη βίου). Denn bei aller Gegensätzlichkeit verbindet ja dies Plutarch mit Epikur, daß beide mit ihrer Philosophie Lebenshilfe geben wollen[36]. Hier nun

---

letzter und unfehlbarer Instanz aufzubauen, an deren Erkenntnissen keinerlei Zweifel zulässig waren. Dazu gehörte, daß er sich als absolut selbständigen Denker stilisierte, der alles aus sich selbst gefunden habe und von keinem Vorgänger abhängig sei. Alle anderen Philosophen bedachte er mit scharfer Polemik und bissigem Spott. ... Er wollte so seiner Lehre den Anschein einer übergeschichtlichen, unwandelbaren Wahrheit verleihen, die sich ihm allein offenbart habe. Ihre Kernsätze wurden auf prägnante Formeln gebracht ..., die die Schüler auswendig lernten" (M. HOSSENFELDER, Epikur 19).

[32] *Non posse* 18,1100A-B.

[33] Selbst dann, wenn ihre Lehre vernünftig wäre, hätten sich die Epikureer durch dieses von Neid und Eifersucht bestimmte Verhalten „ganz weit von der Weisheit" (πορρωτάτω σοφίας) entfernt (*Non posse* 2,1086E-F).

[34] *Adv. Col.* 25,1121E; vgl. 3,1108D-E. Eine verlorengegangene Schrift war mit „Die Widersprüche der Epikureer" betitelt (Lampriaskatalog Nr. 129), eine andere zeigte auf, „daß die Epikureer noch paradoxer sprechen als die Dichter" (Lampriaskatalog Nr. 133).

[35] Vor allem *Adv. Col.* ist zur Hauptsache der Versuch des Nachweises, daß die Kritik des Epikurschülers Kolotes an den anderen Philosophien diesen nicht gerecht wird.

[36] Zur „seelsorglichen" Dimension von Epikurs Philosophie vgl. M. ERLER, Epikur 42; weiter S. SUDHAUS, Epikur als Beichtvater, in: ARW 14 (1911), 647f. Plutarch wurde sein ganzes Leben lang von ratsuchenden Menschen aufgesucht: In *Demosth.* 2,2-4 spricht er von „vielen", die sich an ihn wandten und dabei zeitlich so beanspruchten, daß er erst spät dazu kam, Latein zu lernen. Dies hat auch seine ethischen Schriften geprägt, die als Ratgeber zu unterschiedlichen Lebensfragen verfaßt sind (vgl. die Einleitung seiner „Eheratschläge" *Coni. praec.* 138B). K. ZIEGLER spricht deshalb gar von Plutarch als einem „Beichtvater und Seelenarzt" (Plutarch 9; vgl. auch DERS., RE 21.1 (656).

erhebt Plutarch seine schärfsten Einwände gegen Epikur. Dessen Philosophie zerstöre schon dadurch, daß sie auf der unbeständigen Lust gründet, jenen Seelenfrieden, der nach Epikur ihr höchstes Ziel ist![37] Schlimmer noch ist, daß sie dem menschlichen Leben jegliche Perspektive nimmt[38] und damit nicht nur trostlos ist, sondern *in religiöser, ethischer und politischer Hinsicht schädlich und deshalb geradezu lebensfeindlich*[39]. „Mit der Beseitigung der Gesetze und Staatsverfassung zerstören sie [sc. Epikur und seine Anhänger] das menschliche Leben“ (*Adv. Col.* 34,1127D). Die Überzeugung von dieser Lebensfeindlichkeit ist der eigentliche Grund für jene kompromißlose Ablehnung, die Plutarchs ganzes Werk durchzieht, und sie steht auch im Hintergrund dieser Auseinandersetzung, in der Plutarch immer wieder darauf hinweist, daß Epikurs Maxime die Daseinserfüllung gerade verhindert, die sie verspricht.[40]

3. Γνώσθητι: Plutarchs Antimaxime

In Antithese zu Epikurs Rat, im Verborgenen zu leben, insistiert Plutarch darauf, daß die im Medium von „erkannt werden und erkennen“ (γινώσκεσθαι καὶ γινώσκειν, *De lat. viv.* 6,1130A), in der gegenseitigen Wahrnehmung sich ereignende Begegnung und Interaktion des einzelnen mit den anderen ein für alle geradezu lebensnotwendiger und lebenserhaltender Kreislauf ist. Entsprechend formuliert er seine eigene, in Variationen immer wieder

[37] Eingehend begründet in *Non posse* 5f.,1090.

[38] Ausführlich stellt dies *Non posse* 18-26,1100-1104 dar.

[39] Zum religösen Schaden, den die Philosophie Epikurs anrichtet, vgl. *De sera* 3,549B-D; *De Pyth. orac.* 8-11,397F-399F; *De def. orac.* 19,420B, *Non posse* 20f.,1101 u.ö.; für die ethische Seite vgl. etwa *De sera* 2,548C-549B; *Non posse* 25-31,1104A-1107C. In *Adv. Col.* 31,1125E schließlich wirft er Epikur explizit vor, die Grundlage jeder menschlichen Gemeinschaft zu zersetzen; letztendlich führen – so Plutarch – die Anhänger des „Gartens“ „mit den Gesetzen selbst Krieg“ (*Adv. Col.* 34,1127D).

[40] Deswegen kann Plutarch seine Widerlegung der epikureischen Positionen geradezu als *therapeutischen Akt* qualifizieren. Besonders deutlich zeigt dies eines seiner theologischen Hauptwerke, *De sera*. Dort tritt „Epikur“ bereits vor Beginn des Dialogs von der Bühne ab. Im folgenden geht es nur noch darum, die von den „absurden und falschen Argumenten“ verursachten Irritationen zu überwinden (*De sera* 1,548B-C).

vorgebrachte *„Anti-Epikur-Maxime": Laß dich erkennen - γνώσθητι!*

Nach der Polemik des Auftaktes wendet sich die Schrift „der Regel selbst" zu und begründet die Gegenthese durch eine Abfolge von immer umfassenderen und immer ernsthafteren Argumenten.[41] Ausgangspunkt ist die Überlegung, daß jede menschliche Gemeinschaft davon lebt, daß sich ihre einzelnen Glieder gegenseitig wahrnehmen und dadurch auch von den gegenseitigen Stärken profitieren, die andernfalls ungenutzt verkümmern würden. Dies wird von Plutarch zum einen anhand von geschichtlichen Beispielen plausibel gemacht, die den Nutzen großer Einzelgestalten für Griechen oder Römer deutlich machen.[42] Dabei geht es nicht nur um die großen Taten und den dadurch vom einzelnen erreichten Ruhm[43], sondern ebenso um den Nutzen für die Allgemeinheit.[44] Der Wert eines solchen Lebens beschränkt sich dabei nicht auf den unmittelbaren gesellschaftlichen und politischen Nutzen; vielmehr dient ein gutes Leben, das sich an der Trias „Gott, Gerechtigkeit und Vorsehung" (*De lat. viv.* 4,1129B) orientiert, auch als Vorbild für andere, die sich an diesem in ihrer eigenen Lebensgestaltung orientieren können.[45] Auch deshalb würde die Gemeinschaft Scha-

---

[41] Vgl. A. BARIGAZZI, Declamazione 121: „Caratteristica è la diversità di tono nel principio e nella chiusa: subito all' inizio tono ironico e irridente, poi si fa sempre più serio e conclude gravemente con profondi pensieri religiosi che toccano l'oltretomba".

[42] Hierbei wird zwischen die politischen und militärischen Größen Themistokles, Camillus und Epameinondas auch Platon als Berater Dions eingereiht – als Beispiel für die von Plutarch im Gegensatz zu Epikur hochgeschätzte Zusammenarbeit von Philosophie und Politik. Denn im Unterschied zu Platon bevorzugt Plutarch nicht das Modell des Philosophen als Politiker, sondern das des Philosophen als Berater des Politikers.

[43] In seinen „politischen Ratschlägen" lehnt Plutarch den (unrealistischen und deshalb kontraproduktiven) Verweis auf die Heldentaten der Vorfahren ebenso ab (*Praec. ger. reip.* 17,814A) wie das Streben nach äußerem Ruhm als Motiv des Handelns (*Praec. ger. reip.* 27,820B-E).

[44] Das angemessene Motiv für öffentliches Handeln ist die auf Dankbarkeit und Zuneigung gründende Anerkennung durch die anderen, vgl. *Praec. ger. reip.* 27-28,820F-821C. Offensichtlich spricht Plutarch hier aus, was ihn selbst zu seinem lebenslangen Einsatz für Vaterstadt und Orakel motiviert hat.

[45] Ganz plastisch schildert er dies als Programm seiner Viten in der Vorrede zu seinem Aemilius Paulus (*Aem. Paul.* 1): Die Lebensbeschreibungen hervorragender Männer sind ein Spiegel, nach dem man sich ausrichten kann.

den erleiden, wenn der einzelne sich mit seinen Gaben und Fähigkeiten in die Verborgenheit zurückziehen würde.[46]

Weit ausführlicher geht Plutarch – als Reaktion auf Epikurs Subjektivismus – auf den individuellen Aspekt dieser gegenseitigen Wahrnehmung ein, auf den Nutzen, den der einzelne gerade als Individuum von der Wahrnehmung durch andere hat. Gemeint ist dies nicht in dem platten Sinne des Vorteils, den man von einem geordneten Zusammenleben durchaus auch haben kann. Ein solcher wird ja auch von Epikur und seiner Schule keineswegs in Abrede gestellt.[47] Ausgangspunkt aller ihrer Überlegungen aber bleibt der individuelle Nutzen. Demgegenüber betont Plutarch, daß die Person sich allererst in dem durch das gegenseitige Wahrnehmen ermöglichten Bezug der Menschen untereinander konstituiert, folglich der Bezug auf die anderen nicht in das individuelle Belieben gestellt werden darf. Dies wird durch mehrere Überlegungen begründet. Die erste thematisiert die Möglichkeit des Menschen zur Selbsterkenntnis und Selbstbestimmung. Hier stellt Plutarch die provokative These auf, daß die (dem Menschen vom delphischen Apoll aufgegebene) Selbsterkenntnis ermöglicht wird durch die Spiegelung in den anderen; das apollinisch-sokratische γνῶθι σαυτόν wird also durch das γνώσθητι interpretiert, d.h. die Selbsterkenntnis wird als ein gemeinsamer und wechselseitiger Erkenntnisprozeß verstanden. Die Wahrnehmung durch die anderen Menschen hat dabei geradezu therapeutische Funktion[48]; der anfällige Einzelne wird durch die Kontrolle der Öffentlichkeit vor dem Bösen und Zerstörerischen in sich selbst[49] geschützt, bzw. zu

[46] Im übrigen zeigt sich für Plutarch auch hier wieder, daß sich Epikur in seinen Veröffentlichungen, aber auch in seinem Umgang mit Verwandten und Freunden keineswegs von seinen eigenen Grundsätzen leiten ließ, sondern sehr wohl nach Öffentlichkeit strebte.

[47] Nirgends wurde ja die Freundschaft so hoch geachtet wie in Epikurs „Garten". Darüber hinaus wird der relative Wert des Staates durchaus anerkannt, insofern er Sicherheit und Ruhe gewährt (vgl. *Rat. Sent.* 6). Nach Epikurs Theorie bleibt dabei aber der andere und die Gemeinschaft Mittel zum Zweck des individuellen Glücks.

[48] Plutarch demonstriert dies zunächst anhand von Menschen, die von ihren Fehlern und Schwächen beherrscht werden und daher eine Korrektur durch andere bitter nötig hätten; zu der dabei verwendeten medizinischen Metaphorik vgl. R. HIRSCH-LUIPOLD, Gedeihen 110-114.

[49] In *De cap.* 10,91E sagt Plutarch, daß jeder Mensch von Natur aus die unsozialen Eigenschaften Ehrgeiz, Eifersucht und Neid hat.

dessen Bekämpfung und Überwindung angehalten. Neben der dominierenden medizinischen Begrifflichkeit fällt semantisch auch die verhältnismäßig dichte Konversionsterminologie auf: Die kritische Wahrnehmung durch andere ist Voraussetzung für die Selbstbesinnung und Neuorientierung des einzelnen, seine „Umkehr"[50], die ihrerseits Bedingung seiner „Heilung" ist. Die anderen fungieren somit als eine (heilsame) Kontrollinstanz, die den einzelnen davor bewahrt, den eigenen Schwächen zu verfallen. Sie sind sozusagen das externe Gewissen, das die kritische Begegnung mit sich selbst und so auf dem Umweg über die anderen die ethische Selbstbestimmung fördert. Zugespitzt: Die Heteronomie ist geradezu eine Bedingung der rechten Autonomie, während die Überbetonung des „Privaten" leicht zum Freiraum für ein unsoziales Leben und damit für Verwahrlosung wird. Die γνῶσις im Sinne von Erkennen und vor allem Erkanntwerden ist also eine zentrale anthropologische Kategorie[51], die den Menschen als ein auf Wahrnehmung durch andere hin angelegtes Wesen ausweist, als ein *forensisches Wesen*, das sich einerseits am positiven Vorbild anderer ausrichtet, andererseits in der Kritik der anderen seiner Schwächen und Fehler innewird.[52] So ermöglicht die gegenseitige Wahrnehmung zu allererst die rechte Selbsterkenntnis und Selbstverwirklichung.

Dieses Argument im Blick auf die menschliche Selbstbestimmung wird ergänzt durch ein zweites, das man als „vitalistisch" bezeichnen könnte. Mit eindrücklichen Vergleichen aus der Alltagserfahrung macht Plutarch deutlich, wie das Erkannt- und Anerkanntwerden durch die anderen geradezu Stimulans und Lebenselixier ist[53], dessen der Mensch durch Epikurs Ratschlag beraubt

---

[50] Intrans. μετανοεῖν (2mal) und σωφρονίζεσθαι, transitiv νουθετεῖν.

[51] Vgl. dazu auch R. HIRSCH-LUIPOLD, Gedeihen 102-106.

[52] Plutarch ist keineswegs so naiv, daß er den anderen dabei nur gute Absichten unterstellen würde. In *De capienda ex inimicis utilitate* („Wie man von den Feinden Nutzen haben kann") zeigt er gerade am Extremfall des persönlichen Feindes auf, daß dieser in seiner Rücksichtslosigkeit sogar zum besonders geeigneten Spiegel werden kann, in dem man sich ungeschminkt erkennen und verbessern kann.

[53] Nicht zuletzt gegen Epikurs Maxime betont Plutarch in seinen Gesundheitsratschlägen, daß auch die leibliche Gesundheit gerade nicht durch Rückzug und Untätigkeit erhalten wird; solche sind vielmehr als die „größten Übel mit Krankheiten verbunden". Stattdessen empfiehlt Plutarch, sich „vielen und menschenfreundlichen Tätigkeiten" zu widmen (*De tu. san.* 23,135 B-D).

wird. Diese psychologischen Einsichten zum Zusammenhang von gesellschaftlicher Beanspruchung und individueller Lebendigkeit[54] werden im folgenden Kapitel 5 von *De lat. viv.* (1129D-E) durch einen weiteren Rekurs auf die Erfahrung der im Rhythmus von Tag und Nacht pulsierenden Lebendigkeit bestätigt.[55]

Damit hat Plutarch sowohl im Blick auf die geistige Selbstbestimmung des Menschen wie im Blick auf seine Lebenskraft gezeigt, daß der Gegensatz von einem Leben in der Öffentlichkeit und im Verborgenen ein Gegensatz zwischen Lebensbejahung und Lebensverneinung (ἀπαυδᾶν πρὸς τὸ εἶναι) ist. Implizit war dabei schon vorausgesetzt worden, daß nicht nur der Mensch, sondern die gesamte Wirklichkeit auf Wahrnehmung hin angelegt ist. Eben diese Verallgemeinerung wird nun auch direkt in der vorangestellten These ausgesprochen, die besagt, daß das gesamte Leben von Gott „zur Erkenntnis" gegeben sei. Geschickt begründet Plutarch diese These durch die atomistische Ontologie, also durch die von Epikur selbst übernommene Welterklärung![56] Dieser zufolge entsteht das Seiende nicht aus dem Nichts; vielmehr ist die sichtbare Welt durch die Zusammenballung an sich unsichtbarer Teilchen entstanden. Ins Dasein treten heißt folglich: Erkennbar werden. Umgekehrt ist das Sterben gleichbedeutend mit dem Verschwinden in der Unsichtbarkeit. So weit müßte ein Epikureer wohl zustimmen. Für diesen ist das Vorhandene allerdings nur ein zufälliges Endprodukt des willkürlichen Zusammenstoßens der Atome. An anderer Stelle hat sich Plutarch mit dieser Theorie auseinanderge-

---

[54] Eine (negative) Bestätigung von Plutarchs Argumentation ist etwa das Hospitalismussyndrom, bei dem der isolierte, nicht mehr durch andere wahrgenommene und beanspruchte Mensch in verhältnismäßig kurzer Zeit verfällt.

[55] Vgl. dazu R. HIRSCH-LUIPOLD, Gedeihen 104f.

[56] Vgl. Plutarchs Darstellung dieser Theorie in *Adv. Col.* 8,1110F-1111A. Bestätigt wird diese Übernahme von Demokrits Welterklärung durch Epikur von Lukrez in seinem Lehrgedicht *De rerum natura*, das auf Epikurs Hauptwerk περὶ φύσεως beruht: Die Atome sind unsichtbar (vgl. I 265ff.); erst aus ihrer Zusammenballung entsteht die vorhandene Welt (II 95ff., vgl. auch II 1058ff.; V 416ff. u.ö.). Dabei ist wohl immer vorausgesetzt, daß diese Entstehung des Vorhandenen ein Übergang vom Unsichtbaren ins Sichtbare ist. Betont wird diese Tatsache jedoch nicht. Möglicherweise geht diese Betonung des Sichtbarwerdens als Synonym für das Ins-Dasein-Treten auf Plutarch zurück.

setzt und seine Einwände dagegen geltend gemacht.[57] Hier beschränkt er sich darauf, gegen das epikureische Axiom des Zufalls als Ursache des Kosmos seinerseits Gott als letztes bestimmendes Prinzip dieser Wirklichkeit einzuführen: Dieser habe das Sein „zum Zwecke des Erkennens gegeben" (*De lat. viv.* 6,1129E-F). Letzteres wird von Plutarch ausdrücklich als axiomatische Voraussetzung seiner Weltdeutung kenntlich gemacht[58], die gleichwohl keine willkürliche Behauptung ist, sondern das, was sich seiner Überzeugung nach als die plausiblere Gesamtdeutung der Wirklichkeit bewährt. Aus dieser Perspektive zeigt sich, daß die Bestimmung zum Erkanntwerden über das menschliche Leben hinaus das Grundprinzip der gesamten Wirklichkeit ist. Hier werden die schon angesprochenen *axiomatischen Voraussetzungen der entgegengesetzten Weltdeutung* deutlich, insofern sie *in der entgegengesetzten Zuordnung von Teil und Ganzem* bestehen! Für Epikur ist ja, wie gezeigt, in der Ontologie das einzelne Atom und entsprechend in der Ethik der atomisierte einzelne, das „Individuum", Grundlage der Wirklichkeit und daher Ausgangspunkt aller Überlegungen. Für Plutarch dagegen – das macht die Einführung von „Gott" hier nochmals deutlich – entsteht die Wirklichkeit allererst durch den Zusammenschluß der für sich noch unsichtbaren und so noch nicht im Vollsinn existierenden Atome; entsprechend kommt auch der Einzelne erst im Austausch mit anderen, mit denen er als Gemeinschaft ein „Ganzes" bildet, zu seiner eigentlichen Existenz.

Dieser Antagonismus von Sein und Nichtsein wird von Plutarch nun nochmals theologisch vertieft: Dem Gott des Lichtes und der Erkenntnis tritt als Antipode der Unterweltsdaimon gegenüber.[59] Eindeutig sind diese beiden einander entgegengesetzten Gottheiten Exponenten der beiden im Traktat einander gegenübergestellten

---

[57] Vgl. besonders *Adv. Col.* 8-10,1111. Bereits in *De superst.* 1,164F, vermutlich ein Frühwerk, in dem man aufgrund der Ablehnung des Aberglaubens die weitestgehende Anlehnung an Epikur in Plutarchs Schriften finden zu können glaubt, wird die Atomtheorie als „falsche Ansicht" gleich von Anfang an zurückgewiesen.

[58] Bezeichnend ist die Einführung mit den Worten: „Meiner Überzeugung nach..." *(De lat. viv.* 6,1129E).

[59] Auch dem liegt wohl ein für Plutarch typisches etymologisches Wortspiel zugrunde: Der Name des Unterweltgottes Hades wird in *De E* 21,394A ebenfalls dem „Delios", dem „sichtbaren" Apoll, als Ἀιδωνεύς, der „Ungesehene", entgegengesetzt. Ähnlich wird auch hier deutlich, daß die Sterbenden εἰς ἀειδές, ins Gestaltlose gehen.

Daseinshaltungen. Damit kann die Ausführung wieder explizit auf die Daseins- und Handlungsorientierung des Menschen zurückbezogen werden: Dem von Gott als Wesen der Wahrnehmung geschaffenen Menschen ist das „Erkennen und Erkanntwerden" ein angeborener Trieb. Entsprechend liebt der Mensch das Licht, und einige Philosophen bestimmen sogar das Wesen der Seele als Licht.[60] Negativ wird dies auch dadurch bestätigt, daß das Dunkel Angst einflößt. Letztlich bedeutet daher das von Epikur empfohlene Leben im Verborgenen nichts weniger, als daß man „sich dem Sein verweigert".

Die Diskussion um den Ratschlag, im Verborgenen zu leben, wird also von Plutarch systematisch zu einer Frage von Leben und Tod, von Sein oder Nichtsein hochstilisiert. Damit aber hat die durch die gegenseitige Wahrnehmung (γνῶσις) ermöglichte Gemeinschaft Heilsbedeutung. Die bereits in *De lat. viv.* 6,1129F-1130C einsetzende religiöse Sprache und Metaphorik verdichtet sich immer mehr und macht deutlich: Die Wahl zwischen einem verborgenen und einem öffentlichen Leben entscheidet geradezu zwischen Heil und Unheil. Eben diese diskursiv nicht mehr wiederzugebende Unbedingtheit wird am Ende der Abhandlung durch die mythischen Bilder zum Ausdruck gebracht, welche die beiden möglichen Daseinshaltungen gewissermaßen visionär verabsolutieren. Zwar lehnt Plutarch – in Aufnahme von Epikurs Kritik an den Jenseitsmythen[61] – hier die Vorstellung jenseitiger „Höllenstrafen" ab[62], wohl aber läßt er denjenigen, der „sich in Verborgenheit stürzt", „sein Leben zu Grabe trägt" und „sich dem Sein verweigert", dann auch dem Nichts des ewigen Vergessens anheimfallen – für Plutarch das „Schauerlichste am Tod".[63] Diese „epikureische Hölle"[64] wird antithetisch von der glücklichen Existenz derer ab-

[60] Plutarch unterstreicht auch dies durch eine der von ihm geliebten Etymologien: Das epische Wort für den Menschen, φώς, setzt er in Beziehung zu φῶς, „Licht".

[61] Vgl. Epic., *Her.* 81. Vor allem Lukrez hat diese Kritik sich zu eigen gemacht und mit besonderem Pathos wiederholt vorgetragen (vgl. *De rer. nat.* I 102ff.; III 870-1023; weiter II 37-61; VI 58ff. u.ö.).

[62] Ähnlich auch in *De superst.* An anderen Stellen ist Plutarch hier weit großzügiger und kann hingebungsvoll die Qualen der ungerechten Seelen schildern (vgl. *De sera*; *De gen. Socr.*) und solches auch gegenüber Epikur rechtfertigen (*Non posse* 25,1104A-C).

[63] *Non posse* 10,1093A von der Dreiheit λήθη, ἄγνοια und σκότος.

[64] Vgl. R. HIRSCH-LUIPOLD, Gedeihen 110.

gesetzt, deren Zusammenleben mit anderen sich in jenseitigen Gefilden in gemeinschaftlichen Erinnerungen und Gesprächen fortsetzt.

Pointiert ausgedrückt: So wie nach der atomistischen Theorie alles zusammengesetzte Sein keinen Bestand hat, sondern sich wieder in seine Bestandteile auflösen muß, so sinkt auch die auf sich selbst beschränkte, ihren Transzendenzbezug negierende Existenz ins Nichts zurück, weil sie durch nichts jenseits ihrer selbst gehalten ist. Die Auflösung und die daraus resultierende Trostlosigkeit ist also für Plutarch die soteriologische Konsequenz des epikureischen Denkens, das entgegen dem eigenen Anspruch das Todesproblem nicht löst, sondern es vielmehr verschärft, weil es gerade durch diese Atomtheorie das Dasein der „Hoffnung auf Unvergänglichkeit beraubt" (*Non posse* 27,1105A). In provokativer Antithese zu Epikurs Kritik der Jenseitsmythen sagt Plutarch: „Daher macht weder der Cerberus noch der Cocytus die Todesfurcht grenzenlos, sondern die Drohung mit dem Nichtsein, welche für das Zugrundegegangene keine Veränderung zum erneuten Entstehen bereithält" (*Non posse* 29,1106E-F). Wo dagegen der übergreifende Zusammenhang als eigentlicher Seinsgrund gilt, da gibt es für die entsprechend lebende Person auch eine Perspektive über den Tod hinaus. Ein „Leben, das auf die Gemeinschaft bezogen und von der Liebe bestimmt ist" (*Adv. Col.* 2,1108C), ist nicht nur ein „gutes Leben", sondern auch eines, das stärker ist als der Tod.[65]

---

[65] Im *Amat.* 17,761F-762A sagt Plutarch, daß Hades von allen Göttern allein dem Eros gehorcht und daß die Mythen vielleicht sogar recht haben, wenn sie den Liebenden selbst die Rückkehr aus dem Totenreich in Aussicht stellen.

Anhang:
„So laßt euer Licht leuchten vor den Leuten..." – Anmerkungen zu einem Vergleich Plutarchs mit biblischen Vorstellungen

Plutarchs Philosophie hat immer wieder zum Vergleich mit dem – etwa zur gleichen Zeit entstandenen – Christentum herausgefordert.[66] Seine humane, persönliche Religiosität, seine Tendenz zum Monotheismus mit der Bestimmung Gottes als eines Herrn[67] und Schöpfers[68] der Welt, der gut ist und sich dem Bösen widersetzt, die auf die Liebe konzentrierte Ethik, Plutarchs dialogisches, besonders auch auf den religiösen Bereich gerichtetes Philosophieren und vieles andere mehr scheint doch bemerkenswerte Affinitäten zum Christentum aufzuweisen. So kommt es, daß nicht nur in der Vergangenheit Plutarch durch die Jahrhunderte hindurch immer wieder von Christen „eingemeindet" wurde, sondern auch ein renommierter Plutarchforscher wie Ziegler feststellt, daß vieles bei Plutarch „eminent christlich" wirkt, und dies auf „Wurzelverwandtschaft" zurückführt.[69]

Die Suggestion solcher Übereinstimmungen ist groß, nicht zuletzt auch deshalb, weil vieles von der geistigen Welt, die auch Plutarch geprägt hat, im Zuge der Hellenisierung des Christentums rezipiert wurde. Doch mit vorschnellen Harmonisierungen beraubt man sich der Möglichkeit, gerade auch die jeweilige Andersartigkeit wahrzunehmen und in der Auslegung fruchtbar zu machen, eine Andersartigkeit, die etwa ein Kelsos – wie Plutarch Mittelplatoniker – in seiner schonungslosen Abrechnung mit dem Christentum sehr scharf wahrgenommen hat. So zeigt der genauere Blick neben frappanten Übereinstimmungen doch auch tiefgehende Unterschiede, wenn nicht gar Gegensätze[70] zwischen dem platonischen und dem jüdisch-christlichen Gottes- und Menschenbild, die vor allzu naiver Vereinheitlichung warnen. Eine umfassende vergleichende Darstellung von Plutarch und dem Frühchristentum

---

[66] Vgl. H. ALMQUIST, Plutarch und das Neue Testament. Ein Beitrag zum Corpus Hellenisticum Novi Testamenti, Uppsala 1946.

[67] Gott ist „Lenker und Herr von allem" (*De sera* 4,550A), der „Anfang, Ende und Mitte aller Dinge umfaßt" (*Adv. Col.* 30,1124F als Zitat aus Platons *Nomoi* [*Leg.* 4,715E-716A]).

[68] Im Gegensatz zu den meisten antiken Platonauslegern versteht Plutarch den *Timaios* wörtlich, geht also von der realen Schöpfung der Welt durch den Gott aus (vgl. dazu D.A. RUSSELL, Plutarch 65; F. E. BRENK, Heritage 265ff.).

[69] K. ZIEGLER, Plutarch 20.

[70] Diese (zumindest teilweise) Inkompatibilität wird aufgrund der abendländischen Synthese zwischen Christentum und Griechentum oft nicht deutlich empfunden. Sie dokumentiert sich aber nicht nur in der Kritik der paganen Philosophen am Christentum, sondern auch in den großen dogmengeschichtlichen Schwierigkeiten, welche die früh vollzogene Hellenisierung der Kirchen dann bereitet hat (vgl. dazu die Ausführungen in dem fragmentarisch gebliebenen letzten Werk von W. ELERT, Der Ausgang der altkirchlichen Christologie. Eine Untersuchung über Theodor von Pharan und seine Zeit als Einführung in die alte Dogmengeschichte, Berlin 1957).

und deren Würdigung muß einer anderen Untersuchung vorbehalten bleiben. Hier soll nur in einem direkten Vergleich mit *De lat. viv.* angedeutet werden, wie ein solcher Vergleich *in concreto* aussehen könnte.

Zunächst fallen auch hier die Gemeinsamkeiten ins Auge. Wie der Mittelplatoniker betont das NT, daß der Mensch nicht für sich selbst lebt (vgl. Röm 14,7ff.; 2 Kor 5,14f. u.ö.). Vielmehr sind die einzelnen Christen Glieder eines Leibes, die durch die Liebe miteinander verbunden sind (1 Kor 12,12-13,13). Wer sich dennoch selbstsüchtig verwirklichen will, der zerstört sein Leben (vgl. Mk 8,35 par; Lk 12,16-21; 16,19-31). „Wer nicht liebt, bleibt im Tod" (1 Joh 3,14). Auf verschiedene Weise wird dabei auch der Öffentlichkeitsbezug thematisiert. Wegen der Gefahr des falschen Verhaltens bedarf der Gläubige der Wahrnehmung und Korrektur durch die anderen.[71] Umgekehrt soll Positives bekannt werden: Die „Talente" dürfen gerade nicht vergraben werden, sondern mit ihnen muß in Verantwortung vor Gott in der Welt „gewuchert" werden (Mt 25,14-30). Ein gottentsprechendes Dasein soll ausstrahlen und als Verweis auf Gott von anderen wahrgenommen werden (vgl. Mt 5,14-16; 1 Kor 10,31-33; Phil 2,15; 1 Petr 2,12).[72] Für Paulus beruht sogar das Wesen des Gläubigen darin, daß er – von Gott – erkannt ist (1 Kor 8,3; 13,12, Gal 4,9). Allerdings wird gerade an diesem letzten Punkt sofort die Andersartigkeit deutlich: Das „Erkanntwerden" (γνωσθῆναι) bezieht sich nicht wie bei Plutarch auf einen Akt bewußten Lebens im Licht der Öffentlichkeit zum Zwecke gegenseitiger Wahrnehmung und gegenseitigen Nutzens, sondern bezeichnet die für die gläubige Identität zentrale (An-)Erkenntnis durch den Gott, der den Menschen als ein von ihm radikal unterschiedenes Gegenüber beruft und sich zu ihm in Beziehung setzt.[73] Gerade in diesem Selbstverständnis trennen den aus der griechischen Oberschicht stammenden, politisch engagierten Philosophen des Kaiserreiches Welten von den Vertretern einer marginalen und politisch verdächtigen Randsekte jüdischer Herkunft. Plutarchs Mensch ist der Bürger, der sich durch den Bezug zur Öffentlichkeit der Polis (sowohl in einem engeren wie in einem das ganze Imperium umgreifenden Sinn[74]) konstituiert. Dagegen ist der christliche Nachfolger exklusiv an das personale Gegenüber Gottes in Jesus Christus und die sich von daher verstehende Gemeinschaft der Gläubigen verwiesen (bis zu der für Plut-

---

[71] Die matthäische Gemeinderede thematisiert dies explizit (Mt 18,15ff.), aber auch Paulus ruft zu gegenseitiger Ermahnung auf (vgl. 1 Thess 5,11).

[72] Zwar kann auch einmal Verborgenheit angeraten werden (Mt 6,1-6.16-18), aber dies richtet sich nur gegen die berechnende Zurschaustellung von Frömmigkeit, die damit nicht um Gottes willen, sondern um der eigenen Selbstdarstellung willen getan wird.

[73] Vgl. dazu U. SCHNELLE, Neutestamentliche Anthropologie. Jesus – Paulus – Johannes (BThSt 18), Neukirchen-Vluyn 1991.

[74] Vgl. dazu G.J.D. AALDERS / H. WZN / L. DE BLOIS, Plutarch und die politische Philosophie der Griechen, ANRW II/36.5 (1992) 3384-3404, 3385f.: Trotz aller Unterschiede, deren sich Plutarch sehr wohl bewußt ist, ist Politik „für ihn, qua Politik, in der Polis wie im Großstaat die gleiche menschliche Aktivität .... und für die Ausübung der politischen Aretè sieht er daher keinen wesentlichen Unterschied zwischen Polis und Großstaat...".

arch sicher unverständlichen Forderung einer „Kreuzesnachfolge"). Der Christ hat entsprechend hier „keine bleibende Polis", sondern sucht die zukünftige (Hebr 13,14). Sein πολίτευμα ist in den Himmeln (Phil 3,20), hier ist er deshalb ein ausgegrenzter Fremder (1 Petr 1,1; 2,11).[75]

Ein Fazit ist hier nicht möglich, nur eine Anregung. Plutarch hat die das Abendland prägende Synthese von christlichem Glauben und hellenistischer Kultur wesentlich mit ermöglicht, und die Kirchenväter haben sich dann ja auch immer wieder auf ihn bezogen[76] und das Christentum mit den Kategorien der (platonischen) Philosophie gedeutet. Sicher ging bei dieser Synthese manches verloren, und es ist sinnvoll, wenn heute der biblisch-jüdische Hintergrund des Christentums – etwa gegen eine einseitige Interpretation des christlichen Gottesgedankens durch die Metaphysik oder gegen die Abwertung der Leiblichkeit – wieder verstärkt zur Geltung gebracht wird. Aber die noch immer vorherrschende Sicht eines durch die Hellenisierung des Christentums eingeleiteten Abfalles vom biblischen Ursprung ist nicht nur historisch problematisch[77], sondern auch theologisch zumindest einseitig, berücksichtigt sie doch nicht, inwieweit diese Synthese auch zu einer Horizonterweiterung und zu einem vertieften Selbstverständnis des biblischen Glaubens geführt hat.

---

[75] Vgl. R. FELDMEIER, Die Christen als Fremde. Die Metapher der Fremde in der antiken Welt, im Urchristentum und im 1. Petrusbrief (WUNT 64), Tübingen 1992.

[76] Seit Clemens Alexandrinus wird Plutarch von den Kirchenvätern in unterschiedlicher Intensität aufgenommen – bis hin zur weitgehenden Übernahme: „Aus Basileios Munde... redet von einer christlichen Kanzel herab nur Plutarch" (R. HIRZEL, Plutarch 83f.).

[77] Palästina zur Zeit Jesu war schon dreieinhalb Jahrhunderte hellenisiert (vgl. M. HENGEL, Judentum und Hellenismus. Studien zur ihrer Begegnung unter besonderer Berücksichtigung Palästinas bis zur Mitte des 2. Jh.s v.Chr. [WUNT 10] Tübingen [3]1988), Paulus war hellenistischer Jude, und eine für das Christentum so zentrale Vorstellung wie die von der Auferstehung hätte sich ohne die Auseinandersetzung mit dem Hellenismus wohl kaum herausgebildet. Bereits Paulus ist Diasporajude, dessen Muttersprache Griechisch ist!

Gedeihen im Licht – Verderben im Dunkel

Bilder für die existentielle Bedeutung einer Ethik des Politischen

(Rainer Hirsch-Luipold)

1. Plutarchs Philosophie der Bilder

Plutarch liebt es, seine Gedanken – philosophische Spekulationen ebenso wie ethische Forderungen – durch Bilder plastisch werden zu lassen.[1] Einfache Metaphern, Vergleiche und ausgeführte Gleichnisse aus allen Bereichen der Lebenswirklichkeit, aus Natur und Kunst, Politik und Medizin, dazu historische und mythische Exempla und schließlich ganze Kunstmythen, wie wir sie aus den platonischen Dialogen kennen, durchziehen seine Schriften. So wird, wie er selbst sagt, die nützliche Botschaft mit einer angenehmen Form verbunden[2], so lassen sich die Aussagen besser merken[3], so gewinnen Argumente an Überzeugungskraft. Bilder sprechen unmittelbar in die Lebenswelt der Adressaten hinein und

---

[1] Vgl. R. HIRSCH-LUIPOLD, Pferde 105-118. Über die dort genannte Literatur hinaus vgl. noch J. GARCÍA LÓPEZ, La naturaleza en las comparaciones de Plutarco, in: DERS./E.CALDERÓN DORDA (Hrsg.), Estudios sobre Plutarco. Paisaje y naturaleza, Madrid 1991, 203-220; M. VALVERDE SÁNCHEZ, Los símiles en el *Erótico* de Plutarco, in: J.G. MONTES CALA U.A. (Hrsg.), Plutarco, Dioniso y el vino (Actas del VI simposio español sobre Plutarco, Cádiz 1998), Madrid 1999, 501-516.

[2] ἅμα τὸ ἡδὺ καὶ τὸ ἀναγκαῖον διώκοντες (*De tu. san.* 1,122D-E). Die höchste Philosophie, so sagt er in der ersten seiner *Quaestiones convivales*, zeige sich darin, daß sie gar nicht als solche, sondern als Spiel erscheine und die Hörer durch eine eher lockere Darstellungsweise mit Beispielen und Geschichten (ὑγροτέροις λήμμασι καὶ παραδείγμασι καὶ μυθολογίαις) mehr überzeuge als sie durch eine lückenlose Argumentation zur Zustimmung zu nötigen. Gerade dadurch wecke sie auch bei den weniger philosophischen Menschen philosophischen Eifer und Frömmigkeit (*Quaest. conv.* I 1,4, 614C-D). Die *Parallelbiographien* setzen in diesem Sinne ethische Ideale am Beispiel großer Männer ins Bild (vgl. H.-F. MUELLER, Images of Excellence. Visual Rhetoric and Political Behaviour, in: I. GALLO/B. SCARDIGLI [Hrsg.], Teoria e prassi politica, 287-300, hier 287).

[3] … ὡς εὐμνημόνευτα μᾶλλον εἴη (*Coni. praec.* 1,138C).

fordern sie zu einer Stellungnahme heraus.[4] Aber diese bunte Vielfalt der plutarchischen Bildersprache steht nicht nur im Dienst einer punktuell auf die Einzelstelle zielenden Rhetorik. Ihre Bedeutung reicht tiefer. Denn der Autor beläßt es nicht bei isolierten Vergleichen und Illustrationen. Vielmehr schafft er Motivreihen und Bildhorizonte, indem er einzelne Motive und Bilder im Rahmen einer Schrift mehrmals in unterschiedlicher Gestalt verwendet. Insbesondere spielt er mit der Polyvalenz einzelner Begriffe und mit Etymologien.[5] Dadurch entsteht eine metaphorische Ausdrucksform, die über den einzelnen bildhaften Ausdruck hinausgreift, Zusammenhänge schafft und konsequent die diskursive Darlegung unterlegt und ergänzt. Diskursive Darlegung und bildhaft-mythische Umschreibung greifen ineinander, befruchten sich gegenseitig und werden zu untrennbaren Bestandteilen einer philosophischen Form, die „Logos“ und „Mythos“ in eigentümlicher Weise verbindet.[6] In poetischer, der klassischen rhetorischen Tradition widersprechender[7] Weise mischt Plutarch bewußt Bild- und Sachebene ineinander und verwischt damit die Grenzen. Die rezipierten Traditionen werden wie bei einer Collage kreativ als Bausteine eines neuen Gedankens, die einzelnen metaphorischen Ausdrücke als Teile eines übergeordneten Bildes mit einer eigenen Aussage verwendet. Durch die Bereiche, denen die Bilder entnommen sind, läßt Plutarch dabei Stimmungen und Nuancierungen entstehen.[8]

---

[4] Diesem pädagogischen Ziel dient insgesamt der diatribenhafte Stil, mit direkter Rede, rhetorischen Fragen und holzschnittartigen Alternativen; vgl. allg. K.H. UTHEMANN/H. GÖRGEMANNS, Art. Diatribe, in: NP 3, 530-533.

[5] Vgl. dazu M. GARCÍA VALDÉS, Aproximación al pensiamento de Plutarco a través de las explicaciones etimológicas, in: J. GARCÍA LÓPEZ u.a. (Hrsg.), Paisaje y naturaleza 39-44; J.F. MARTOS MONTIEL, El uso de la etimología en los *Moralia* de Plutarco, in: M. GARCÍA VALDÉS (Hrsg.), Ideas religiosas 575-582.

[6] P.R. HARDIE, Interpretation 4743-4787, diskutiert das Verhältnis von Mythos und Logos in der Philosophie Plutarchs und untersucht dabei dessen theoretische Reflexionen zum Thema.

[7] Eine solche Ausdrucksweise widerspricht dem Gebot der Klarheit (vgl. H. LAUSBERG, Handbuch §§ 564; 1067-1070). Fehlerhafte Stil- und Ausdrucksmischung rügt schon Aristoteles (*Rhet.* III 7, 1408a10ff.). Allerdings läßt Quint., *Inst.* VIII 2,17-21 *obscuritas* als reizvolles Spiel zwischen Autor und Publikum zu.

[8] Zur Frage nach der Möglichkeit einer literarischen und poetischen Philosophie vgl. die Beiträge von G. GABRIEL, H. FRICKE und TH.A. SLEZÁK

2. Die Bilder in De latenter vivendo

Die rhetorische und polemische Prägung, zugleich aber pädagogisch-paränetische Zielsetzung des Traktats *De latenter vivendo* läßt dieses Merkmal der Sprache Plutarchs, das sein gesamtes Œuvre durchzieht, besonders stark hervortreten.[9] Griffige Bilder sollen hier die existentielle Bedeutung einer dem Leben im Verborgenen gegenübergestellten Ethik des Politischen vor Augen führen. Gelingendes Leben – ja eigentlich Leben überhaupt – ist nur möglich, wo der Mensch in der Gemeinschaft lebt und sich zum Nutzen des Staates und seiner Mitmenschen betätigt; diese Botschaft wird nicht nur intellektuell vermittelt, sondern auch bildhaft eingeschärft. Dabei scheut Plutarch sich nicht, plakativ zu werden. Die Folgen eines Lebens in Verborgenheit und Zurückgezogenheit werden durch eine Fülle von Bildern aus dem Bereich des biologischen Verfalls, der körperlichen Krankheit und des Todes gekennzeichnet. Hinzu treten alle Facetten der Finsternis. Durch diese Metaphorik umgibt Plutarch die Lebensmaxime Epikurs mit einer düsteren Stimmung, der sich der Leser nur schwer entziehen kann. Bis an die Grenze der Geschmacklosigkeit sind manche Bilder ausgereizt, so etwa, wenn der Alterungsprozeß durch Verschimmeln und Verfaulen verbildlicht wird. Wo der Mensch sich nicht mehr als *homo politicus* versteht, wo er sich nicht mehr müht und für die Gemeinschaft kein Nutzen mehr von ihm ausgeht, da kippt er um wie ein Binnengewässer ohne Abfluß, zerfällt wie ein unbewohntes Haus, wird glanzlos wie ungepflegte Bronze.

Ist der Blick für solche Metaphorik erst einmal geschärft, so zeigt sich, daß Plutarch sie gezielt einsetzt. Dabei interpretiert er die beiden Teile der epikureischen Maxime „Lebe im Verborgenen“ (λάθε βιώσας) von ihrem Wortsinn her[10] und gelangt so zu

---

in: G. GABRIEL/C. SCHILDKNECHT, Literarische Formen der Philosophie, Stuttgart 1990, 1-61.

[9] Nach G.M. LATTANZI, Composizione 337, deuten gerade „la composizione variata da similitudini, esempi, aneddoti, fin anche coronata dal mito“ darauf hin, daß *De lat. viv.* unter die besonders ausgefeilten Schriften Plutarchs zu rechnen ist.

[10] Es zeigt sich hier eine rhetorische Technik, die Plutarch innerhalb der Schrift verschiedentlich anwendet: Er greift die zentralen Begriffe und Thesen seines Gegenübers auf, um sie entweder gegen Epikur zu wenden oder sie ihm zu entreißen und dem eigenen System einzuverleiben.

zwei die gesamte Schrift durchziehenden Bildkomplexen, die im folgenden zunächst kurz umrissen und dann ausführlich interpretiert werden:

– λάθε: ein Leben im Dunkeln.

Wer nach Verborgenheit strebt, so unterstellt Plutarch, strebt damit nach Dunkelheit. Denn eine Verborgenheit, in der man von anderen nicht mehr wahrgenommen – und das heißt insbesondere: gesehen – wird, ist nur in der Dunkelheit gewährleistet.[11] Von dieser Voraussetzung her baut Plutarch den Gegensatz Licht – Dunkelheit auf, der neben dem sozialen Handeln auch das Denken des Menschen, seine gesamten Lebensfunktionen und letztlich sogar seine eschatologische Hoffnung bestimmt. Als zentralen Gegenbegriff zum Verborgensein (λανθάνειν) und dem daraus resultierenden Vergessen (λήθη), der diese unterschiedlichen Dimensionen menschlichen Lebens umfassen kann, führt Plutarch den Begriff γνῶσις ein. Licht und Dunkelheit, Erkenntnis und Unverstand, Erkanntwerden und Verborgenheit, glänzender Ruhm und ruhmlose Unbekanntheit, diese Gegensätze werden in der Schrift immer neu vor Augen geführt.

– βιώσας: ist ein Leben im Dunkeln überhaupt ein Leben?

Plutarch stellt letztlich in Frage, daß ein solches Leben, wie Epikur es fordert, überhaupt zu Recht als „Leben" angesprochen werden kann und nicht vielmehr als „Absage an das Sein"[12] zu sehen ist. Diese Sicht untermauert er durch das Bild- und Assoziationsfeld Tod, Sterben und Grab, zu dem auch Krankheit, Verfall und Vergehen zu rechnen sind. Epikurs Philosophie wird damit als Philosophie nicht nur der Dunkelheit, sondern zugleich des Todes qualifiziert.

---

[11] Die von Plutarch implizierte Verbindung von Verborgenheit und Dunkelheit prägt auch die Wortwahl in seinen Bildern. In 4,1129D etwa wählt er für die überschatteten Gewässer die ungewöhnliche Formulierung τὰ λανθάνοντα („die verborgenen Stellen").

[12] ἀπαυδᾶν πρὸς τὸ εἶναι (6,1130C).

a) Licht und Dunkelheit

Die Antithese von Licht und Dunkelheit[13] durchzieht die Schrift in allen Bereichen, von der Ebene des Menschen, seines Handelns und seiner daraus resultierenden Zukunftserwartung über Natur und Kosmos bis hin zu den Göttern.

Entsprechend seinem Gegenstand zeigt Plutarch Licht und Dunkelheit zuallererst als zwei gegensätzliche Möglichkeiten in der *Ethik* auf. Die Dunkelheit verbindet er mit einem für das Individuum wie für die Gesellschaft zerstörerischen Leben in privater Zurückgezogenheit. Dies leitet er aus seiner Interpretation der Maxime Epikurs ab: Verborgenheit, wie Epikur sie fordert, impliziert Dunkelheit, da nur die Dunkelheit Unsichtbarkeit[14] gewährt: Im Schutz dunkler Verborgenheit agieren Grabräuber (2,1128C) oder können beim Symposium sexuelle Exzesse stattfinden (4,1129B). Wir kommen auf diese wertenden Beispiele noch zurück. Auf der anderen Seite steht ein Leben im Licht.

Licht macht die Dinge gut und für den Menschen zuträglich (6,1130B-C). Das Licht (φῶς) der Öffentlichkeit fungiert als Motor des Lebens. Es macht die Menschen nützlich. Der Glanz des Ruhmes (δόξα) und der Bekanntheit motiviert sie und verleiht ihnen Tatkraft zum Nutzen für die Gemeinschaft (4,1129C). Allein durch die Aktivität erstrahlt (λάμπει) das Haus wie edle Bronze, die ständig im Gebrauch ist (4,1129D). Durch diesen sophokleischen Vergleich wird Licht mit Tätigkeit in der Welt, Dunkelheit mit träger Untätigkeit verbunden.[15] Diese positiven Wirkungen des Lichts werden durch eine Haltung unmöglich gemacht, die

---

[13] *Licht*: φῶς/φώς (3x Kap. 4; 5; 4x 6); δόξα (2x Kap. 4; 7); ἥλιος (Kap. 5; 6; 7); ἡμέρα (Kap. 5); (ἐκ-)λάμπειν (Kap. 4; 6; 7); πῦρ (Kap. 5).

Dunkelheit: σκότος (Kap. 2; 4; 2x 6; 2x7); σκοτεινόν (Kap. 6); [δνοφερὰ] νύξ (Kap. 4; 5; 6; 2x 7); ἀδοξία (2x Kap. 7); ἀφεγγές (Kap. 6); περισκιάζεσθαι (Kap. 4), dazu die mit mythischen Implikationen versehenen Orte der Finsternis ἔρεβος und βάραθρον. Die Begriffe werden im Anschluß in ihrem Kontext untersucht. Hier geht es zunächst darum, durch die Zusammenstellung die Breite des Bildfelds deutlich zu machen.

[14] ἀειδές, ἀόρατον (beide Kap. 6); ἄδηλος (2x Kap. 6); ἀφανισμός (Kap. 7); ἀφανής (Kap. 6); ἀποκρύπτειν (Kap. 2; 7); περιστέλλειν (Kap. 2). Gegenbegriffe sind φανερῶς (Kap. 2; 4); δῆλος (Kap. 6).

[15] Vgl. *An seni* 8,788B; 15,792A. Freilich führt die Antithese des Vergleichs, die schon bei Sophokles mit dem Verb „zusammensacken“ stärker auf die Sachhälfte (dort also das Haus) bezogen ist, bereits in das Bildfeld „Verfall“ hinüber, das im folgenden ausgeführt wird.

sich aus dem öffentlichen Leben ins Private zurückzieht und alle außerordentlichen Leistungen, die dem Wohl der Öffentlichkeit dienen könnten, ebenso unterdrückt wie die damit verbundene Anerkennung.[16]

Die schöpferische und zerstörerische Kraft von Licht und Dunkelheit ordnet Plutarch in allgemeine Prozesse der *Natur* ein. Wie die verborgenen Stellen (τὰ λανθάνοντα) eines stehenden Gewässers umkippen und faul werden (σήπεται), weil sie ohne Abfluß im Schatten liegen, so beschleunigt bei vielen Menschen der Rückzug aus dem tätigen Leben im Licht der Öffentlichkeit den Alterungsprozeß und läßt Leib und Seele dahinwelken (μαραίνειν).[17] Der Schatten als Form natürlicher Dunkelheit gibt der Sicht Plutarchs einen gleichsam vitalistischen Zug.[18] Durch das Bild des stehenden Gewässers kann Plutarch die Dunkelheit wiederum mit der Untätigkeit verbinden. Denn Wasser kippt um, wenn es keinen Abfluß hat. Durch den Zusatz: „und wenn niemand etwas aus ihm zu trinken bekommt" (μηδὲ πινομένων) wird dies zum Bild dafür, daß von einem Leben kein Nutzen mehr für andere Menschen ausgeht.[19] Ähnlich verbindet Plutarch die Ebene der Natur und des Menschen, indem er sagt, der Mensch werde von „Schimmel und Altersschwäche" befallen, wobei die Metapher des Schimmels (εὐρώς) wieder durchaus naturalistisch die Assoziation an einen dunklen, modrigen Raum weckt.[20]

Die existentielle Bedeutung des Lichts für den Menschen führt Plutarch in der großartigen Periode in Kap. 5 vor Augen. In der Nacht liegt der Mensch matt, verängstigt, isoliert da. Das Denken (λογισμός) als Lebenszentrum und damit der Mensch insgesamt ist auf eine schwache Lebensglut, auf ein bloßes Vegetieren reduziert, das gerade noch als Leben wahrgenommen werden kann. Wie tot liegt der Mensch da. Dann aber geht die Sonne auf. Mit ihrem

---

[16] Vgl. 3,1128E-1129A.

[17] 2,1129D; vgl. auch *Aquane an ignis* 9,957D.

[18] Vgl. R. FELDMEIER, Gedeihen 91.

[19] Für die gesundheitlichen Folgen der faulen Untätigkeit führt Plutarch in *De tu. san.* 24,135B-C direkt Epikur als Beispiel an und propagiert den gesundheitlichen Nutzen eines tätigen Lebens zum Nutzen anderer (πολλὰς καὶ οὐκ ἀφιλανθρώπους πράξεις).

[20] Vgl. die Anm. z. St. sowie *De cur.* 1,515B-D, wo dieses Bild für eine ganze Stadt erscheint.

Licht zieht sie die Gedanken wie an einem Faden nach oben[21], richtet so den darniederliegenden Menschen wieder auf und gibt ihm den Impuls zu neuen Plänen und Taten.[22] Zugleich stellt die Sonne den Einzelnen aber als Teil eines Ganzen, als Teil der Gesellschaft wieder her. In der Dunkelheit der Nacht ist der Mensch isoliert und damit wie tot. Mit dem Aufgang der Sonne erwacht er im Rahmen der Gesellschaft wieder zum Leben. Eine wichtige Rolle kommt also insbesondere der Sonne als Spenderin des Lichts und damit des Lebens zu.[23] Hier wie anderswo bei Plutarch ist sie Bild der Klarheit des Denkens und der Wahrheit, ja zuletzt der Gottheit selbst, aus der die Wahrheit kommt.[24] Das Licht des Denkens ist als göttliche Kraft der Lebensfunke des Menschen. Deshalb stellt Plutarch der Nacht nicht den Tag, sondern speziell die Sonne gegenüber.

Das Licht ist geradezu eine *anthropologische* Grundkategorie: immerhin kann der Mensch in der Dichtung φώς genannt werden.[25]

---

[21] ἀρτήματι συντόνῳ σπασθέντες. Vgl. *De gen. Socr.* 22,591D-E, wo der höchste Seelenteil die Menschen wie eine nach oben ziehende Boje (ἄρτημα κορυφαῖον) aufrichtet, sowie die Anm z. St.

[22] Wie an starken Fäden zieht die Sonne die Menschen nach oben und damit zugleich aufeinander zu. M.E. läßt sich diese Metaphorik nur durch das evozierte Bild einer Marionette erklären, deren Glieder untereinander verbunden sind (vgl. G. HERZOG-HAUSER, Art. Νευρόσπαστα, in: RE 17.1 [19] 161-163). Erfolgt ein Zug nach oben, so wird die gesamte Puppe zum Leben erweckt, indem sich ihre Glieder aufeinander zubewegen. Vgl. dazu auch das Bild einer von den Göttern durch die Denkkraft gezogenen Marionette (θαῦμα) für die Menschen in ethischem Zusammenhang in Platons *Nomoi* (644d ff.). Der Logismos erscheint als „goldene und heilige Leitkraft" (τὴν τοῦ λογισμοῦ ἀγωγὴν χρυσῆν καὶ ἱεράν; 645a), die sich im staatlichen Gesetz niederschlägt.

[23] Vgl. *De E* 21,393D: τὸ περὶ αὐτὴν γόνιμον.

[24] In *De E apud Delphos* erscheint die Sonne als Bild und Ausfluß Apollons, in *De Iside et Osiride* des Osiris, im *Erotikos* des Eros.

[25] Von dieser Methode, aus etymologischen Herleitungen philosophische Schlußfolgerungen zu ziehen, macht Plutarch in reichem Maße Gebrauch, so etwa in seinem religionsgeschichtlich zentralen Alterswerk *De Iside et Osiride*. Eine solche Argumentation mag unserem wissenschaftlichen Bewußtsein oberflächlich erscheinen, zumal es sich oftmals um nicht mehr als „Volksetymologien" handelt (vgl. A. STROBACH, Plutarch und die Sprachen. Ein Beitrag zur Fremdsprachenproblematik in der Antike [Palingenesia 64], Stuttgart 1997). Es entspricht aber ganz der allgemeinen Methode Plutarchs, die Phänomene der Welt auf einen tieferen Sinn hin zu hinterfragen und zu interpretieren: Plutarch will als Theologe und Religionshistoriker den allego-

Das Leben des Menschen ist von vornherein darauf angelegt, daß er von anderen wahrgenommen wird (εἰς γνῶσιν; 6,1129F). Durch seine Geburt leuchtet er hervor (ἐκλάμπει) und wird sichtbar (δῆλος ἐξ ἀδήλου καὶ φανερὸς ἐξ ἀφανοῦς; ebd.). Insbesondere die Seele als Kern der menschlichen Existenz zeigt eine besondere Affinität zum Licht und Abscheu gegen das Dunkle (6,1130B).[26] Ohne Licht, so sagt Plutarch zusammenfassend, bevor er in seinen mythologischen Schlußabschnitt eintritt, ist keine an sich lustvolle Beschäftigung für den Menschen befriedigend und zuträglich (ebd.). Licht ermöglicht und symbolisiert gemeinschaftliches Leben, aber auch intellektuelles Fortkommen. Diese beiden Aspekte der lichthaften Existenz des Menschen versucht Plutarch als zwei Seiten einer Medaille, als gegenseitige Wahrnehmung und Weg zur Wahrheit, Erkanntwerden und Erkennen, in einem überaus schillernden Begriff zusammenzufassen: γνῶσις – „Erkenntnis" in unterschiedlichen Bedeutungsnuancen – ist ein Schlüsselterminus der Schrift, weil er die Bereiche des Visuellen, Intellektuellen und Sozialen (bis hin zur Sexualität) in sich begreifen kann. Plutarch macht sich zudem die aktive und passive Verwendungsmöglichkeit des Begriffs im Sinne der Erkenntnis und des Erkanntwerdens bzw. der Sichtbarkeit zunutze.[27] Das Gewicht des Begriffs rechtfertigt eine kurze Erörterung seiner unterschiedlichen Bedeutungen, zumal diese jeweils auf ihre Weise mit dem Bild des „Lichts" verknüpft sind.

Durch den Begriff γνῶσις verbindet Plutarch in raffinierter Weise die *ethisch-politische* Ebene öffentlicher Verantwortung (im Sinne der Wahrnehmbarkeit für andere, Berühmtheit, aber auch der öffentlichen Kontrolle, insofern man

---

rischen und symbolischen Sinn hinter den Wörtern und Erzählungen aufspüren („... se interesa en rastrear bajo las palabras y los relatos el trasfondo de verdad, alegórico y simbólico"; M. GARCÍA VALDÉS, Aproximación [s. Anm. 5] 37). Eine historische Verwandtschaft ist dafür nicht zentral. Die Ähnlichkeit verweist symbolisch auf eine kosmische Analogie (ebd. 38. 42; vgl. J.F. MARTOS MONTIEL, Uso [s. Anm. 5] 575-582).

[26] Die Lichthaftigkeit der Seele bzw. ihre Affinität zum Licht findet sich schon im *Protreptikos* des Aristoteles und bei Herakleides Pontikos (s.o. die Anm. z.St. bzw. A. BARIGAZZI, Declamazione 127). Wie Plutarch in *De facie* 30,944E sagt, geht der menschliche νοῦς als höchster Teil der Seele nach einer Art zweifachen Tod in die Sonne ein.

[27] Vgl. Kap. 6, wo Plutarch bei der Verwendung des Verbums γινώσκειν die aktive und passive Form nebeneinander stellt.

auch seine Schwächen offenlegen und sich der Kritik stellen soll[28]) und die *intellektuelle* Ebene der Erkenntnis. Zwei weitere Konnotationen des Begriffes klingen an. Zum einen die in den sozialen Bereich gehörende *sexuelle* Konnotation.[29] Den Hinweis in diese Richtung gibt die Formulierung ἔρως ἰσχυρός in Kap. 6. Jedem Menschen, so heißt es dort, wohne von Natur aus ein „starkes Verlangen erkannt zu werden und zu erkennen" inne (τοῦ γινώσκεσθαι καὶ γινώσκειν ... ἔρως ἰσχυρός; 6,1130A-B). Es läßt sich mit Grund fragen, ob bei dem Begriff „Eros" neben der übertragenen die direkte Bedeutung mit anklingt. Denn für eine solche Verbindung lassen sich einige Parallelen bei Plutarch angeben, für den *Erotikos* ist sie sogar grundlegend. Eros – im Sinne der Liebesbeziehung zwischen Mann und Frau – ist dort Erkenntnis- und Heilsweg, ja er führt den Menschen aus dem trügerischen Hades zur Welt der Sonne hin.[30] Damit ist bereits die Brücke geschlagen zur *religiösen* Konnotation des Begriffs. Man hat aufgrund dieser Terminologie verschiedentlich Beziehungen zu einer religiösen „Gnosis" sehen wollen[31], zumal Plutarch diese Terminologie – in *De Iside et Osiride* ebenso wie in *De latenter vivendo* – mit einem Dualismus von Licht und Finsternis verbindet, der als wichtiger Grundzug gnostischen Gedankenguts gilt.[32] Zweierlei gilt es zu bedenken. Zum ersten: Solange man nicht nach einem Plutarch vorausliegenden gnostischen System sucht, sondern ihn als Beleg nimmt für eine geistig-religiöse Strömung, die im Rahmen einer Antithese von Licht und Dunkelheit dem Denken als einer Bewegung hin zum Licht Erlösungsfunktion zuweist, legt man sicher zurecht den Finger auf die religiöse Dimension des Begriffes. Zum zweiten: Die religiöse Bedeutung kann nicht von der philosophischen abgetrennt werden, da Philosophie und Religion bei Plutarch nicht kategorial unterschieden sind.[33] Durch die Erkenntnis stellt sich der Mensch in den Bereich des göttlichen Lichts. Insofern ist Erkenntnis als Angleichung an das Göttliche Ziel des menschlichen Lebens und bedeutet die Überwindung des Todes. So wird über den Begriff γνῶσις ein philoso-

---

[28] Vgl. Kap. 2.

[29] Die sexuelle Bedeutung von γινώσκειν ist schon bei Menander, dann vor allem in der Septuaginta und im Neuen Testament belegt, sie findet sich aber auch bei Plutarch; vgl. LSJ s.v. γιγνώσκω III. In der Septuaginta wie im Neuen Testament geht es auf das hebräische *jada* zurück, das beide Bereiche umfaßt.

[30] Schon die Entstehung des Menschen und der Zeugungsakt (μετασχεῖν ἀνθρώπων γενέσεως) ist εἰς γνῶσιν angelegt, also darauf, daß ein neuer Mensch ans Licht tritt (6,1129F). Über den Begriff der Erkenntnis setzt Plutarch das Licht zu Leben und Sein in Beziehung.

[31] Vgl. A. TORHOUDT, Een Onbekend Gnostisch Systeem in Plutarchus' *De Iside et Osiride*, Löwen 1942; H.D. BETZ, Observations 135-146. Zur Ablehnung eines direkten Zusammenhangs Plutarchs mit gnostischen Strömungen vgl. U. BIANCHI, Dualismus 362-364.

[32] Auch die sexuelle Konnotation findet sich im Rahmen der unterschiedlichen gnostischen Systeme – wie auch beim Mythos von Isis und Osiris.

[33] Vgl. R. HIRSCH-LUIPOLD, Plutarch 20-23, in diesem Band.

phisches Leben als Ziel menschlichen Lebens überhaupt qualifiziert, wobei freilich derjenige ‚philosophisch' lebt, der die *vita contemplativa* ethisch in eine *vita activa* umsetzt. Dem Weg des Denkens kommt ethische Qualität zu, insofern rechtes Handeln rechtem Denken entspringt.[34]

Bei diesem Exkurs zum Begriff γνῶσις ist bereits deutlich geworden, daß die Bedeutung des Lichts über die Ebene des Menschen und seines Handelns hinausreicht. Neben die Dimension der Natur und des Menschen tritt, wie sich bereits angedeutet hat, eine *kosmologische* und *theologische* Dimension. Licht und Finsternis werden in *De latenter vivendo* geradezu zu Urkräften der Wirklichkeit, zum Gegensatz von Werden und Vergehen.[35] Das Werden insgesamt deutet Plutarch im Anschluß an atomistische Vorstellungen als ein Ans-Licht-Treten und Sichtbar-Werden, das Vergehen als Unsichtbar-Werden (6,1129F-1130A). Der fundamentale Gegensatz von Licht und Finsternis zeigt sich auch auf der Ebene des Göttlichen: Plutarchs Gott Apoll ist, hier wie an anderer Stelle, ein Gott des Lichts und der Klarheit, nach altem Brauch[36] wird er mit der Sonne identifiziert.[37] Zu diesem Charakter der Gottheit stimmen auch seine Beinamen: Δήλιος wird von ihm mit δῆλος („klar, offenbar") bzw. mit δηλοῦν („offenbar machen") in Verbindung gebracht, womit auf die Funktion als delphischer Orakelgott angespielt ist. In diese Richtung weist auch der zweite Beiname Πύθιος. In ihm klingt der Name der Pythia ebenso an wie das Verb πυνθάνεσθαι („durch Fragen zu erfahren suchen").[38]

---

[34] Verschiedentlich stehen deshalb erkenntnistheoretische und ethische Termini nebeneinander, z.B: γνώσθητι, σωφρονίσθητι, μετανόησον (2, 1128C); ἀμαθεῖ καὶ πονηρῷ καὶ ἀγνώμονι (2,1128D).

[35] An anderer Stelle würde Plutarch eher sagen: zwischen der göttlichen Wirklichkeit des wahren Seins und der von Werden und Vergehen gekennzeichneten Wirklichkeit der Welt; vgl. *De E* 21,393C-394B.

[36] κατὰ τοὺς πατρίους καὶ παλαιοὺς θεσμούς (6,1130A). Der von den Vätern ererbte alte Glaube gilt Plutarch – sofern er richtig verstanden wird – immer als Quelle der Erkenntnis, aus der man schöpfen kann und der mit Respekt zu begegnen ist; vgl. etwa *Amat.* 13,756B; *De def. orac.* 1,409E-410A; *De Is. et Os.* 45,369B.

[37] Vgl. *De E* 21,393C-D; *De Pyth. orac.* 12,400A-D.

[38] Vgl. *De E* 3,385B, wo Plutarch diese Bedeutung der Etymologie ausführt. Abwegig ist in unserem Zusammenhang die Ableitung von πυθέσθαι („verfaulen, verwesen"), wie sie A. STROBACH, Sprachen 58-60, in ihrer Diskussion der Epitheta voraussetzt.

Sein Gegenspieler aber ist der Herr der Nacht, der Herr der Unsichtbarkeit, der Finsternis und folglich auch des Vergessens.[39]

Mit dieser Umschreibung des Unterweltsgottes ist bereits die Brücke geschlagen zu der Frage nach dem Tod und der Existenz des Menschen danach, einer – wie Plutarch deutlich macht – offenbar auch für Epikur wichtigen Frage.[40] Ihr wendet sich Plutarch in dem *eschatologisch-mythologischen* Schlußkapitel zu.[41] Dem jeweiligen Lebensprinzip und philosophischen Standpunkt weist Plutarch die entsprechende Zukunftserwartung zu. Epikur lehnte bekanntermaßen jede mythologische Vorstellung eines Fortlebens des Menschen nach dem Tod ab. Sein berühmtes Diktum: „Wenn der Tod da ist, dann sind wir nicht mehr“[42], das diese Position auf den Punkt bringt, war Plutarch sicherlich geläufig. Anders als in *De sera* und *De facie*, die jeweils den Mythos von einer Himmelsreise erzählen, macht sich Plutarch in *De latenter vivendo* zunächst den Standpunkt der skeptischen Mythenkritik Epikurs zueigen – allerdings nur im Blick auf die Epikureer selbst. Für sie hat der Satz Epikurs tatsächlich und mit letzter Konsequenz Gültigkeit. Denn für diejenigen, „die ein Leben in Frevel und Verbrechen geführt haben“ – und damit sind nach dem Duktus der Schrift und

---

[39] Ohne den Namen „Hades“ zu nennen spielt Plutarch auf die etymologische Ableitung von ἀειδής = „unsichtbar“ an. Diese Etymologie findet sich – in Verbindung mit unserem Dichterzitat – auch in *De E* 21,394A, einer Passage, in der die Epitheta des Apoll und des Pluton einander gegenübergestellt sind: Απόλλων – Πλούτων („der Nichtviele“ = „der Eine“ – „der Vielfältige“, Φοῖβος – Σκότιος („der Leuchtende“ – „der Dunkle“); Δήλιος – ᾿Αιδωνεύς („der Offenbare – „der Unsichtbare“), Θεώριος καὶ Φαναῖος („der Betrachter und Erheller“), dazu die Musen Μνημοσύνη – Λήθη/Σιωπή („Erinnerung“ – „Vergessen/Schweigen“).

[40] Vgl. *Non posse* 8,1092D sowie *De lat. viv.* 1,1128C; 3,1129A. Plutarch hatte dort das Thema bereits mit dem Hinweis auf die Widersinnigkeit der epikureischen Gedächtnisfeiern vorbereitet. Epikur fordere zwar, daß man in seinem Leben unbekannt bleiben solle, treibe dann aber nach dem Tod großen Aufwand, damit er und seine Schüler nicht dem Vergessen anheimfallen. Die tatsächliche Bedeutung der Frage nach dem Tod bei Epikur zeigt sich darin, daß dieses Thema immerhin im *Tetrapharmakon*, der goldenen Lebensregel Epikurs, angesprochen wird. Plutarch hat hier wohl einen wunden Punkt getroffen, denn die epikureischen Aussagen deuten eher auf ein Verdrängen als ein Verarbeiten dieses Grundproblems menschlicher Lebensbewältigung.

[41] Wenngleich es sich hier formal nicht um einen Kunstmythos im Sinne der übrigen drei Mythen handelt, so ist der Aufbau der Argumentation in diesem Punkt mit jenen Schriften vergleichbar.

[42] Im *Brief an Menoikeus* (*Diog. Laert.* X 125).

dem bisher Gesagten zweifellos die materialistischen Epikureer gemeint – gibt es keine Existenz nach dem Tod, nicht einmal eine Möglichkeit der Strafe im traditionellen Sinne, denn von ihnen ist alles „längst verbrannt oder verfault“ (7,1130C-D). Schon der etymologische Zusammenhang von λανθάνειν und λήθη zeigt: ein Leben in anonymer privater Zurückgezogenheit (λανθάνειν) und Dunkelheit zieht notwendig ewige Finsternis, völliges Verschwinden und Vergessen (λήθη) nach sich. Unter Rückgriff auf die mythologische Sprache Pindars verwandelt sich nun die von Epikur als Trost gedachte Empfindungslosigkeit[43] in eine geradezu apokalyptische, mit personalen Zügen dargestellte ‚epikureische Hölle‘. Mit dramatischer Rhetorik häuft Plutarch zusammenfassend alle Kategorien der Finsternis auf, die der Epikureer sich selbst schafft: Während den Frommen die Kraft der Sonne leuchtet, stürzt die Seele des Frevlers in die äußersten Abgründe der Finsternis (in den Begriffen „Erebos“ und „Barathron“ schwingen die mythologischen Straforte mit). Die Frevler werden von einem Strom finsterster Nacht hinweggerissen und hineingespült in den grenzenlosen Schlund eines Meeres der Ruhmlosigkeit, Unbekanntheit, völligen Vernichtung und des Vergessens.[44] Sogar ein Fortleben im Nachruhm bleibt solchen Menschen versagt (7,1130C-E).

b) Krankheit, Verfall und Tod

Plutarch kennzeichnet, hier wie in anderen Schriften, eine solche auf falschem Denken beruhende falsche Lebensausrichtung durch medizinische Metaphorik als Krankheit, die das Individuum wie die Gemeinschaft zerstört, die Seele beschädigt und ihr jenseitige Strafen einbringt. Eine solche Haltung erscheint als letztlich tödliche Krankheit, Fieber und Wahn, der wohlmeinende Kritiker als Arzt, die Öffentlichkeit als diagnostische und therapeutische Größe.[45] Während das gesamte Bildmaterial dieser Passage dem Bereich der Medizin entstammt, schillert der Begriff πάθος („Leiden“); von den körperlichen Leiden, die der Kranke dem Arzt nicht

---

[43] Vgl. *Non posse* 30,1106D.

[44] Vgl. 7,1130E. Die Anhäufung der α privativa macht die vollkommene Verneinung ihrer Existenz anschaulich.

[45] ἀθεράπευτος, πυρέττων, φρενιτίζων, ἰατρός, νόσον ἀνήκεστον νοσῶν καὶ ὀλέθριον, σφυγμούς, ἰᾶσθαι (alle 2,1128D).

offenbaren will, leitet er über zu den Leiden der Seele (πάθη), die im unmittelbaren Anschluß angesprochen sind.[46]

Durch die Bilder aus dem Bereich der Medizin sowie des Verfalls in der Natur erscheint in *De latenter vivendo* die Krankheit als natürliche Konsequenz eines verfehlten Lebensstils. Dunkelheit und Trägheit führt, wie man in der Natur sehen kann, notwendig Krankheit mit sich.[47] Dies impliziert das Bild des im Schatten umkippenden und verfaulenden Gewässers ebenso wie das Bild des Schimmels.[48] Die Verschmelzung von Bild- und Deutungsebene gipfelt in der kaum übersetzbaren Rede von den νοσώδεις βίοι (2,1128E): die Krankheit steckt in der Lebensführung selbst und ist nicht erst deren Produkt. Eine solche krankhafte Haltung bedarf der Heilung. Durch ein Verstecken, durch den Versuch, die Krankheit vor den anderen zu verbergen, die sie doch heilen könnten, durch die Weigerung, sich dem Arzt zu offenbaren, kann sich die Krankheit entwickeln. Gerade die Kritik (νουθετεῖν), vor der man sich fürchtet, ist heilsam, da sie wie die Diagnose des Arztes hilft, eigene Fehler wahrzunehmen und zu beseitigen.[49] Nur wer sich dem Licht der Öffentlichkeit und damit dem Korrektiv der anderen Menschen stellt, kann Heilung und Leben erlangen.

Besonders pointiert vertritt Plutarch diese Sicht einer falschen Lebenseinstellung als gefährlicher Krankheit in *De sera numinis vindicta*, seiner Diskussion der Theodizee, die sich am Problem der oft späten Strafen der Gottheit entzündet.[50] Die Schrift ist

---

[46] Vgl. H.G. INGENKAMP, Schriften. Die stoische Sicht der Leidenschaften der Seele als Krankheit findet sich in verschiedenen der ethischen Schriften Plutarchs, im Blick auf die Liebe v.a. in Plutarchs fragmentarisch überlieferter Schrift „Über den Eros“ (*fr.* 136 Sandbach).

[47] Vgl. *De curios.* 1,515A-B. Dort wird das Eingangsbild des dunklen, krankmachenden Hauses, in das man Licht und Luft hineinbringen muß, auf die Krankheit der Seele übertragen.

[48] Vgl. die Anm. z.St.

[49] In diesem Sinne beantwortet Plutarch auch die Frage: „Wie man aus seinen Feinden Nutzen ziehen kann?“ (*De capienda ex inimicis utilitate*), der er eigens eine Schrift gewidmet hat. Wo die Freunde Fehler liebevoll übersehen, legen Feinde ihren Finger genüßlich auf die Wunde und stoßen einen so darauf.

[50] Gleich zu Beginn werden dort die Meinungen, die ein gewisser „Epikuros“ (der Sprecher vertritt die philosophischen Positionen seines Namenspatrons, was durch die textkritische Änderung zu „ein Epikureer“ in manchen Ausgaben nur verflacht wird) schon vor Beginn des Dialogs geäußert hatte,

durchzogen von medizinischer Metaphorik. Die Gottheit selbst wird als Arzt bezeichnet, ihr Strafen dient der Heilung.[51] Auch in den „Gesundheitsratschlägen“ (*De tuenda sanitate praecepta*) spielt die Verbindung von körperlicher Gesundheit und richtiger ethischer Lebensausrichtung eine große Rolle. Die Erörterungen 24,135B ff. berühren sich eng mit unserem Traktat, nicht allein in ihrer antiepikureischen Ausrichtung. Den Zusammenhang zwischen individueller Gesundheit, ethischer Liebe und politischer Verantwortung in dieser Schrift hat unlängst L. Senzasono anhand einer Analyse der Bildersprache dargestellt.[52] Senzasono untersucht die bildhafte Verbindung der Themen Gesundheit und politische Ethik gerade im Blick auf die persönliche Aktivität des Einzelnen und zeigt, wie dieses Thema die gesamte Schrift in den Bildern bereits durchzieht, bevor es von Plutarch am Ende des Traktats explizit gemacht wird.

Eine Intensivierung des Themas der Krankheit stellt die Metaphorik des Grabes und damit des Todes dar. Plutarch führt sie mit dem Bild des Grabräubers ein (2,1128C). Sie bleibt präsent, wenn Plutarch das Verhalten derjenigen Menschen beschreibt, die sich im Gefolge Epikurs durch einen Rückzug ins Private der heilsamen Kontrolle der Gemeinschaft entziehen wollen. Für sie werden alle schlechten Eigenschaften und Schwächen zu einer „zerstörerischen, tödlichen Krankheit“. Solche Menschen „verleugnen, verstecken, verhüllen ihre schlechten Eigenschaften und versenken sie tief in sich selbst“ (2,1128E). Diese Verben sind zunehmend mit einer Metaphorik des Grabes aufgeladen: dem „Verleugnen“ des Schlechten als einem sprachlichen Akt entspricht – bereits metaphorisch, aber noch ganz allgemein – das „Verstecken“. Das „Verhüllen“ (περιστέλλειν) dagegen weist in den Bereich der Bestattung: es kann schon seit Homer das Umhüllen des Leichnams mit einem Leichentuch bzw. die Bestattung insgesamt bezeichnen.[53] Auch das seltene ἐμβαθύνειν („versenken“) fügt sich

---

als ein Geschoß gesehen, das die philosophische Diskussion aus dem Fleisch ziehen und dessen verletzende Wirkung sie heilen soll (1,548B-C).

[51] Im *Amatorius* wird Eros, in den *Coni. praec.* Aphrodite als Arzt bezeichnet.

[52] L. SENZASONO, Health and Politics in Plutarch's *de tuenda sanitate praecepta*, in: J. MOSSMAN, World 113-118.

[53] Z.B. *Od.* XIV 293; Plat., *Hipp. mai.* 291e parallel zu ταφῆναι; Soph., *Ai.* 1170: τάφον περιστελοῦντε. Bei Plutarch im Zusammenhang der Bestat-

hier ein. Plutarch greift die Metaphorik später wieder auf: κενοταφεῖν τὸν βίον – „sein Leben zum Schein begraben" (6,1130C), so charakterisiert Plutarch das Verhalten von jemandem, der sich aus der Gemeinschaft zurückzieht und mit Dunkelheit umhüllt. Diese merkwürdige Metapher, die Plutarch wegen des darin enthaltenen Spiels mit Leben und Tod wählt, wird klarer, wenn man die einzige Stelle zum Vergleich heranzieht, an der das Verb sonst noch überliefert ist (und dort eine sehr prominente Rolle spielt), nämlich Euripides' *Helena*[54]: dort wird die Flucht von Helena und Menelaos aus Ägypten nur dadurch ermöglicht, daß Helena vorgibt, ihr Mann sei auf See ertrunken. Sie erklärt den Lebenden für tot[55] und richtet ein Scheinbegräbnis auf See für ihn aus. Euripides dreht die Bedeutung des „Scheinbegräbnisses ohne Leichnam" um: es ist nicht, wie sonst üblich, ein Begräbnis ohne Leichnam, weil dieser nicht mehr auffindbar ist[56], sondern es ist ein Begräbnis zum Schein, weil es überhaupt keinen Leichnam gibt, der „Tote" vielmehr noch am Leben ist. In unserem Zusammenhang soll die Metapher offenbar besagen, daß jemand – obwohl er noch lebt – eigentlich das Leben eines Toten führt. Insofern ist ein solches Leben, wie es im Anschluß heißt, eine „Absage an das Sein".[57]

---

tung *Comp. Dem. et Ant.* 2,5; *Lyc.* 27,2; *Agis et Cleom.* 20,4; 59,10 sowie in den wohl unechten *Apoph. Lac.* 18,238D; zudem spielt Plutarch auf den Zusammenhang in *De Is. et Os.* 3,352B; 70,379A an. Freilich kann das Wort auch ohne diese Konnotation gebraucht werden. Entscheidend ist aber, daß der Leser an der vorliegenden Stelle die Konnotation mitgehört und die Anspielung verstanden haben dürfte. Eine ganz ähnliche Stelle, wo allerdings die schlechten Eigenschaften wie Geschwüre verhüllt werden, damit niemand sie sehen kann, ist *Quomodo quis suos* 11,82B.

[54] Eur., *Hel.* 1060; 1546.

[55] Vorher fragt sie ihn: βούλῃ λέγεσθαι, μὴ θανών, λόγῳ θανεῖν (1050).

[56] Kenotaphe wurden in der Regel als Ehrenmäler für in der Fremde Gefallene oder auf See Ertrunkene errichtet, da man ihnen kein wirkliches Begräbnis ermöglichen konnte.

[57] Einen interessanten Kontrast bietet eine Stelle im *Amatorius*: dort verbreitet der gallische Fürst Sabinus die Nachricht von seinem Tod und verbirgt sich in unterirdischen Gemächern, um sich vor Nachstellungen zu retten. Seine Frau Empone aber besucht ihn monatelang nachts, um verborgen unter der Erde quasi wie im Hades mit ihrem Mann zu leben: λανθάνουσα τοὺς ἄλλους ... συζῆν ἐν Ἅιδου (25,771A). Tatsächlich aber bringt sie durch ihre Liebe das Leben dorthin und schenkt schließlich sogar – wie eine Löwin in der Höhle – zwei Jungen das Leben. Diese Geschichte dient im Rahmen der

Die Metaphorik des Grabes zielt zugleich auf eine argumentative Pointe hin: mit ihr zeigt Plutarch auf, wie inkonsequent es ist, im Leben verborgen und unbekannt bleiben zu wollen, sich aber um die Erinnerung nach dem Tod zu sorgen. So weist er auf die Anordnungen Epikurs für sein Begräbnis (περὶ ταφῆς) hin.[58] Wer Gedächtnismähler einrichtet und Schriften zu Ehren der Schüler verfaßt, um diese über den Tod hinaus im Gedächtnis der Nachwelt zu erhalten, der kann kaum glaubwürdig machen, daß Bekanntheit zu Lebzeiten für ihn keine Bedeutung hat (vgl. 1,1128C).

3. *Die polemische Kraft der Bilder im Rahmen der Schrift* De latenter vivendo

Plutarch setzt die Bilder ein, um die Philosophie Epikurs und die Lebensweise seiner Anhänger zu diskreditieren. Durch die Wahl der Bildbereiche schiebt er Epikur und seiner Anhängerschaft Unterstellungen unter und drängt sie in eine bestimmte Ecke. Sie werden mit exemplarischen ‚Dunkelmännern', nämlich dem Grabräuber und den auf Ausschweifungen bedachten Symposiasten, sowie mit den egoistischen Fressern beim Symposium in Zusammenhang gebracht.[59]

Durch den Vergleich mit dem Grabräuber erhält die epikureische Maxime, unerkannt in der Verborgenheit zu leben, den Geruch äußersten Frevels. Dazu enthält das Bild einen sozialen Aspekt: Dem in Verborgenheit und Vereinzelung agierenden Grabräuber steht der sozial in die Gemeinschaft eingebundene Mensch gegenüber. Das Symposium als Bildbereich greift diesen sozialen Aspekt auf und verbindet ihn mit dem Thema der Philosophie. Das Symposium eignet sich hierfür besonders gut, denn es dient bei Plutarch wie bei Platon neben der Geselligkeit eben noch einem höheren Zweck, nämlich der Erkenntnis (γνῶσις), die dem gemeinsamen dialogischen Philosophieren entspringt. Die Verbindung von Ethik und Philosophie mit dem Bild des Lichts hat Plutarch auf engstem Raum mit einer Fülle von Bezugsmöglichkeiten und Interpretationsebenen verdichtet: „Wenn

---

Schrift zum Beweis dafür, daß allein die Liebe (Eros) eine Überwindung des Todes (Hades) schafft.

[58] 3,1129A.

[59] Zum Exemplum der egoistischen Fresser vgl. u. Anm. 61.

du aus dem Leben das Erkennen wegnehmen willst wie das Licht aus einem Symposium...".[60] Das Licht, dies läßt sich am Symposium besonders deutlich machen, ermöglicht erst soziales Leben, indem es den anderen als Person sichtbar werden läßt, und es ermöglicht erst Erkenntnis, indem es die Gegenstände unterscheidbar werden läßt. Wer beim Symposium das Licht löscht, dem geht es offenbar weder um sein Gegenüber[61] noch um Dialog und philosophische Erkenntnis. Das Symposium aber braucht beides – das soziale Licht des Leuchters und das philosophische Licht der Erkenntnis. Ebenso braucht das Leben beides. Ohne Licht und Erkenntnis kein Leben. Die Bildebene des Symposiums und die Ebene eines ethisch verantwortbaren Lebens im Licht sind untrennbar verschmolzen. Der folgende Nebensatz: „damit man unentdeckt nach Lust und Laune alles treiben kann", läßt sich auf beide Ebenen beziehen. Im Blick ist zunächst die Situation beim Symposium, wo man ohne Licht seinen Lüsten frönen kann. Damit nimmt Plutarch einen Topos antihedonistischer Polemik auf und unterstellt die Praxis, das Symposium zu bloßer Lustbefriedigung zu nutzen und deshalb das Licht zu löschen – eine Praxis, von der uns auch andere Quellen berichten[62] –, den Epikureern. Durch die voranstehende Formulierung „aus dem Leben wie aus dem Symposium" wird diese Polemik allerdings über den Bereich des Symposiums hinaus ausgeweitet und die entsprechende Haltung als allgemeine Lebensmaxime Epikurs und seiner Schule qualifiziert. Folgerichtig schließt Plutarch eine Bemerkung über die hedonistische Ehe- und Sexualethik der Epikureer an. Diese

[60] Die enge Verknüpfung wird in Russells Übersetzung: „if you put out the lamp of knowledge at the dinner of life", sehr deutlich. Was die Übersetzung dagegen verliert, ist die Vielzahl der Beziehungsmöglichkeiten zwischen den einzelnen Worten. Die griechische Wortstellung ἐκ τοῦ βίου καθάπερ ἐκ συμποσίου φῶς ἀναιρεῖς τὴν γνῶσιν vollzieht die Verschränkung der einzelnen Bildebenen noch wesentlich enger, als dies im Deutschen möglich ist.

[61] Die unsoziale Wirkung der Botschaft Epikurs hatte Plutarch schon durch das Exemplum von Eryxis und Gnathon plastisch vor Augen geführt, die in ekelhafter Weise ein gemeinsames Essen unmöglich machen, um sich ihren individuellen Vorteil zu sichern (Kap. 1). Man kann denselben Zusammenhang des Symposiums noch einmal in Kap. 6 angedeutet finden, wenn es heißt, das Licht mache alle Dinge angenehm wie ein κοινὸν ἥδυσμα, wörtlich ein allen gemeinsames Gewürz. Zu κοινόν in diesem sozialen Sinne gerade im Zusammenhang des Symposiums vgl. auch die Anm. z.St.

[62] Vgl. die Anm. z.St.

Ethik ist für Plutarch, den wohl ersten außerchristlichen Vertreter einer von gegenseitiger Liebe geprägten, partnerschaftlich orientierten Ehemoral[63], sozial unverantwortlich. Sie ist aber zugleich philosophisch unvernünftig. In beiden Bereichen also, so zeigt Plutarch durch die Verbindung von „Symposium" und „Leben", ist die Lebensmaxime λάθε βιώσας ungenügend und schädlich.

Die Bilder sind hier polemisch und sollen es sein.[64] Es geht Plutarch nicht darum, dem Gegner philosophisch gerecht zu werden, sondern seine Position unmöglich zu machen. Gerade durch die Metaphorik der Krankheit vermittelt Plutarch den Lesern sein Anliegen: es handelt sich nicht nur um eine philosophische Schuldebatte, sondern um die Frage einer gesunden Lebenseinstellung. Nach Epikurs Philosophie kann man, wie Plutarch in *Non posse suaviter vivi secundum Epicurum* deutlich macht, nicht nur kein angenehmes Leben führen, sondern überhaupt kein sinnvolles, nützliches und glückliches Leben; es ist letztlich ein Leben, das diesen Namen nicht verdient. Die Polemik Plutarchs in seinen Bildern zielt darauf, die Schädlichkeit des epikureischen Lebensentwurfs zu erweisen und zugleich einen alternativen Weg aufzuzeigen. Die Wahl des Weges jedoch, dies wird mit der eindringlichen Rhetorik des Arztes eingeschärft, ist keine beliebige Option unter anderen, sondern sie entscheidet über das Gelingen des Lebens überhaupt.

---

[63] Vgl. R. HIRSCH-LUIPOLD, Plutarch 25f., in diesem Band.

[64] Über die Berechtigung der Anschuldigungen brauchen wir uns hier keine Gedanken zu machen. Es geht lediglich darum, zu zeigen, wie Plutarch seine Bilder einsetzt, um seine Polemik vorzutragen.

Plutarch und Epikur

(Ulrich Berner)

1. Einleitung: Epikureismus und Antiepikureismus in der europäischen Geistesgeschichte

Die Polemik gegen Epikur ist einer der wenigen Punkte, in denen die Vertreter des spätantiken Heidentums und die Verteidiger des frühen Christentums weitgehend übereingestimmt haben. So stellte der Kirchenvater Augustin mit einigem Recht fest, auch die heidnischen Philosophen hätten Epikur als ein „Schwein" bezeichnet.[1] Diese polemische Bemerkung bezieht sich darauf, daß der Begriff der Lust (ἡδονή/*voluptas*) in der epikureischen Ethik eine zentrale Stellung einnimmt. Schon in der vorchristlichen Antike galt Epikur aber nicht nur als Vertreter des Lust-Prinzips, als Hedonist, sondern auch als Atheist.[2] So konnte der Kirchenvater Klemens von Alexandrien ebenfalls an eine Tradition anknüpfen, wenn er Epikur als den „Bahnbrecher der Gottlosigkeit" bezeichnete.[3]

Das Werk Epikurs fiel dieser Polemik größtenteils zum Opfer – nur ein Bruchteil seiner Schriften ist erhalten geblieben. Trotzdem geriet die epikureische Philosophie im christlichen Abendland nicht in Vergessenheit.[4] Immer wieder fand Epikur einzelne An-

---

[1] Augustin, Enarratio in Psalmum LXXIII 25 (PL 36,944). Vgl. dazu W. SCHMID, RAC V 795; I. OPELT, Die Polemik in der christlichen lateinischen Literatur von Tertullian bis Augustin (BKAW.NS 2/63), Heidelberg 1980, 108.

[2] Cic., *De nat. deor.* I 85; Sext. Emp., *Adv. math.* IX 58; Lukian, *Jup. Trag.* 4 (und an weiteren Stellen der Schrift). Vgl. dazu M. WINIARCZYK, Wer galt im Altertum als Atheist?, in: Philol. 128 (1984) 157-183, hier 168-170.

[3] Clem. Alex., *Strom.* I 1,2; dazu W. SCHMID, RAC V 764f.; D. OBBINK, Atheism 202-215.

[4] Zum Nachleben Epikurs im christlichen Abendland vgl. B. FLEISCHMANN, Christ and Epicurus, in: S.G. NICHOLS/R.B. VOWLES (Hrsg.), Comparatists at Work, London 1968, 235-246; H.J. KRÄMER, Epikur und die hedonistische Tradition, in: Gym. 87 (1980) 294-326; H. JONES, The Epicurean Tradition, London 1989; D. KIMMICH, Epikureische Aufklärungen. Philosophische und Poetische Konzepte der Selbstsorge, Darmstadt 1993. Zum Nachleben Epikurs im Judentum vgl. J. BERGMANN, Das Schicksal eines

hänger und Verteidiger, besonders zahlreich vielleicht in der italienischen Renaissance des 15. Jahrhunderts.[5] Gerade „in Zeiten der Aufklärung" griff man „mit positiver Absicht" auf Epikur zurück.[6] Wenn die epikureische Philosophie aber mit dem Geist der Aufklärung in Verbindung gebracht wird, dann liegt die Frage nahe, ob und wieweit die Tradition der antiepikureischen Polemik der Gegenaufklärung zuzuordnen ist. Diese Zuordnung würde zumindest für Alexander von Abonuteichos gelten, von dem Lukian von Samosata im 2. Jh. n.Chr. berichtet, daß er ein Orakel gegründet und eine Schrift Epikurs öffentlich verbrannt habe.[7]

Die antiepikureischen Schriften, wie z.B. die hier vorgelegte Schrift *De latenter vivendo*, müßten also von besonderem Interesse sein, wenn es darum geht, Plutarch in die europäische Geistesgeschichte einzuordnen: Es wäre zu fragen, ob er der Gegenaufklärung zuzuordnen ist, und weiter, ob er überhaupt als ein Philosoph betrachtet werden kann. Es sind ja in erster Linie seine „Lebensbeschreibungen", denen er seine Bekanntheit verdankt, und diese

---

Namens, in: MGWJ 81 (1937) 210-218. Bergmann vergleicht auch die polemische Verwendung der Begriffe „Epikureer" und „Pharisäer".

[5] Vgl. z.B. Cosmae Raimondi Cremonensis ad Ambrosium Tignosium quod recte Epicurus summum bonum in voluptate constituerit maleque de ea re Academici, Stoici, Peripateticique senserint, in: E. GARIN (Hrsg.), Filosofi italiani del Quatrocento, Firenze 1942, 134-149. Das bekannteste Beispiel ist vielleicht der Dialog „De vero falsoque bono" Lorenzo Vallas, dessen Stellungnahme für den Epikureismus allerdings nicht so eindeutig ist, vgl. P. KRISTELLER, Acht Philosophen der italienischen Renaissance, Weinheim 1986, 27; weiter D.C. ALLEN, The Rehabilitation of Epicurus and his Theory of Pleasure in the Early Renaissance", in: SP 41 (1944) 1-15; A. KREUTZ, Poetische Epikurrezeption in der Renaissance. Studien zu Marullus, Pontanus und Palingenius, Diss. Bielefeld 1990.

[6] J. SCHMIDT, Für und wider die Lust: Epikur und Antiepikureismus von der Antike bis zur Moderne. Mit einem Versuch über Hieronymus Boschs 'Garten der Lüste', in: DERS. (Hrsg.), Aufklärung und Gegenaufklärung in der europäischen Literatur. Philosophie und Politik von der Antike bis zur Gegenwart, Darmstadt 1989, 206-219, hier 212. W.F. OTTO sprach vom „Freiheitswillen" Epikurs und urteilte überhaupt sehr positiv, wenn er bemerkte, daß es auch in der Neuzeit „die großherzigen und freien Geister" waren, „die in Epikur sich wiederfanden" (Epikur, 1975, 14.47). Kritischer dagegen K. JASPERS, der im Denken Epikurs „eine Weise der falschen Aufklärung" sah (Aneignung und Polemik. Gesammelte Reden und Aufsätze zur Geschichte der Philosophie, hrsg. von H. SANER, München 1968, 43-62, hier 54).

[7] Lukian, *Alex.* 47.

lassen ihn eher als historisch und politisch interessierten Autor erscheinen, weniger als einen Philosophen.[8]

Die kritische Betrachtung könnte zugespitzt werden auf die Frage, ob Plutarch mit einem Philosophen wie Seneca auf eine Stufe gestellt werden kann – als Stoiker hat dieser den Epikureismus ebenfalls abgelehnt; er ist aber zu Differenzierungen bereit gewesen und nicht in Polemik verfallen.[9] Ebenso hatte schon Cicero zu Beginn seiner Auseinandersetzung mit dem Epikureismus erklärt: „Wir wollen ja die Wahrheit finden und nicht gleichsam einen Gegner überführen."[10] Jedenfalls kann festgestellt werden, daß auch Plutarch zwischen Person und Lehre Epikurs zu unterscheiden weiß. In seiner Schrift „Über die Bruderliebe" kommt er auch auf die Brüder Epikurs zu sprechen, und in diesem Zusammenhang kann er Epikur durchaus als ein positives Beispiel nennen:

> „Wenn sie auch völlig falsch lagen mit ihrer Meinung, von der sie von Kindesbeinen an überzeugt waren, und ihrer Behauptung, es gebe niemanden, der weiser sei als Epikur, so darf man doch den bewundern, der eine solche Zuneigung auf sich zog, und die, die sich zu dieser Zuneigung bewegen ließen."[11]

Obwohl *De latenter vivendo* die kürzeste der drei erhaltenen antiepikureischen Schriften Plutarchs ist, berührt das kleine Werk doch die wesentlichen Punkte der Epikur-Kritik, die Einstellung zu Politik, Ethik und Religion betreffend. Diese drei Bereiche sollen

---

[8] B. RUSSELL, History of Western Philosophy and its Connection with Political and Social Circumstances from the Earliest Times to the Present Day, London [5]1982, erwähnt ihn nur als Verfasser der „Lebensbeschreibungen" und im Hinblick auf seine Nachwirkung, nicht aber als eigenständigen Philosophen seiner Zeit; ähnlich fällt das Urteil bei M.P. NILSSON, Geschichte II 405, aus („stark religiös fühlender Mann"; „kein scharfer Denker"). Auf derselben Linie H.A. MOELLERING, Plutarch on Superstition, Boston 1963, 93: „It is no insult to Plutarch to deny him the rank of an original philosopher and categorize him as a popularizer in the spirit of this moralizing philosophy." Ein solches Urteil über Plutarch findet sich schon in der Forschung des 19. Jh.s, vgl. R. VOLKMANN, Leben, Schriften und Philosophie des Plutarch von Chaeronea. Zweiter Theil: Plutarchs Philosophie, Berlin 1869, Nachdr. Hildesheim 1980, 3.

[9] Sen., *De vit. beat.* 12,4-13,2; *Ep.* 13,17; 21,9.

[10] Cic., *De fin.* I 13; vgl. auch I 27: Polemik wäre der Philosophie unwürdig.

[11] Plut., *De frat. am.* 16,487D.

im folgenden näher betrachtet werden. Erst soll jeweils die Position Epikurs dargestellt werden, soweit sie aus den erhaltenen Quellen zu rekonstruieren ist, dann die Kritik Plutarchs.[12] Dabei werden auch andere Schriften Plutarchs herangezogen, in denen er sich direkt oder auch nur indirekt mit dem Epikureismus auseinandersetzt, und es ist jeweils genauer zu bestimmen, ob und in welchem Sinne es sich um Polemik handelt.

2. Epikurs Einstellung zur Politik und die Kritik Plutarchs

In einer der Weisungen Epikurs wird das Thema berührt, um das es in der vorliegenden Schrift Plutarchs geht – das „Lebe im Verborgenen!“: „Befreien muß man sich aus dem Gefängnis der Alltagsgeschäfte und der Politik.“[13] Die negative Einstellung zur Politik, die in dieser „Weisung“ Epikurs zum Ausdruck kommt, wird in einem seiner Lehrsätze (*Rat. Sent.* 14) erklärt und begründet:

> „Wenn auch die Sicherheit vor den Menschen bis zu einem gewissen Grade erreicht wird durch die Macht, andere zu vertreiben, sowie durch die Benutzung der durch den Reichtum gegebenen Mittel, so erwächst doch die echteste Sicherheit daraus, daß man ein stilles und der großen Menge ausweichendes Dasein führt.“[14]

Diogenes Laertios, der diesen epikureischen Lehrsatz überliefert, berichtet auch, daß Epikur tatsächlich auf jede politische Tätigkeit verzichtet habe. Als eigene Interpretation dieser Tatsache – und offensichtlich zur Verteidigung Epikurs – fügt er hinzu, es sei „nur übergroße Bescheidenheit und Anstandsgefühl“ gewesen, „das ihn abhielt, sich mit Staatsgeschäften zu befassen“.[15] Ausführlich berichtet er dagegen über andere öffentliche Aktivitäten Epikurs: seine erfolgreiche Unterrichtstätigkeit, seine „Vielschreiberei“ und

---

[12] Einen Überblick über die Werke Epikurs und ihre Überlieferung gibt M. ERLER, Philosophie 44-48; zur Epikur-Kenntnis Plutarchs vgl. J.P. HERSHBELL, Plutarch 3360f.

[13] *Gnom. Vat.* 58; die Übersetzung nach H.-W. KRAUTZ, Epikur. Briefe, Sprüche, Werkfragmente (Reclam-UB 9984), Stuttgart 1982.

[14] Diog. Laert. X 143.

[15] Diog. Laert. X 10.

überhaupt seine positive Einstellung zu den Mitmenschen (φιλανθροπία).[16]

Diese negative Einstellung zur Politik, verbunden mit einer positiven Einstellung zu den Mitmenschen, ist auch in einer epikureischen Inschrift aus dem 2. Jh. n.Chr. belegt: Diogenes von Oinoanda hat sich öffentlich zum Epikureismus bekannt und dabei ausdrücklich festgestellt, daß er sich nicht am politischen Leben beteiligt. Wenn er mit seinem epikureischen Bekenntnis an die Öffentlichkeit geht – die Inschrift ist ja an exponierter Stelle angebracht –, dann liegt der Grund eben darin, daß er anderen Menschen helfen will, den rechten Weg im Leben zu finden.[17]

Es ist festzuhalten, daß Epikurs Rat, im Verborgenen zu leben, sich nur auf die politische Tätigkeit bezieht und nicht auf andere Aktivitäten im Dienste der menschlichen Gemeinschaft, wie z.B. den philosophischen Unterricht. Diese Position Epikurs ist durchaus konsistent, und sie erscheint auch verständlich, wenn sie vor dem historischen Hintergrund betrachtet wird: die politischen Umwälzungen zu Beginn der hellenistischen Ära hatten eine Unsicherheit mit sich gebracht, unter der auch die Familie Epikurs zu leiden hatte.[18] Der Rat, im Verborgenen zu leben, ergibt sich aus der persönlichen Erfahrung Epikurs und aus seiner Auffassung der Philosophie als einer Therapie: sie soll dem Menschen helfen, indem sie ihn von Unsicherheit und Ängsten befreit.[19] Es liegt auf der Hand, daß die politische Tätigkeit kontraproduktiv wirken kann, wenn es darum geht, innere Ruhe und Ausgeglichenheit zu finden.

Plutarchs Kritik stellt sich also als Polemik dar, und sie beruht wohl kaum auf einem Mißverständnis, sondern eher auf einer bewußten Umdeutung: ein einzelner Lehrsatz wird aus dem Zusam-

---

[16] Diog. Laert. X 9f.121. Gerade diese Eigenschaft, die Menschenliebe (φιλανθρωπία), hatte Plutarch der epikureischen Lebensform abgesprochen (*Non posse* 17,1098D).

[17] Diogenes von Oinoanda, *fr.* 2. Zur Lokalisierung der Inschrift vgl. D. CLAY, The Philosophical Inscription of Diogenes of Oenoanda: New Discoveries 1969-1983, in: ANRW II/36.4 (1990) 2446-2559, hier 2460-2462.

[18] Vgl. dazu A.J. FESTUGIÈRE, Epicurus and his Gods, New York ²1969, 84.

[19] Zur therapeutischen Funktion der epikureischen Philosophie vgl. M. NUSSBAUM, Therapeutic arguments: Epicurus and Aristotle, in: M. SCHOFIELD/G. STRIKER (Hrsg.), The Norms of Nature. Studies in Hellenistic Ethics, Cambridge u.a. 1986, 31-74, hier 31-53.

menhang genommen und in seiner Bedeutung so verschoben, daß das ganze epikureische System verzerrt wird. Offensichtlich verfolgt Plutarch dabei das Ziel, den Leser von der Beschäftigung mit der epikureischen Philosophie überhaupt abzubringen; wenn es gelingt, diese als inkonsistent darzustellen, dann muß sie von vornherein als inakzeptabel erscheinen. In der gleichen Weise argumentiert er auch gegen die stoische Philosophie, wenn er zu Beginn einer seiner antistoischen Schriften auf den Widerspruch zwischen Lehre und Leben der Stoiker hinweist.[20] Eine solche Argumentation kann allerdings nicht als philosophisch gelten, weil die Thesen des Gegners nicht einzeln geprüft und widerlegt, sondern pauschal verurteilt werden.

Im Gegensatz zu Epikur hat Plutarch öffentliche Ämter übernommen und sich am politischen Leben beteiligt, zumindest in seiner griechischen Heimat.[21] Diese positive Einstellung zur Politik, die der Einstellung Epikurs gerade entgegengesetzt ist, könnte ebenfalls vor dem historischen Hintergrund verständlich sein – die vorliegende Schrift ist ja in einer Zeit politischer Stabilität entstanden, in einer Zeit der Sicherheit, die ein politisches Engagement der Bürger sinnvoll erscheinen ließ. Es bleibt aber doch zu fragen, welche Gründe Plutarch dazu bewogen haben, die Position Epikurs in dieser polemischen Weise zu verzeichnen. Die Annahme liegt nahe, daß es andere Aspekte der epikureischen Philosophie sind, die seinen Widerspruch hervorrufen.[22] Dabei ist zunächst an das Zentrum der epikureischen Ethik zu denken, den sogenannten Hedonismus.[23]

3. Epikurs Einstellung zur Ethik und die Kritik Plutarchs

Im Brief an Menoikeus, einem der wenigen erhaltenen Originaltexte Epikurs, wird tatsächlich jene Auffassung vertreten, die als He-

---

[20] Plut., *De stoic. repug.* 1,1033AB.

[21] Zur politischen Tätigkeit Plutarchs G.J.D. AALDERS, Plutarch's Political Thought, Amsterdam 1982, 5-8; zur Bedeutung, die Plutarch der politischen Tätigkeit beimißt, R. FELDMEIER, Mensch 83.

[22] Vgl. aber B. FARRINGTON, The Faith of Epicurus, London 1967, 64f., der den entscheidenden Widerspruch auf dieser Ebene sieht, da er annimmt, daß Staat und Religion aus der Sicht Plutarchs zusammenfallen.

[23] Vgl. H.J. KRÄMER, Epikur (s. Anm. 4); Literatur zur epikureischen Ethik bei R. MÜLLER, Die epikureische Ethik (SGKA 32), Berlin 1991, 5f.

donismus bekannt ist – die Auffassung, daß die Lust (ἡδονή) Ursprung und Ziel des glücklichen Lebens ist:

> „Denn sie ist, wie wir erkannten, unser erstes, angeborenes Gut, sie ist der Ausgangspunkt für alles Wählen und Meiden, und auf sie gehen wir zurück, indem diese Seelenregung uns zur Richtschnur dient für die Beurteilung jeglichen Gutes."[24]

Damit stimmt die Darstellung Ciceros überein, derzufolge die Epikureer die Lust als das höchste Gut und den Schmerz als das größte Übel betrachtet haben.[25] Eine solche Formulierung ist natürlich offen für Mißverständnisse, die zur Polemik Anlaß geben können. Epikur hat offensichtlich selbst schon mit polemischer Kritik gerechnet, weshalb er wenige Zeilen später im Brief an Menoikeus fortfährt:

> „Wenn wir also die Lust als das Endziel hinstellen, so meinen wir damit nicht die Lüste der Schlemmer und solche, die in nichts als dem Genusse bestehen, wie manche Unkundige und manche Gegner oder auch absichtlich Mißverstehende meinen, sondern das Freisein von körperlichem Schmerz und von Störung der Seelenruhe."[26]

Die epikureische Ethik enthält also nicht die Aufforderung zu hemmungslosem Genuß, und sie beruht auch nicht auf einer einseitigen Überbewertung des Körpers. Körper und Seele werden gleichermaßen berücksichtigt und auf eine Stufe gestellt – erstrebt wird ja „das Freisein von körperlichem Schmerz und von Störung der Seelenruhe".[27] Aus der Sicht der platonischen Philosophie, die der Seele einen höheren Wert zuschreibt als dem Körper, muß die epikureische Position allerdings überraschend erscheinen, und es kann sich das Mißverständnis einstellen, nach der epikureischen Ethik sei alles erlaubt.[28] Epikur selbst hatte aber schon klarzustellen versucht, daß seine Konzeption eines lustvollen Lebens keineswegs die gültigen moralischen Normen aufheben soll:

---

[24] Diog. Laert. X 129.

[25] Cic., *De fin.* I 29.

[26] Diog. Laert. X 131; vgl. auch Cic., *De fin.* I 57.

[27] So hatte es auch Cosimo Raimondi, der Anhänger und Verteidiger Epikurs im 15. Jahrhundert, verstanden (s.o. Anm. 5).

[28] Zur Konzeption Platons vgl. *Phaed.* 64D-67D. Zur Nachwirkung der platonischen Konzeption im Werk Plutarchs vgl. etwa *Non posse* 14,1096D; *Cons. ad ux.* 9,611D-E; *De def. orac.* 42,433D-E.

> „Denn die Tugenden sind mit dem lustvollen Leben auf das engste verwachsen, und das lustvolle Leben ist von ihnen untrennbar.“[29]

Vor diesem Hintergrund ist auch jene Aussage zu verstehen, die das Mißverständnis geradezu herausfordert:

> „Ich spucke auf das Sittlich-Schöne und auf jene, die es ohne Grund bewundern, wenn es keine Lust erzeugt.“[30]

Plutarch hat in der vorliegenden Schrift nur den ersten Teil dieser Aussage zitiert – „ich spucke auf das Sittlich-Schöne“ – und damit dem Mißverständnis der epikureischen Ethik sicherlich noch Vorschub geleistet.[31] Die Kritik Plutarchs stellt sich also wieder als Polemik dar. Es bleibt aber zu fragen, ob es sich ausschließlich um eine bewußte Umdeutung handelt oder ob auch ein wirkliches Mißverständnis der epikureischen Ethik zugrundeliegt – geprägt vielleicht durch die antiepikureische Tradition, wie sie Plutarch bereits vorgegeben war. Jedenfalls könnte die polemische Überspitzung der Kritik in der Sorge begründet sein, daß die epikureische Lehre als Ganzes – trotz guter Absichten ihres Urhebers und einzelner guter Aspekte – schädliche Auswirkungen auf die Gesellschaft hat und deshalb mit allen Mitteln zu bekämpfen ist.

In einer der größeren antiepikureischen Schriften weist Plutarch selbst darauf hin, daß die Epikureer einen notwendigen Zusammenhang zwischen lustvollem und gutem Leben behaupten.[32] Die Rationalität der Auseinandersetzung ist in dieser Schrift etwas stärker ausgeprägt, und die Polemik tritt dementsprechend zu-

---

[29] Diog. Laert. X 132. Erasmus von Rotterdam knüpft in seinem Dialog „Epicureus“ an dieses Verständnis des Hedonismus an: „Wenn der ein Epikureer ist, der angenehm lebt, so ist niemand ein echterer Epikureer, als wer heilig und fromm lebt.“ (Colloquia Familiaria. Vertraute Gespräche, in: Erasmus von Rotterdam, Ausgewählte Schriften, Lateinisch und Deutsch, Bd.VI, Darmstadt 1967, übers., eingel. und mit Anm. vers. von W. WELZIG, 591). Zur Entstehung eines christlichen Epikureismus vgl. B. FLEISCHMANN, Christ (s. Anm. 4), 236f.; H. JONES, Tradition (wie Anm. 4), Kap. 6.

[30] Athen., *Deipn.* XII 547A.

[31] Die Polemik gegen die epikureische Lebensform begegnet z.B. noch bei Martin Luther in seinem „Spottgedicht auf Epikur“: „Was das Leben glücklich macht seinen Schweinen, das überliefert Epikur so...“ (WA TR V, 328,29–359,14), vgl. G. MARON, Martin Luther und Epikur. Ein Beitrag zum Verständnis des alten Luther, Hamburg 1988, 64.

[32] Plut., *Non posse* 2,1087C.

rück.[33] Ansatzpunkt und Grundlage der Argumentation ist die Erfahrung der Vergänglichkeit, speziell die Anfälligkeit des Körpers für Krankheit und Leiden. Es erinnert geradezu an die Predigt des Buddha, wie Plutarch immer wieder versucht, deutlich zu machen, daß es zur Natur des Körpers gehört, dem Leiden unterworfen zu sein.[34]

Plutarch will den Leser davon überzeugen, daß die epikureische Lebensform eine unsichere Grundlage hat und daß der Lebensentwurf des Epikureismus schon deshalb zum Scheitern verurteilt ist. In seiner Begründung verweist er mehrfach auf die antike Tragödie, in der die Unberechenbarkeit des Schicksals und die Unsicherheit des menschlichen Lebens immer wieder thematisiert worden sind. So zitiert er z.B. aus dem „Philoktet" des Aischylos: dieses Beispiel, das auch durch Tragödien des Sophokles und des Euripides bekannt war, soll daran erinnern, daß körperliches Leiden sehr lange andauern kann – im Gegensatz zur körperlichen Lust, die immer schnell vorübergeht.[35] Plutarch versäumt es nicht, in diesem Zusammenhang darauf hinzuweisen, daß Epikur selbst und einige seiner Anhänger unter schweren Krankheiten zu leiden hatten.[36]

Plutarch will die epikureische Lebensform aber nicht nur als unsicher, sondern auch als verächtlich erweisen. So zitiert er die epikureische Definition des Guten als „Befreiung vom Übel" und kommentiert diese in polemischer Weise, indem er bemerkt, daß die Epikureer „also nur eine Freude empfinden wie Sklaven oder Gefesselte, die, aus ihrem Kerker erlöst, nach all den Mißhandlungen und Geißelungen sich mit Wonne salben und baden".[37] Außerdem versucht er zu zeigen, daß die höheren, geistigen Freuden den Anhängern Epikurs verschlossen bleiben: Er nennt eine Reihe

---

[33] Vgl. aber K. ZIEGLER, der feststellt, daß „die Streitschrift die Person und die Lehre Epikurs in einseitiger und oft gehässiger Weise verzerrt" (RE 21.1 765). Den polemischen Charakter dieser Schrift betont auch J.P. HERSHBELL, Epicureanism 3373. Einen Überblick über den Aufbau der Schrift gibt K.-D. ZACHER, Kritik 18-23.

[34] Plut., *Non posse* 4-5,1089D-1090F. Das schließt nicht aus, daß Plutarch an anderer Stelle selbst Ratschläge für ein gesundes Leben geben kann (*De tu. san.*).

[35] Plut., *Non posse* 3,1087F; das Philoktet-Beispiel auch bei Cic., *Tusc.* II 44.

[36] Plut., *Non posse* 5,1089F; *De tu. san.* 24,135C.

[37] Plut., *Non posse* 8,1091E.

von Beispielen aus den Bereichen der Kunst und Wissenschaft, etwa die Freude des Pythagoras über seine Entdeckung eines mathematischen Lehrsatzes – eine Freude, die so groß ist, daß sie sich sogleich in eine religiöse Handlung umsetzt.[38] Plutarch ist offensichtlich der Meinung, daß Epikur aufgrund seiner Betonung der körperlichen Lust den Bereich rein geistiger Lust überhaupt nicht kennt.[39]

Die Polemik gegen die epikureische Ethik, wie sie sich in *De latenter vivendo* darstellt, beruht nicht nur auf einer bewußten Umdeutung, sondern auch auf dem Unverständnis für die epikureische Daseinshaltung.[40] Plutarch kann es nicht verstehen und glauben, daß ein glückliches Leben – geschweige denn ein Leben „wie ein Gott unter Menschen"[41] – möglich sein soll, wenn die Hoffnung des Menschen in gleichem Maße auf Körper und Seele bezogen ist und nicht über das körperliche Leben hinausreicht. Er kann sich das epikureische Leben deshalb nur als ein Leben in Angst vorstellen – in der Angst, daß die Gesundheit des Körpers als Grundlage des glücklichen Lebens verloren gehen könnte.[42] Der epikureischen Daseinshaltung entgegengesetzt wäre die gnostische Daseinshaltung, die sich ganz von der diesseitigen Welt abwendet. Plutarch bewegt sich zwischen diesen beiden Extremen, kommt aber der gnostischen Daseinshaltung vielleicht doch etwas näher als der epikureischen.[43]

---

[38] Plut., *Non posse* 11,1094 B.

[39] Plut., *Non posse* 13,1096C. Zur Wissenschaftsfeindlichkeit Epikurs Sext. Emp., *Adv. math.* 1,1-5. Vgl. dazu A. DIHLE, Philosophie als Lebenskunst (Rheinisch-Westfälische Akademie der Wissenschaften. Vorträge G 304), Opladen 1990, 7f.

[40] Zum Begriff der „Daseinshaltung" vgl. U. BERNER, Religio und superstitio. Betrachtungen zur römischen Religionsgeschichte, in: TH. SUNDERMEIER (Hrsg.), Den Fremden wahrnehmen. Bausteine für eine Xenologie (Studien zum Verstehen fremder Religonen 5), Gütersloh 1992, 45-65, hier 58-60.

[41] Vgl. Epikurs Brief an Menoikeus (Diog. Laert. X 135).

[42] Plut., *Non posse* 6,1090D; ferner Cic., *Tusc.* II 17.

[43] Zur Abgrenzung gegen die Gnosis vgl. U. BIANCHI, Dualismus 350-365; K. ALT, Weltflucht 28f; H. DÖRRIE, Spuren 92-116. Dörrie spricht zwar von einer gewissen „Affinität" zur Gnosis (110), betont aber mit Recht, daß Plutarch „in seiner philosophisch-religiösen Entscheidung" in „radikalem Gegensatz" zur Gnosis steht (116). J.M. DILLON, Plutarch and Second Century Platonism, in: A.H. ARMSTRONG (Hrsg.), Classical Mediterranean Spirituality (World Spirituality 15), London 1989, 214-229, hier 216f., bezeichnet Plut-

Plutarchs Kritik an der epikureischen Ethik richtet sich letztlich gegen Epikurs Leugnung der Unsterblichkeit. In dem Weltbild Epikurs, das auf einer atomistischen Naturphilosophie beruht, gibt es ja keinen wesenhaften Unterschied zwischen Körper und Seele. So wird denn schon im zweiten „Lehrsatz" Epikurs festgestellt, der Tod habe keine Bedeutung für uns, „denn was aufgelöst ist, ist ohne Empfindung; was aber ohne Empfindung ist, das hat keine Bedeutung für uns".[44] Lukrez, der berühmteste Anhänger Epikurs in der römischen Welt, hat dann diese Auffassung im dritten Buch seines Lehrgedichtes *De rerum natura* wiederholt und entfaltet.[45]

Plutarch vertritt demgegenüber die sokratisch-platonische Auffassung, daß der Mensch aus zwei ganz verschiedenen Teilen – Körper und Seele – besteht, von denen der geistige Teil, die Seele, unsterblich ist.[46] Dieser Unsterblichkeitsglaube ist in der platonischen Tradition von größter Bedeutung: Platon selbst hatte bereits Jenseitsmythen zur Begründung der von Sokrates propagierten Lebensform herangezogen.[47] In *De latenter vivendo* macht Plutarch nur sparsam von dieser Möglichkeit Gebrauch. Dabei ergibt sich sogar eine partielle Übereinstimmung mit Epikur, nämlich in der Ablehnung allzu realistischer Jenseitsvorstellungen, d.h. der Vorstellung, daß es im Jenseits körperliche Strafen gibt.[48] An an-

---

archs Position als „gnostisch", verwendet den Gnosis-Begriff aber in einem anderen Sinn.

[44] Diog. Laert. X 139. Eine philosophische Erörterung dieses Satzes bietet D. FURLEY, Nothing to us?, in: M. SCHOFIELD/G. STRIKER (Hrsg.), Norms (s. Anm. 19) 75-92. Vgl. auch Epikurs Brief an Herodot (Diog. Laert. X 63-66).

[45] Vgl. Lukrez, *De rer. nat.* III 830f.: „Nichts geht also der Tod uns an und reicht an uns nirgends, da der Seele Natur sich hat als sterblich nunmehr erwiesen." Im 15. Jahrhundert hat Lorenzo Valla in dem Dialog „De vero falsoque bono" (II 31,6) die epikureische Auffassung neu zur Sprache gebracht.

[46] Plut., *Non posse* 14,1096D. Zum notwendigen Zusammenhang zwischen Vorsehungs- und Unsterblichkeitsglauben äußert sich Plutarch an anderer Stelle (*De sera* 17,560C); vgl. weiter Plut., *Cons. ad ux.* 9,611D, und die bei Stobaios überlieferten Fragmente, die Plutarch zugeschrieben werden können (in Übersetzung bei H.J. KLAUCK, Plutarch 190-197). In anderen Schriften Plutarchs stellt sich sein Unsterblichkeitsglaube komplizierter und nicht so eindeutig dar. Vgl. dazu J.P. HERSHBELL, Plutarch 178f.; K. ALT, Weltflucht 185-204. Zur Bedeutung des Unsterblichkeitsglaubens für den Platonismus im allgemeinen vgl. H. DÖRRIE/M. BALTES, Der Platonismus in der Antike, Bd. 3, Stuttgart 1993, 311.

[47] Plat., *Gorg.* 523a-527e; vgl. auch Ps.-Plut., *Cons. ad Apoll.* 120E-121E.

[48] Vgl. *De lat. viv.* 7 sowie die Anmerkungen z.St.

derer Stelle greift er dagegen, ganz im Stil Platons, auf Jenseitsmythen zurück, um den Gottes- und Unsterblichkeitsglauben zu verteidigen.[49] Damit ist bereits der Bereich der Religion angesprochen, in dem sich vielleicht die tiefste Kluft zwischen Plutarch und Epikur zeigt.

4. Epikurs Einstellung zur Religion und die Kritik Plutarchs

In *De lat. viv.* 4,1129B hat Plutarch sein eigenes Bekenntnis kurz zusammengefaßt und dem Epikureismus gegenübergestellt. Zu seinem Bekenntnis gehört es, „in der Naturbetrachtung Gott, die Gerechtigkeit und die Vorsehung" zu preisen. Damit greift er indirekt den Vorwurf des Atheismus auf, der in der Polemik gegen Epikur eine große Rolle gespielt hat.[50] In der europäischen Religionsgeschichte hat es immer wieder Atheismus-Vorwürfe gegeben – in der Zeit der Spätantike auch von heidnischer Seite gegen das frühe Christentum.[51] Derartige Vorwürfe haben oft auf einem Mißverständnis beruht.[52] Auch dem Atheismus-Vorwurf gegen Epikur liegt eine Vereinfachung zugrunde, die dem Sachverhalt nicht ganz gerecht wird und zu weiteren Mißverständnissen Anlaß gibt. Denn Epikur hat nicht die Existenz der Götter geleugnet. Er hat vielmehr dazu anleiten wollen, falsche Vorstellungen vom Wesen der Götter zu korrigieren:

---

[49] Plut., *De sera* 22-32,563B-567F; Plat., *Rep.* X 614B-621D. Als Parallelen im Werk Plutarchs sind die Jenseitsmythen in *De gen. Socr.* 21f.,589F-592E und *De facie* 26-30,940F-945D heranzuziehen. Zum platonischen Hintergrund dieser Mythen vgl. W. HAMILTON, The Myth in Plutarch's De Facie, in: CQ 28 (1934) 24-30; DERS., The Myth in Plutarch's De Genio, in: CQ 28 (1934) 175-182; K. ALT, Weltflucht 91.

[50] Vgl. D. OBBINK, Atheism. Zur Problematik des Atheismus-Begriffes vgl. M. WINIARCZYK, Methodisches zum antiken Atheismus, in: RhM 133 (1990) 1-15.

[51] Vgl. dazu z.B. N. BROX, Zum Vorwurf des Atheismus gegen die alte Kirche, in: TThZ 75 (1966) 274-282.

[52] Als ein Beispiel könnte der sog. Atheismusstreit von 1798/99 herangezogen werden, in den der Philosoph Johann Gottlieb Fichte verwickelt war. Vgl. dazu U. BERNER, Religion und Atheismus, in: U. BIANCHI (Hrsg.), The Notion of „Religion" in Comparative Research. Selected Proceedings of the XVI IAHR Congress (Storia delle religioni 8), Rome 1994, 769-776, hier 772.

„Denn Götter gibt es tatsächlich: unmittelbar einleuchtend ist deren Erkenntnis. Wofür sie jedoch die Masse hält, so geartet sind sie nicht.“[53]

Es geht Epikur also darum, die richtigen Vorstellungen vom göttlichen Wesen zu vermitteln. Diese bestehen in der Annahme, daß die Götter unvergänglich und glückselig sind. Darin trifft er sich mit Plutarch. Der Unterschied liegt darin, daß Epikur den Gedanken der göttlichen Vorsehung nicht in seine Gottesvorstellung aufgenommen hat. So wird schon in dem ersten epikureischen Lehrsatz (*Rat. Sent.* 1) festgestellt:

„Das glückselige und unvergängliche Wesen hat weder selbst Sorgen, noch bereitet es sie einem anderen. Es wird also weder durch Wutausbrüche noch durch Gunsterweise beansprucht; denn alles Derartige gibt es nur bei einem schwachen Wesen.“[54]

Die Gottheit ist also nicht die Macht, die das Schicksal der Menschen bestimmt – in dieser Hinsicht sind die Götter Epikurs den Göttern des Buddha vergleichbar.[55] Epikur ist nun der Meinung, daß gerade diese Veränderung der Gottesvorstellung geeignet ist, den Aberglauben aufzuheben: dieser besteht, wie das griechische Wort δεισιδαιμονία besagt, in der Furcht vor den Göttern. In dieser Intention trifft er sich wiederum mit Plutarch, der eine eigene Schrift über den Aberglauben verfaßt hatte, in der er sogar die Behauptung aufstellen konnte, Aberglaube sei schlimmer als Atheismus.[56] Im Gegensatz zu Epikur ist Plutarch allerdings der Meinung, daß gerade der Vorsehungsglaube das Wesen des Gottesglaubens ausmacht.[57] In diesem Punkt ergibt sich eine Übereinstimmung zwischen Platonismus und Christentum. Wie Plut-

---

[53] Epikur im Brief an Menoikeus (Diog. Laert. X 123). Zur Einordnung der Gottesvorstellung Epikurs in die epikureische Physik und Erkenntnistheorie vgl. D. LEMKE, Die Theologie Epikurs. Versuch einer Rekonstruktion (Zet. 57), München 1973; J. MANSFELD, Aspects of Epicurean Theology, in: Mn. 46 (1993) 172-210.

[54] Diog. Laert. X 139. Vgl. auch Epikurs Brief an Herodot (Diog. Laert. X 77); dazu H. DIELS, Ein epikureisches Fragment über Götterverehrung, in: DERS., Kleine Schriften zur Geschichte der antiken Philosophie, Hildesheim 1969, 288-311, hier 304-306.

[55] Vgl. H. v. GLASENAPP, Der Buddhismus – eine atheistische Religion?, München 1966.

[56] Plut., *De superst.* 10,169F.

[57] Plut., *Non posse* 8,1092B.

arch wird später der Kirchenvater Laktanz in seiner Auseinandersetzung mit Epikur sagen: „Was ist für Gott so angemessen, so eigentümlich wie die Vorsehung? Wenn er sich aber um nichts kümmert, für nichts sorgt, so hat er alle Gottheit verloren."[58] Diese Auffassung war schon von Platon vertreten worden.[59]

In einer der größeren antiepikureischen Schriften hat Plutarch auch die Einstellung zur Religion ausführlich erörtert. Im Mittelpunkt der Auseinandersetzung steht die Frage nach der religiösen Praxis: ob die Teilnahme am Kult auch dann sinnvoll ist, wenn der Mensch nicht mit einer Reaktion der Götter rechnet, wenn er also gar keine Antwort auf sein Opfer und/oder Gebet erwartet. Als Ansatzpunkt der Kritik bietet sich wieder die Behauptung der Inkonsistenz an – der Vorwurf, daß Epikur inkonsequent sei, wenn er seinen Anhängern die Teilnahme am Kult empfehle. So hatte schon Cicero die kritische Frage wiedergegeben, die an die Epikureer gestellt wurde:

> „Denn aus welchem Grunde verlangst du noch eine Verehrung der Götter durch die Menschen, wenn die Götter ihrerseits nicht nur den Menschen keine Aufmerksamkeit schenken, sondern sich überhaupt um nichts kümmern und nichts tun?"[60]

Mit dem Vorwurf der Inkonsistenz kann sich die polemische Unterstellung verbinden, bei der epikureischen Einstellung zur Religion handele es sich nur um Heuchelei, nicht um echte Frömmigkeit. Diese Unterstellung wird bereits von Cicero als die Meinung des Poseidonios referiert, des bedeutendsten stoischen Philosophen des 1. Jh.s v.Chr.:

> „Epikur glaube anscheinend gar nicht an eine Existenz der Götter, und was er über die unsterblichen Götter gelehrt habe, habe er nur zur Abwehr gehässiger Anschuldigungen gesagt."[61]

Dagegen steht der Versuch Philodems von Gadara, eines epikureischen Philosophen des 1. Jh.s v.Chr., Epikurs Einstellung zur Religion gegen alle diese Vorwürfe zu verteidigen.[62] Diogenes von

---

[58] Lact., *De ira dei* 4.6. Im Unterschied zu Plutarch würde Laktanz aber nicht nur die Gnade, sondern auch den Zorn zum Wesen Gottes rechnen.

[59] Plat., *Leg.* 899D-905D.

[60] Cic., *De nat. deor.* I 115.

[61] Cic., *De nat. deor.* I 123; vgl. auch Lact., *De ira dei* 4,7.

[62] Philodemus, On Piety. Part 1: Critical Text with Commentary, ed. by D. OBBINK, Oxford 1996, Kol. 26, Z. 739f; Kol. 28, Z. 794f; Kol. 31, Z. 879-

Oinoanda (2. Jh. n.Chr.) ist ihm insoweit gefolgt, als er den Epikureismus gegen den eigentlichen Atheismus abzugrenzen suchte.[63] Im Gegensatz dazu hat Plutarch die polemische Tendenz fortgesetzt, indem er behauptet, Epikurs Auffassung vom Wesen der Götter führe zum Atheismus und seine Einstellung zur Religion sei inkonsistent und unehrlich.[64] Diese Polemik beruht aber kaum auf einer bewußten Umdeutung, sondern eher auf dem Unverständnis für die Haltung Epikurs. Plutarch kann es nicht verstehen und glauben, daß die Teilnahme am Kult auch dann als sinnvoll erlebt werden kann, wenn nicht mit einer „Antwort" der Götter gerechnet wird, das Gebet also nicht als Kommunikation, sondern eher als Meditation aufgefaßt wird.[65] Deshalb kann er sich das religiöse Verhalten der Epikureer auch nur als Heuchelei vorstellen und aus der Angst vor den Menschen erklären. Auch für den Bereich der Religion gilt, so meint Plutarch, daß die höheren, geistigen Freuden den Epikureern verschlossen bleiben – die Epikureer kennen das nicht, was ein sakrales Kultmahl vom profanen Festmahl unterscheidet: das erhebende Gefühl der Gegenwart des Göttlichen.[66]

Plutarchs Kritik an der epikureischen Einstellung zur Religion richtet sich letztlich dagegen, daß Epikur mit dem Glauben an die göttliche Vorsehung auch den Glauben an die gerechte Vergeltung aufhebt. Die Aufhebung dieses Glaubens hat, Plutarch zufolge, negative Auswirkungen auf die menschliche Gesellschaft.[67] Denn er ist davon überzeugt, daß es viele Menschen gibt, die durch die Furcht vor göttlichen Strafen daran gehindert werden, Böses zu

---

895. In der neueren Forschung ist ebenfalls versucht worden, die Religiosität Epikurs als sinnvoll und konsistent darzustellen; vgl. dazu G.D. HADZSITS, Significance of Worship and Prayer among the Epicureans, in: TPAPA 39 (1908) 73-88; A.J. FESTUGIÈRE, Epicurus and his Gods (s. Anm. 18), 51-65; G. LUCK, Epikur und seine Götter, in: Gym. 67 (1960) 308-315. W.F. OTTO hatte auch in dieser Hinsicht eine extreme Auffassung vertreten: er sah in der Gottesverehrung Epikurs „die Religion des höheren Menschen", die „reinste und ursprünglichste Frömmigkeit" (Epikur [s. Anm. 6] 57). Demgegenüber hatte sich Karl Jaspers auch in diesem Punkt kritisch geäußert: „Es gibt keine Religion Epikurs." (Epikur [s. Anm. 6] 52).

[63] Diogenes von Oinoanda, *fr.* 11 Chilton.

[64] Plut., *Non posse* 20,1101B; 21,1102B-C. Vgl. auch Plut., *Adv. Col.* 22,1119E.

[65] In der gleichen Weise hatte Cicero sein Unverständnis zum Ausdruck gebracht (*De nat. deor.* I 3).

[66] Plut., *Non posse* 21,1102A-B.

[67] Plut., *Adv. Col.* 30,1124 E-F.

tun.[68] Plutarch stimmt zwar mit Epikur darin überein, daß die Furcht vor den Göttern auf einer falschen Gottesvorstellung beruht, daß es sich also um einen Aberglauben handelt, der aufgehoben werden müßte.[69] Er ist aber der Meinung, daß die Nachteile der epikureischen Lehre die Vorteile überwiegen: mit der Furcht vor dem göttlichen Zorn nimmt Epikur dem Menschen auch die Hoffnung auf die göttliche Gnade. Eben diese Auffassung führt, so meint Plutarch, zum Atheismus.[70]

Das Erstaunen, ja Entsetzen über die epikureische Leugnung der Vorsehung wird besonders deutlich zum Ausdruck gebracht am Anfang von *De sera numinis vindicta*. Die Argumentation Plutarchs ist zunächst wieder polemisch, insofern als der Vertreter der epikureischen Philosophie gar nicht als Gesprächspartner eingeführt wird: er wird nur in der Einleitung erwähnt – als den Schauplatz des Gespräches verlassend –, und seine Argumentation wird pauschal als unsinnig verurteilt:

> „Denn der Mann hat ja alles mögliche Zeug durcheinander, nichts in der Ordnung, sondern von allen Seiten zusammengekratzt, wie in einem Anfall von Wut und Schmähsucht über die Vorsehung ausgeschüttet."[71]

Die Auseinandersetzung in der Sache wird dann aber sehr ernsthaft geführt. Denn Plutarch weiß, daß die Epikureer auf Erfahrungen verweisen können, die schon in der antiken Tragödie eindrücklich zur Sprache gebracht worden sind. Er greift ja selbst auf die Aussagen der Tragödie zurück, wenn es darum geht, gegen Epikur die Leidhaftigkeit des Daseins zu betonen. Die Argumentation dieser Schrift, Plutarchs Versuch, ein „Bollwerk" gegen die Kritiker zu errichten[72], soll im folgenden exemplarisch betrachtet werden.

Plutarch sieht das Problem, daß der Glaube an die göttliche Vorsehung erschüttert wird durch die allgemeine menschliche Erfahrung, die von Euripides so prägnant formuliert wird. So läßt er einen der Gesprächspartner sagen:

---

[68] Plut., *Non posse* 21,1101D.

[69] Plut., *Non posse* 21,1101C.

[70] Plut., *Non posse* 20,1101B.

[71] Plut., *De sera* 1,548C. Vgl. aber K.D. ZACHER, Lustlehre 19, der dieses anders deutet und darin gerade die Intention erkennt, Polemik zu vermeiden.

[72] Plut., *De sera* 13,558B.

> „Die Säumigkeit der Gottheit und ihr Zaudern im Bestrafen der Bösen scheint mir der gefährlichste Punkt zu sein... Lange schon ärgerte ich mich, wenn ich bei Euripides las: ‘Er zaudert; so ist ja der Götter Wesen.’“[73]

Als erstes Argument zur Verteidigung des Vorsehungsglaubens bringt Plutarch einen Vergleich: der Laie kann dem Experten, wie z.B. dem Arzt, nicht in seine Arbeit hineinreden; er wird ihm vielmehr einen Vertrauensvorschuß entgegenbringen müssen. Ein solcher Vergleich läßt es doch nicht so unvernünftig erscheinen, an eine gerechte göttliche Vorsehung zu glauben: Gott könnte ja, wie der „Experte“, aufgrund seiner tieferen Erkenntnis besser wissen, wie eine gerechte Vergeltung zu bewerkstelligen ist; er könnte doch gute Gründe haben, die Bestrafung einer bösen Tat hinauszuschieben.[74]

Plutarch weiß sehr wohl, daß die Wahrheit des Vorsehungsglaubens nicht bewiesen werden kann, daß es sich bei einer solchen Argumentation also nur um Wahrscheinlichkeitserwägungen handelt.[75] Das ist zunächst ein Zugeständnis gegenüber der skeptischen Tradition, die dem Gottesglauben jede Beweisbarkeit abspricht.[76] Für Plutarch ist dies aber zugleich ein Argument der Verteidigung: ebensowenig wie einen Beweis kann es eine zwingende Widerlegung des Glaubens geben. Es kommt nur darauf an, die Gegenargumente als nicht zwingend zu erweisen und so den Vorsehungsglauben als eine mögliche – konsistente und sinnvolle – Deutung der Wirklichkeit darzustellen.

In mehreren Redegängen versucht Plutarch, alle Möglichkeiten auszuschöpfen, seinen Gottesglauben in der Auseinandersetzung mit der epikureischen Weltsicht rational zu begründen – so weit es eben eine Begründung überhaupt geben kann. Die Rationalität der Auseinandersetzung zeigt sich z.B. auch in einer anderen, komplexen Argumentationsfigur: aus dem Axiom, das Ziel des mensch-

---

[73] Plut., *De sera* 2,549A. Euripides’ Einstellung zur Religion ist ganz verschieden gedeutet worden. Vgl. W. KULLMANN, Deutung und Bedeutung der Götter bei Euripides, in: Mythos. Deutung und Bedeutung (Innsbrucker Beiträge zur Kulturwissenschaft. Dies philologici Aenipontani Heft 5), Innsbruck 1987, 7-22, hier 7-11.

[74] Plut., *De sera* 3,549D.

[75] Plut., *De sera* 4,550B.

[76] Zum Thema „Plutarch und die Skepsis“ vgl. P.R. HARDIE, Plutarch 4753f.

lichen Lebens sei die Angleichung an Gott, wird die Folgerung abgeleitet, Gott strafe eben deshalb langsam, weil er dem Menschen das Vorbild geben wolle, überlegt zu handeln und sich nicht vom Zorn hinreißen zu lassen. Damit wird noch die Überlegung verbunden, daß Gott – im Unterschied zum Menschen – die innere Wandlungsmöglichkeit jedes Menschen kennt und deshalb in seiner Strafe sinnvoll differenzieren kann – das Aussetzen der Strafe für eine böse Tat kann durchaus angebracht sein, wenn der betreffende Mensch die Möglichkeit hat, sich zu wandeln.[77]

Charakteristisch für die Argumentation Plutarchs ist auch, daß er im Anschluß an solche abstrakten Überlegungen gleich einige konkrete Beispiele aus der Geschichte bringt. So nennt er u.a. Gelon, Hieron und Peisistratos, von denen gilt, „daß sie ihre Herrschaft zwar durch übles Tun erworben, sie dann aber vortrefflich geführt haben".[78] Derartige Beispiele sollen seine These belegen, daß die Langsamkeit der göttlichen Strafe – und die daraus resultierende Unerkennbarkeit der gerechten Vergeltung – den Vorsehungsglauben nicht widerlegt.

Neben der rationalen Argumentation (λόγος), die vorwiegend mit Vergleichen und Beispielen arbeitet, verwendet Plutarch in dieser Schrift auch eine Geschichte (μῦθος), die über Jenseitserlebnisse eines Menschen berichtet und damit über den Bereich der normalen Erfahrung hinausgeht.[79] Diese Geschichte soll nicht nur die Begründung des Gottes- und Vorsehungsglaubens auf einer anderen Ebene fortsetzen, sondern auch und gerade dazu aufrufen, die von Plutarch propagierte Lebensform zu wählen – die Geschichte endet ja mit dem Bericht über die innere Wandlung des betreffenden Menschen, der aus dem Tod ins Leben zurückgekehrt war. Die Rationalität der Argumentation in der Schrift *De sera numinis vindicta* zeigt sich auch und gerade in der Unterscheidung zwischen λόγος und μῦθος als zwei verschiedenen Argumentationsebenen.[80]

---

[77] Plut., *De sera* 5,550C-551C.

[78] Plut., *De sera* 6,551E.

[79] Plut., *De sera* 22-33,563B-568A.

[80] Plut., *De sera* 18,561B; 21,563B. Der Philosoph David Hume hatte diese Unterscheidung nicht beachtet und deshalb ein kritisches Urteil über jene Schrift Plutarchs gefällt (Moral Essays 2,11). Vgl. dazu auch Plut., *De def. orac.* 22,422C.

5. Zusammenfassung: Philosoph und Priester – Plutarch als heidnischer Kirchenvater

Plutarch hat die Auseinandersetzung mit Epikur nicht nur polemisch geführt wie in der vorliegenden Schrift, sondern auch philosophisch wie in seinem Spätwerk *De sera numinis vindicta.* Er kann also als ein Philosoph betrachtet werden, insofern er auf Polemik verzichtet und rational argumentiert, wenn es direkt um die Sache geht, d.h. um die Begründung des Gottes- und Vorsehungsglaubens. Deshalb bedarf es auch nicht der Annahme, Plutarch habe sich weg vom rationalem Skeptizismus hin zu einem irrationalem Mystizismus entwickelt und, im Zusammenhang damit, seine Haltung gegenüber Epikur verändert.[81] Die Konstante in seiner Einstellung zur Religion ist der Gottesbegriff: Plutarch postuliert Güte und Gerechtigkeit als Eigenschaften Gottes und verbindet damit den Glauben an die göttliche Vorsehung – das ist für Plutarch die „wahre Frömmigkeit“ (εὐσέβεια), die in der Mitte zwischen Aberglaube und Atheismus steht.[82] Es hängt dann von der Situation ab, ob der Aberglaube oder der Atheismus zum Gegenstand der Kritik gemacht und deshalb als die schlimmere Alternative dargestellt wird.[83] Die Haltung gegenüber einem irrationalen Aberglauben bleibt kritisch, von der frühen Schrift „Über den Aberglauben“ bis zum Spätwerk „Über Isis und Osiris“.[84] Plutarch ist also nicht einfach der „Gegenaufklärung“ zuzuordnen. Es ist sogar möglich, in seinem Werk „Ansätze zu aufgeklärter Kritik“ zu erkennen.[85]

Was die Polemik gegen Epikur betrifft, so ist festzuhalten, daß sie nicht auf persönlicher Gehässigkeit oder auf naiven Mißverständnissen beruht, sondern einen tieferen Grund hat: Plutarch ist davon überzeugt, daß Epikurs Einstellung zu Ethik und Religion

---

[81] Zur Kritik an solchen Entwicklungstheorien vgl. H. ADAM, Schrift 3 Anm. 10.49; F.E. BRENK, Heritage 256; J.P. HERSHBELL, Epicureanism 3373f.

[82] Plut., *De superst.* 14,171F. Zum transzendenten Gottesbegriff Plutarchs vgl. C.J. DE VOGEL, Der sog. Mittelplatonismus, überwiegend eine Philosophie der Diesseitigkeit?, in: Platonismus und Christentum (FS H. Dörrie) (JAC.E 10), Münster 1983, 277-302, hier 283-287.

[83] Zur Konsistenz der Theologie Plutarchs vgl. H.A. MOELLERING, Plutarch (s. Anm. 8) 94-96.156f., sowie H. ADAM, Schrift 49f.

[84] Vgl. auch H.J. KLAUCK, Plutarch 59f.; F.E. BRENK, Heritage 260.

[85] H. ERBSE, Plutarchs Schrift Peri Deisidaimonias, in: Hermes 70 (1952) 296-314, hier 314.

dem Individuum das Wertvollste im Leben nimmt und darüber hinaus der Gesellschaft schadet. Aus der Sicht Plutarchs wird dieser Schaden auch und gerade in der negativen Einstellung zur Politik greifbar. In *De latenter vivendo* hat Plutarch eben diesen Bereich zum Kampf gegen den Epikureismus ausgewählt.

Plutarch hat aber nicht nur die epikureische, sondern auch die stoische Philosophie bekämpft, die sich von der epikureischen doch in allen drei Bereichen unterscheidet: in der Einstellung zur Politik, Ethik und Religion. Der tiefste Grund seiner Polemik müßte also noch genauer lokalisiert werden. Im Bereich der Religion kann es nicht einfach der Gottes- und Vorsehungsglaube sein, da dieser auch in der stoischen Philosophie verteidigt wird.[86] Das Anliegen Plutarchs könnte vielmehr darin bestehen, daß er die Verbindung zwischen Philosophie und religiöser Praxis verstärken will. Die großen stoischen Philosophen wie Seneca oder Epiktet, stehen dem traditionellen Kult, der an den Tempel gebunden ist, zwar nicht ablehnend, aber doch mehr oder weniger distanziert gegenüber.[87] Im Unterschied dazu hat Plutarch selbst ein Priesteramt übernommen und damit ein Bekenntnis abgelegt: als Priester in Delphi bekennt er sich zum traditionellen Kult als einem bevorzugten Ort der Begegnung mit dem Göttlichen. Sogar in der Schrift über den Aberglauben hatte er festgehalten, daß nichts für die Menschen angenehmer sei, „als Festtage und Opfermähler in den Heiligtümern, Einweihungsfeiern und heilige Riten, Gebete zu den Göttern und ihre Verehrung.“[88]

Die Sorge um den Niedergang des Orakels von Delphi wird in einigen seiner Schriften direkt angesprochen, und alle Schriften, in denen Delphi als Schauplatz des Gespräches genannt wird, dienen ebenfalls der Propaganda für dieses alte Kultzentrum.[89] In der Spätantike hat es einige vergleichbare Versuche gegeben, Philosophie und religiöse Praxis in eine engere Verbindung zu bringen – im dritten Jahrhundert z.B. durch den Sophisten Philostrat und im

---

[86] Cic., *De nat. deor.* II 73f.

[87] Sen., *Ep.* 41,1-3; Epikt., *Ench.* 31.

[88] Plut., *De superst.* 9,169D; *Non posse* 21,1101E. Zur Einweihung Plutarchs in die Mysterien vgl. *Cons. ad ux.* 11,611D. Auf sein Priesteramt spielt *Quaest. conv.* VII 2,2, 700E an.

[89] Zur Bedeutung Delphis in den Schriften Plutarchs vgl. F.E. BRENK, Heritage 330-333, zu seiner religiösen Bindung J.M. DILLON, Plutarch (s. Anm. 43) 216f.

vierten Jahrhundert durch den Kaiser Julian.[90] Zumindest der letztere hat sein Konzept in bewußter Konkurrenz zum Christentum entwickelt.[91]

Im Christentum war eine solche Verbindung bereits gegeben: die „wahre Philosophie" des Christentums, wie Justin es auffaßte, entfaltete sich ja im Zusammenhang mit und auf der Grundlage eines neuen Kultes. Wie Plutarch kam auch Justin von der (mittel)platonischen Philosophie her, und wenn er sich zum Christentum bekehrte, dann bedeutete dies zunächst einmal einen Wechsel der Kultgemeinschaft. Das Bekenntnis zum christlichen Kult war zu seiner Zeit allerdings gefährlich – Justin konnte sich nicht ungehindert als Lehrer und Schriftsteller entfalten und wurde schließlich zum Märtyrer. Plutarch dagegen bekannte sich zu dem traditionellen Kult, der zu seiner Zeit Geltung hatte, und konnte sich deshalb ungehindert als Lehrer und Schriftsteller entfalten. Als Philosoph und Priester ist Plutarch aber Justin, dem „Philosophen und Märtyrer", durchaus vergleichbar, und in diesem Sinn könnte er geradezu als ein heidnischer Kirchenvater bezeichnet werden.

Im Christentum fand der Philosoph Justin auch eine neue, zusätzliche Begründung für die Wahrheit des Gottesglaubens, den er im Platonismus vorgefunden und festzuhalten versucht hatte: die Erfüllung der alttestamentlichen Prophezeiungen erschien ihm als „Beweis" für die Wahrheit des Gottesglaubens, wie er von den Christen verkündet wurde.[92] Plutarch verfügte nicht über eine neue, zusätzliche Begründung. Er mußte versuchen, die traditionellen Mittel der Philosophie auszuschöpfen, um seinen Gottesglauben so gut wie möglich zu begründen und gegen Kritik, wie z.B. die epikureische, zu verteidigen.

Plutarch greift aber nicht nur auf die philosophische, sondern auch auf die mythische Tradition zurück. Allerdings erfordert die Verwendung des Mythos – wenn sie mit der philosophischen Argumentation kompatibel sein soll – einen kritischen Umgang mit der Tradition. So scheut Plutarch auch nicht vor einer Kritik einzelner Mythen zurück, wie es sich ja auch in der vorliegenden

---

[90] Vgl. dazu U. BERNER, The Image of the Philosopher in Late Antiquity and in Early Christianity, in: H.G. KIPPENBERG/Y.B. KUIPER/A.F. SANDERS (Hrsg.), Concepts of Person in Religion and Thought (Religion and Reason 37), Berlin 1990, 125-136.

[91] Julian, Brief Nr. 39 (in der Ausgabe von B.K. WEIS, München 1973).

[92] Justin, *Dial.* 7,2.

Schrift *De latenter vivendo* am Beispiel der Jenseitsmythen darstellt.[93] Hier ergibt sich wieder eine partielle Übereinstimmung mit der epikureischen Philosophie, nur daß Plutarch eben nicht ganz auf den Mythos und die Inspiration der Dichter als eine Quelle der Gotteserkenntnis verzichten möchte.[94] So wird auch die mythische Tradition, neben der philosophischen, d.h. platonischen, zum Gegenstand seiner exegetischen Bemühungen – der ägyptische Mythos von Isis und Osiris ebenso wie der platonische Dialog „Timaios".[95] Auch in dieser Hinsicht, was den hermeneutisch reflektierten Umgang mit der Tradition betrifft, ist Plutarch den christlichen Kirchenvätern durchaus vergleichbar. Im Vergleich zu diesen ist er allerdings in einer schwierigeren Lage, insofern als er keinen festen Bestand der mythischen Tradition, keinen Kanon griechischer Mythen, zur Verfügung hat, sondern seine Grundlage durch kritische Auswahl des Stoffes selbst herstellen muß.

Auch Plutarchs „Lebensbeschreibungen" sind in diesem Zusammenhang zu sehen: Aus der Geschichte nimmt er eine Fülle von Beispielen, die er seinen Lesern als Bilder – zumeist Vorbilder – vor Augen stellt.[96] In dieser praktischen Ausrichtung ergibt sich wieder eine Überschneidung mit der epikureischen Philosophie, die ebenfalls nicht als Wissenschaft um ihrer selbst willen betrieben wird, sondern als Lebenskunst.[97] Epikur hatte in seiner Ethik einen empirischen Ansatz vertreten, insofern als er das natürliche Streben des Menschen nach Lust zum Ausgangspunkt nahm, in der Meinung, allein mit Hilfe der Vernunft eindeutige Richtlinien für das menschliche Leben ableiten zu können. Im Unterschied dazu geht Plutarch von Voraussetzungen aus, die nicht im Bereich der Empirie liegen, und er sieht sich deshalb gezwungen, seinen Glauben immer wieder neu zu durchdenken und zu verteidigen. Dabei kann sich auch die Notwendigkeit ergeben, neue hypothetische

---

[93] Vgl. auch Plut., *De superst.* 10,170B-C: Kritik am Mythos von Leto und Niobe. Zur allegorischen Mythen-Interpretation Plutarchs vgl. F.E. BRENK, Heritage 294-303; D. RUSSELL, Plutarch 81-83.

[94] Plut., *Amat.* 18,763C.

[95] Vgl. P.R. HARDIE, Interpretation 4761-4763; J.P. HERSHBELL, Plutarch's 'De animae procreatione in Timaeo': An Analysis of Structure and Content, in: ANRW II/36.1 (1987) 234-247.

[96] Plut., *Aem. Paul.* 1,1-6; *Per.* 2,2-4; *Demetr.* 1,5-6.

[97] Vgl. dazu A. DIHLE, Philosophie (s. Anm. 39); M. HOSSENFELDER, Epikur 27.

Theorien zur Auslegung der Tradition zu entwickeln, wie z.B. in den Reflexionen über „das 'E' in Delphi".[98] In dieser Hinsicht ist er wiederum den christlichen Kirchenvätern vergleichbar, jedenfalls den Philosophen unter diesen, wie z.B. dem alexandrinischen Theologen Origenes.[99] Mit diesem Kirchenvater stimmt Plutarch auch in der Verurteilung des Epikureismus überein: Origenes deutet das religiöse Verhalten der Epikureer ebenfalls als Heuchelei[100]; und er verfolgt wie Plutarch das Ziel, die Menschen davon abzubringen, sich mit der epikureischen Philosophie überhaupt zu beschäftigen. Gregor Thaumaturgos, der „Wundertäter", berichtet, sein Lehrer Origenes habe ihn zum Studium aller Philosophen aufgefordert – mit einer Ausnahme: „Nur die Werke von Gottesleugnern sollten ausgenommen sein... Solche Schriften auch nur zu lesen hielt er für ungeziemend, damit unser Herz nicht einmal im Vorübergehen befleckt werde, indem es nach Gottesfurcht strebend Reden anhören müsse, die der Verehrung Gottes zuwider seien; ..."[101].

---

[98] Das ist zugleich ein Ansatzpunkt zur Deutung der Dämonologie Plutarchs, die im Widerspruch zu seiner Ablehnung des Aberglaubens zu stehen scheint. Vgl. dazu D. RUSSELL, Plutarch 78.

[99] H. CROUZEL sprach im Hinblick auf Origenes von einer „Théologie en recherche" (Qu'a voulu faire Origène en composant le Traité des Principes, in: BLE 76 [1975] 248f. Vgl. dazu U. BERNER, Origenes, Darmstadt 1981 [EdF 147], 66f.). K. ALT spricht davon, daß Plutarch in der Schrift über Isis und Osiris „anhand dieses Mythos zu experimentieren" scheint (Weltflucht 26).

[100] Origenes, *Contra Celsum* VII 66.

[101] Gregor Thaumaturgos, Lobrede auf Origenes, Kap. 13. Diese Polemik gegen die Atheisten richtet sich sicherlich in erster Linie gegen Epikur, wie der Vergleich mit Klemens von Alexandrien zeigt (s. Exhortatio V). Vgl. dazu U. BERNER, Das Bild des Philosophen bei Origenes und Philostrat, in: R. DALY (Hrsg.), Origeniana Quinta. Papers of the 5th International Origen Congress (BEThL 105), Leuven 1992, 368-372.

Der „Ort der Frommen"

Zur Rezeption eschatologischer Tradition bei Plutarch und im 1. Clemensbrief

(Bernhard Heininger)

Ähnlich wie die großen Dialoge *De sera numinis vindicta, De genio Socratis* und *De facie in orbe lunae*, die durchgängig mit einem Jenseitsmythos schließen[1], biegt auch Plutarchs verhältnismäßig kleine Schrift *De latenter vivendo* gegen Ende hin aufs eschatologische Gleis ab. Vorbereitet durch die Erwähnung des Lichtgotts Apollon und seines dunklen Gegenspielers, des namentlich allerdings nicht genannten Hades (1130A), mündet die Diskussion des epikureischen Lebensmottos „Lebe im Verborgenen" in eine Gegenüberstellung des χῶρος εὐσεβῶν und eines ἔρεβός τι καὶ βάραθρον ein: Wartet auf die Frommen nach ihrem Tod eine blühende Ebene mit schattenspendenden Bäumen und stillen Flüssen, so werden in scharfem Gegensatz dazu diejenigen, die im Leben gefrevelt und gegen die Gesetze verstoßen haben, in einen „Abgrund schwärzester Nacht", gestoßen, „wo die schleichenden Flüsse der finsteren Nacht grenzenlose Dunkelheit ausspeien" (vgl. 1130C-E).[2]

An diesem, aus Mythenfragmenten zusammengesetzten und insgesamt durchaus kritisch rezipierten eschatologischen Gemälde interessiert in frühchristlicher Perspektive besonders die Rede vom χῶρος εὐσεβῶν, dem „Ort der Frommen". Denn darin trifft sich Plutarch mit dem zeitlich ähnlich gelagerten *1. Clemensbrief* (1 Clem)[3], wo im Rahmen eines Enkomions auf die ἀγάπη

---

[1] Vgl. *De sera* 22-33,563B-568F; *De gen. Socr.* 21-24,590B-594A; *De facie* 26-30,941B-945D.

[2] Pindar, *fr.* 130 Snell; als Pindarfragment ausgewiesen durch Plut., *De Aud. Poet.* 2,17C, wo die Verse noch einmal erscheinen und eine Serie weiterer Dichterzitate anführen.

[3] Auf der Basis von 1 Clem 1,1 („wegen der plötzlichen und Schlag auf Schlag über uns gekommenen Heimsuchungen und Drangsale") wird das Schreiben gewöhnlich an das Ende der Regierungszeit Domitians (81-96 n.Chr.) bzw. den Anfang der Regierungszeit Nervas (96-98 n.Chr.) gesetzt, vgl. etwa P. VIELHAUER, Geschichte der urchristlichen Literatur. Einleitung in

(1 Clem 49,1–50,7) folgendes zu lesen steht: „Alle Geschlechter von Adam bis zum heutigen Tag gingen vorüber; die aber entsprechend der Gnade Gottes in Liebe vollendet waren (τελειωθέντες), besitzen den Ort der Frommen (χῶρον εὐσεβῶν); sie werden offenbar werden beim Erscheinen des Reiches Christi.“ (1 Clem 50,3) Schon an früherer Stelle, nämlich in 1 Clem 5,4.7, war davon die Rede, daß Petrus und Paulus „an den Ort der Herrlichkeit“ (εἰς τὸν τόπον τῆς δόξης) bzw. „an den heiligen Ort“ (εἰς τὸν τόπον ἅγιον) gelangt seien, nachdem sie zuvor „Zeugnis abgelegt“ hätten.[4]

1. Der „Ort der Frommen“ im Kontext frühchristlicher Eschatologie

Die Unterschiede in der Terminologie – hier der χῶρος der Frommen, dort der τόπος der Herrlichkeit bzw. der heilige τόπος – warnen nicht nur vor einer vorschnellen Identifizierung der beiden Orte[5], sondern deuten auch darauf hin, daß der Verfasser des Briefes an den genannten Stellen eschatologische Konzepte unterschiedlicher Provenienz einbringt. Anders als der χῶρος εὐσεβῶν, der in 1 Clem 50,3 gleichsam seine frühchristliche Premiere feiert

---

das Neue Testament, die Apokryphen und die Apostolischen Väter, Berlin [4]1985, 540. Die Identifizierung der „Heimsuchungen und Drangsale“ mit den „Christenverfolgungen“ Domitians wird in jüngerer Zeit – aufgrund des veränderten Domitianbildes – aber zunehmend in Frage gestellt. Vgl. A. LINDEMANN, Die Clemensbriefe (Apostolische Väter I) (HNT 17), Tübingen 1992, 12, der den Brief freilich dennoch in das letzte Jahrzehnt des 1. Jh.s n.Chr. datiert; ebenso H.E. LONA, Der erste Clemensbrief (KAV 2), Göttingen 1998, 75-78. Vorsichtiger argumentiert L.L. WELBORN, On the Date of the First Clement, in: BR (1985) 35-54; DERS., Art. Clement, First Epistle of, in: AncBD I, 1055-1066, demzufolge eine präzise Datierung nicht möglich und für die Abfassungszeit eine Spanne von 60 Jahren (ca. 80-140 n.Chr.) zu veranschlagen ist.

[4] Vgl. auch 1 Clem 44,5, ein Makarismus der „vorangegangenen Presbyter“, die nicht darum fürchten müssen, „von dem für sie errichteten Platz (ἀπὸ τοῦ ἱδρυμένου αὐτοῖς τόπου)“ entfernt zu werden. Ob im übrigen mit dem Zeugnis in 1 Clem 5,4.7 auf den Märtyrertod angespielt wird, ist nach wie vor umstritten. Dafür spricht sich etwa A. LINDEMANN, Paulus im ältesten Christentum. Das Bild des Apostels und die Rezeption der paulinischen Theologie in der frühchristlichen Literatur bis Marcion (BHTh 58), Tübingen 1979, 78, aus; dagegen z.B. TH. BAUMEISTER, Die Anfänge der Theologie des Martyriums (MBTh 45), Münster 1980, 239f.

[5] So aber offenbar A. LINDEMANN, 1 Clem (s. Anm. 3) 145.

und erst gut ein halbes Jahrhundert später in Justins „Dialog mit dem Juden Tryphon" wieder ins Blickfeld gerät[6], kann die Rede von besonderen τόποι, die für Gute und Böse nach ihrem Tod im Jenseits reserviert sind, bereits auf eine gewisse Tradition innerhalb der frühchristlichen Literatur zurückblicken. Anhaltspunkte dafür gibt es schon in der Jesusüberlieferung. Im Gleichnis vom reichen Prasser und armen Lazarus Lk 16,19-31 wird der jenseitige Aufenthaltsort des Reichen V.28 als τόπος τοῦ βασάνου bezeichnet; V.22-24 zufolge befindet sich der Reiche im Hades und leidet dort Feuersqualen.[7] In gewisser Weise hierher gehört weiter Lk 23,42f., Jesu Wort an den reuigen Schächer am Kreuz. Zwar liegt mit der dort ausgesprochenen Paradiesesvorstellung noch einmal ein anderer eschatologischer Traditionskomplex vor[8], doch partizipiert Lk 23,42f. ebenso wie Lk 16,19-31 an der auch sonst im lukanischen Doppelwerk zu beobachtenden Neuorientierung der Eschatologie, die angesichts der ausbleibenden oder sich verzögernden Parusie zunehmend das Geschick des Einzelnen in den Blick nimmt.[9] So betrachtet dürfte dann auch der „Weggang" des Judas „an seinen eigenen Ort (εἰς τὸν τόπον τὸν ἴδιον)" (Apg 1,25) weniger dessen Tod an sich[10] als vielmehr die Folge dessel-

---

[6] Vgl. Justin, Dial 5,3: „Jedoch behaupte ich durchaus nicht, daß alle Seelen sterben ..., sondern daß die Seelen der Frommen an irgendeinem besseren Ort bleiben, die ungerechten und bösen Seelen dagegen an einem weniger guten Ort, wo sie dann die Zeit des Gerichtes abwarten."

[7] Auch der Arme hat in diesem Gleichnis einen eigenen Ort, er wird von Engeln in den „Schoß Abrahams" geleitet, der sich der Jenseitsgeographie des Gleichnisses nach ebenfalls im Hades befindet (Lk 16,22f.). Dazu ausführlicher B. HEININGER, Metaphorik, Erzählstruktur und szenisch-dramatische Gestaltung in den Sondergutgleichnissen bei Lukas (NTA.NF 24), Münster 1991, 184-189.

[8] Zum „Paradies", das im NT nur noch 2 Kor 12,4; Offb 2,7 erscheint, vgl. J. JEREMIAS, Art. παράδεισος, in: ThWNT V, 763-771. Besonders prominent ist die Vorstellung in der jüdischen Apokalyptik, wo das Paradies „als der gegenwärtige Aufenthaltsort der Seelen der verstorbenen Erzväter, Auserwählten und Gerechten" (ebd. 765) gilt, vgl. z.B. 1 Hen 60,8; 61,12; 70,3f.; 2 Hen 9,1; Apk Mos 37,5; Apk Abr 21,6f.

[9] Vgl. über die bislang genannten Texte hinaus noch Lk 10,20; 12,21.33f.; 16,9; 21,19; dazu den Exkurs zur lukanischen Eschatologie bei G. SCHNEIDER, Das Evangelium nach Lukas. Kapitel 11-24 (ÖTBK 3/2), Gütersloh – Würzburg 1977, 358f.

[10] So die Überlegung bei R. PESCH, Die Apostelgeschichte. 1. Teilband: Apg 1-12 (EKK V/1), Zürich – Neukirchen-Vluyn 1986, 90f.

ben, nämlich den Gang an den jenseitigen Strafort meinen[11]. Nicht fehlen darf schließlich der Hinweis auf Joh 14,2f., wo der Evangelist im Rahmen der (ersten) Abschiedsrede Jesu einen Offenbarungsspruch verarbeitet hat, der traditionelle urchristliche Eschatologie widerspiegelt[12]: Im Haus des Vaters gibt es viele „Wohnungen“ (μοναί); Jesus geht, um seinen Jüngern einen „Platz“ (τόπος) zu bereiten.

Die sich auf solche Weise im Neuen Testament herausbildende individuelle Eschatologie, die ihren Schwerpunkt zweifelsohne bei Lukas hat und das jenseitige Geschick des Einzelnen in *räumlichen Kategorien* beschreibt, kann sich ihrerseits wiederum auf „Vorarbeiten“ der frühjüdischen Apokalyptik stützen, wo die Rede von den „Wohnungen der Heiligen“, den „Ruheorten der Gerechten“ oder den „Kammern“ für Gute und Böse weit verbreitet ist.[13] Der Verfasser des ersten Clemensbriefs fügt sich mit 1 Clem 5,4.7, wie übrigens andere apostolische Väter auch[14], nahtlos in diese

---

[11] Mit der Mehrheit der Kommentatoren, vgl. von den neueren nur J. ROLOFF, Die Apostelgeschichte (NTD 5), Göttingen ²1988, 34; J. ZMIJEWSKI, Die Apostelgeschichte (RNT), Regensburg 1994, 89. Mit Attribuierungen wie „Hölle“ (Roloff) oder „Ort des ewigen Verderbens“ (Zmijewski) sollte man aber vorsichtig umgehen, weil Lukas über die Verweildauer an jenem Ort keine Angaben macht. Als Referenzstelle innerhalb des lk Doppelwerks eignet sich am ehesten noch Lk 16,28 (mit G. SCHNEIDER, Apg I 220); aber auch dort muß offen bleiben, ob das Verweilen des Reichen am τόπος τοῦ βασάνου nur vorläufig gedacht oder auf Dauer hin angelegt ist.

[12] Vgl. J. BECKER, Das Evangelium nach Johannes. Kapitel 11–21 (ÖTBK 4/2), Gütersloh – Würzburg ³1991, 549f.

[13] Vgl. 1 Hen 39,4f.; 41,2: die Wohnungen der Heiligen und Ruheorte der Gerechten befinden sich bei den Engeln der Gerechtigkeit; 2 Hen 61,1f.: der Herr „hat viele Wohnungen hergerichtet, recht gute Häuser und recht schlimme ohne Zahl“; weiter 4 Esr 5,35.41; 7,75-101; 2 Bar 21,23; 30,2 sowie LAB 32,13, wo jeweils „(Schatz)Kammern“ für die verstorbenen Seelen (sic!) erwähnt werden.

[14] Vgl. Ign., Magn 5,1: „Da nun die Dinge ein Ziel haben und beides zugleich vor uns liegt, der Tod und das Leben, und jeder an seinen besonderen Ort (εἰς τὸν ἰδίον τόπον) gelangen wird ...“; weiter Herm., Sim IX 27,3: „Die solches tun (sc. Gastfreundschaft gewähren) sind herrlich vor Gott, und ihr Platz (τόπος) ist bei den Engeln“, dazu auch Vis II 2,7; Sim IX 24,4; 25,2; schließlich Polyk., 2 Phil 9,2: „Seid überzeugt, daß diese alle nicht vergeblich, sondern in Glauben und Gerechtigkeit gelaufen und an dem ihnen zukommenden Platz beim Herrn sind (εἰς τὸν ὀφειλόμενον αὐτοῖς τόπον εἰσὶ παρὰ τῷ κυρίῳ). Für letztere Stelle nimmt J.B. BAUER, Die Polykarpbriefe (KAV 5), Göttingen 1995, 30, direkte Abhängigkeit von 1 Clem 5,4 an.

Traditionslinie ein und kartographiert doch die bislang weitgehend jüdisch-apokalyptisch geprägten urchristlichen Jenseitsvorstellungen neu, insofern er 1 Clem 50,3 mit dem χῶρος εὐσεβῶν eine – wie die Parallele bei Plutarch schon vermuten läßt – ganz und gar griechische Konzeption einbringt.[15] Ihre Aufnahme in den 1. Clemensbrief bzw. ihre Rezeption bei Plutarch markiert den vorläufigen Endpunkt einer Entwicklung, die im 4. Jh. v.Chr. noch ganz uneschatologisch beginnt.

2. Die Vorgeschichte: Von Katane auf Sizilien zum „Ort der Frommen" im Jenseits

a) Die literarische Tradition

Dem frühesten Beleg nach zu urteilen, ist εὐσεβῶν χῶρος zunächst nicht mehr als eine Ortsbezeichnung für ein Landstück bei Katane auf Sizilien. Der Name soll an die heldenhafte Tat eines jungen Mannes erinnern, der seinen greisen Vater bei einem Ausbruch des Ätna durch die brennenden Lavamassen trug und dabei ebenso wie sein Vater unversehrt blieb.[16] Die spätere Überlieferung variiert die Geschichte dahingehend, daß nun ein *Brüderpaar die Eltern* vor dem sicheren Tod rettet.[17] Fortan fungieren die Brüder *Amphinomos* und *Anapi(u)s* auf Münzen aus Katane und römischen Münzen als Symbol der *pietas*. Eine Notiz in Philostrats *Vita Apollonii* bezeugt den hohen Bekanntheitsgrad der Geschichte noch für das 3. Jh. n.Chr.: „Was aber den Ort der Frommen (χῶρος

---

[15] Ähnlich verfährt der Verfasser auch 1 Clem 20,5, wo mit dem Einfluß „orphisch-pythagoreischer Höllenvorstellungen" zu rechnen ist, vgl. O. KNOCH, Eigenart und Bedeutung der Eschatologie im theologischen Aufriß des ersten Clemensbriefes. Eine auslegungsgeschichtliche Untersuchung (Theophaneia 17), Bonn 1964, 163f.

[16] Vgl. Lykurg, *Orat. in Leocr.* 95f.: „Man erzählt sich nämlich, das Feuer sei um jenen Ort im Kreis herumgeflossen und allein jene seien gerettet worden. Aus diesem Grund werde das Landstück noch jetzt ‘Ort der Frommen’ (τῶν εὐσεβῶν χῶρον) genannt". Zur Datierung der Eisangelie κατὰ Λεωκράτους des attischen Politikers und Redners Lykurg (ca. 390-324 v.Chr.) auf 331 v.Chr. vgl. H. GÄRTNER, Art. Lykurgos, in: KP III 825f.

[17] Vgl. Strab., *Geogr.* VI 2,3; Ps.-Arist., *Mund.* 6 p. 400a (= Apul., *Mund.* 34 p. 131f.); Sen., *De benef.* III 37,2; Pausan. X 28,4; Anth. Graec. III 17. Einige Belege mehr noch bei H. VON GEISAU, Art. Amphinomos, in: KP I, 313f., sowie F. GRAF, Art. Amphinomos, in: NP I 615. Zum ikonographischen Befund vgl. LIMC I 1,717f.

... εὐσεβῶν) betrifft, um den das Feuer herumfloß, so mag man dergleichen wohl erzählen.“ (*Vit. Ap.* V 17)

Welche Motive letztendlich für die Verlagerung des χῶρος εὐσεβῶν in die Unterwelt verantwortlich zeichnen, muß im Dunkeln bleiben bzw. läßt sich allenfalls raten.[18] Jedenfalls belegt ein Epigramm des alexandrinischen Hofdichters *Kallimachos* aus der ersten Hälfte des 3. Jh.s v.Chr. erstmals den eschatologischen Gebrauch des „Ortes der Frommen“:

> „Wenn du Timarchos im Hades suchst, um von ihm etwas über die Seele zu erfahren oder wiederum (auch), wie du sein wirst, frag' nach dem Sohn des Pausanias von der Phyle Ptolemais. Du findest ihn am Ort der Frommen (ἐν εὐσεβέων).“[19]

Wahrscheinlich gelten die Zeilen einem Verstorbenen, der den Gang in den Hades antritt; als Adressat in Frage käme theoretisch aber auch ein Hadesreisender, der analog Odysseus an Teiresias hier an einen gewissen Timarchos gewiesen würde[20], um von diesem Auskunft über die Natur der Seele und über die Wiedergeburt zu erhalten. Für unsere Zwecke gibt der Text nur soviel her, daß der „Ort der Frommen“ – weil der Genitiv εὐσεβέων ein regierendes Nomen verlangt, ist χώρῳ o.ä. in der letzten Zeile zu ergänzen – offenbar eine besondere Region im Hades bezeichnet und dieser

---

[18] Neben dem allgemeinen Phänomen der Iteration (vgl. M.P. NILSSON, Geschichte I 454) wäre speziell vielleicht noch auf Plat., *Phaed.* 112a-113c, zu verweisen: die Beschreibung des Tartaros bei Platon mit den vier Unterweltströmen Okeanos, Acheron, Pyriphlegethon und Kokytos, von denen der Pyriphlegethon für den Vulkanismus verantwortlich zeichnet (Ausbruch des Ätna!). Beachtung verdient weiter, daß die „Inseln der Seligen“ (μακάρων νῆσοι) eine ähnliche Entwicklung durchmachen: Bei Hesiod noch am Rande der Erde angesiedelt (*Op.* 166-172), sind sie im Schlußmythos des platonischen Gorgias (523a-526d) offenbar ins Jenseits verlagert.

[19] Callim., *Epigr.* 10,1-4 (= Anth. Graec. VII 520); zur Datierung auf der Basis des Geburtsdatums des Kallimachos nicht lange vor 300 v.Chr. vgl. H. HERTER, Art. Kallimachos, in: KP III, 73-78.

[20] Reizvoll erscheint die Verbindung des hier genannten Timarchos mit jenem aus Plutarchs Traktat *De gen. Socr.* 22-23,589F-590, der nach seinem Abstieg in die Höhle des Trophonius einer Jenseitsreise teilhaftig wird und infolgedessen als Spezialist in Sachen „Eschatologie“ angesehen werden kann. Wenn es sich, wie meist angenommen wird, bei Plutarchs Timarchos um eine Kunstfigur handelt (vgl. nur Y. VERNIERE, Symboles et mythes dans la pensée de Plutarque. Essai d'interpretation philosophique et religieuse des Moralia, Paris 1977, 105-108), könnte Kallimachos' Timarchos bei der Namensgebung Pate gestanden haben.

eschatologische Gebrauch des Terminus im Ägypten des 3. Jh.s v.Chr. bereits eine gewisse Verbreitung erlangt hat. Dafür spricht auch, daß annähernd die ältesten Grabinschriften, die χῶρος εὐσεβῶν in besagtem Sinn belegen, aus Ägypten stammen.[21] Über den Ursprung der eschatologischen Verwendung ist damit allerdings noch nichts gesagt, auch wenn *Diodorus Siculus* (1. Jh. v.Chr.) die Vorstellung von den „Wiesen der Frommen" (τοὺς τῶν εὐσεβῶν λειμῶνας) über Orpheus auf die Ägypter zurückführt.[22]

Sämtliche bislang angeführten Belege bestätigen zwar die Existenz eines jenseitigen χῶρος εὐσεβῶν seit dem 3. Jh. v.Chr., deuten seine Ausstattung aber kaum einmal an. Einen Schritt weiter führt diesbezüglich schon Strabon, der den „Ort der Frommen" praktisch in einem Atemzug mit dem „elysischen Gefilde" nennt und beide zusammen mit dem Hades, aber dennoch deutlich geschieden von ihm entsprechend den homerischen Vorgaben „an den Enden der Erde" lokalisiert.[23] Wirklich an Profil gewinnt die Vorstellung vom χῶρος εὐσεβῶν jedoch erst im pseudoplatonischen Dialog *Axiochos*, der wie Strabon noch in das 1. Jh. v.Chr. gehört.[24] Dort stellt sich die Situation wie folgt dar: Herbeigerufen durch einen Schwächeanfall des Axiochos, der sich „dem Ende des Lebens nahe" wähnt (*Ax.* 364b) und bei dem sich infolgedessen „eine gewisse Furcht (vor dem Tod) breitmacht" (*Ax.* 365d), er-

---

[21] Vgl. SB I 2042 (3./2. Jh. v.Chr.) aus Alexandrien (!), wo allerdings nur noch χῶρον zu lesen und εὐσεβῶν von Preisigke ergänzt ist; eindeutig dann SB I 2048 (2. Jh. v.Chr., Alexandrien): Πτολεμαῖε χρηστέ, χαῖρε, | καὶ ευσεβῶν ἵκοιο χῶρον. Vgl. außerdem noch IMetr 11,6 (λειμών θ' ἱερὸς εὐσεβέων); 38,2 (die Verstorbene bewohnt „die heiligen Orte der Frommen"); 64 (= SEG 15,853),16, alle aus dem 2./1. Jh. v.Chr.

[22] Vgl. Diod. I 96,4f., wo „die Wiesen der Frommen" den „Strafen der Frevler im Hades" gegenübergestellt werden. Die Rückführung griechischer Weisheit auf die Ägypter ist ein Allgemeinplatz und gibt daher wenig für die Ursprungsfrage her. Eher schon kommt für den χῶρος εὐσεβῶν die orphische Herleitung in Frage, vgl. L. SANDERS, L'hellénisme de Saint Clément de Rome et le paulinisme (StHell 2), Leuven 1943, 104; ihm folgt etwa O. KNOCH, Eigenart (s. Anm. 15) 165.

[23] *Geogr.* III 2,13.

[24] C.W. MÜLLER, Die Kurzdialoge der Appendix Platonica. Philologische Beiträge zur nachplatonischen Sokratik (Studia et Testimonia Antiqua 17), München 1975, benennt als *terminus ante quem* für die Abfassung des Axiochos die Konstituierung der platonischen Tetralogienordnung (296 Anm. 6); letztere habe entweder zwischen 100 und 86 v.Chr. oder in den 70er Jahren des 1. Jh.s v.Chr. stattgefunden.

zählt Sokrates, gleichsam um seine bisher in rationalen Bahnen verlaufende Argumentation zu krönen, am Ende einen Mythos[25], der im unmittelbaren Zusammenhang den Glauben an die Unsterblichkeit der Seele befestigen helfen soll. Nach der Ablösung vom Körper, so Sokrates, gehe die Seele an einen unsichtbaren Ort und gelange schließlich, nachdem sie den Palast des Pluto und die Flüsse Acheron und Kokytos passiert habe, zum „Feld der Wahrheit“, wo Richter säßen und die Ankömmlinge verhörten. Zu lügen sei da unmöglich. Dann fährt der Text fort:

> „Alle also, die im Leben ein guter Dämon inspiriert hat, werden dann in dem Gelände für die Frommen angesiedelt (εἰς τὸν τῶν εὐσεβῶν χῶρον οἰκίζονται), wo die freigiebigen Jahreszeiten vor Früchten aller Art strotzen, wo Quellen mit reinem Wasser fließen und wo vielerlei Wiesen mit Blumen, die in allen Farben blühen, den Frühling ansagen. Hier finden Gespräche der Philosophen statt, Theateraufführungen der Dichter, Kreistänze und Konzerte, heitere Trinkgelage und Festschmäuse, die sich selber hergerichtet haben; hier herrscht unvermischte Freiheit von Kummer und ein angenehm lustvolles Leben; übermäßige Winterkälte oder Sommerhitze gibt es dort nämlich nicht, sondern erwärmt von freundlichen Sonnenstrahlen breitet sich dort ein mildes Klima aus. Für die in die Mysterien Eingeweihten gibt es dort einen Ehrenplatz; und sie zelebrieren dort auch ihre heiligen Riten.“[26]

Demnach fungiert der χῶρος εὐσεβῶν im *Axiochos* als eine Art Sammelbecken eschatologischer Motive, die unterschiedlichen Traditionskomplexen entstammen: Verbunden mit der Vorstellung vom elysischen Feld bzw. den Inseln der Seligen ist seit jeher die Hoffnung auf schlaraffenlandähnliche Zustände; dazu zählen auch

---

[25] Der hier im übrigen als λόγος eingeführt wird, was vielleicht bewußte Anspielung auf die Einleitung des eschatologischen Schlußmythos im platonischn Gorgias ist. Vgl. *Gorg.* 523a: „Höre also eine sehr schöne Rede (λόγος), die du zwar, meine ich, als Mythos ansehen wirst, ich aber als einen Logos, denn was ich zu sagen im Begriff bin, das will ich dir als etwas Wahres sagen.“

[26] *Ax.* 371b. Die Übersetzung nach PLATON, Sämtliche Werke, Bd. 10: Briefe – Unechtes, Griechisch und Deutsch (it 1410), hrsg. von K. HÜLSER, Frankfurt a.M. – Leipzig 1991.

ein mildes Klima und das Hervorbringen von Früchten aller Art.[27] Blumenübersäte Wiesen fehlen praktisch in keiner Jenseitsdarstellung[28], und erst recht gilt dies für die „Trinkgelage und Festschmäuse", die gleichsam zum universalen Code menschlicher Jenseitshoffnungen gehören[29].

b) Das Zeugnis der Inschriften

Spätestens seit dem 2. Jh. v.Chr. gewinnt die Vorstellung vom χῶρος εὐσεβῶν weiter an Verbreitung. Seit dieser Zeit bringen Grabepigramme zunehmend die Hoffnung oder auch Überzeugung zum Ausdruck, der oder die Verstorbene befinde sich am χῶρος εὐσεβῶν bzw. möge von Hermes oder einer der Unterweltsgottheiten (Hades, Pluton, Persephone; auch die Moiren werden genannt) dorthin gebracht werden.[30] Alternativ ist auch vom δόμος[31] oder θάλαμος εὐσεβῶν[32] die Rede, und an die Stelle der Genitivbe-

---

[27] Hom., *Od.* IV 561-569, vom elysischen Feld: „nicht Regen, nicht Schnee, nicht Winter von Dauer"; auf den Inseln der Seligen bringt der Acker nach Hesiod, *Op.* 171f., dreimal im Jahr honigsüße Frucht.

[28] Neben Pindar, *fr.* 129 Snell, worüber im Zusammenhang mit Plutarch noch zu reden sein wird, vgl. vor allem Aristoph., *Ran.* 351f.373f.448f.; auch an die orphischen „Wiesen der Frommen" bei Diod. I 96,5 (s.o.) sei an dieser Stelle noch einmal erinnert.

[29] Vgl. F. GRAF, Eleusis und die orphische Dichtung Athens in vorhellenistischer Zeit (RVV 33), Berlin – New York 1974, 98-103, mit Belegen.

[30] Der früheste inschriftliche Beleg datiert ins 3. Jh. v.Chr. (IG XII, 3 1190, aus Melos); ihm zeitlich am nächsten kommt eine der schon erwähnten ägyptischen Inschriften (SB I 2042, 3./2. Jh. v.Chr., aus Alexandrien). Im 2. Jh. v.Chr. häufen sich die Belege. Noch an den Anfang dieses Jh.s gehört IG XII,1 Nr. 141 aus Peraia auf Rhodos, weiter sind zu nennen: ICreta 2 xxi 2, p.1 (Poikilasion); SB I 2048 (Alexandrien); ca. 100 v.Chr. datiert das Grabepigramm eines Arztes aus Megalopolis in Messenien (SEG 34, Nr. 325), vgl. G.-J.-M.-J. TE RIELE, Deux épigrammes trouvées en Arcadie, in: Chiron 14 (1984) 235-243, hier 242. Hinzu kommt noch eine Reihe von Inschriften, die ins 2./1. Jh. v.Chr. gehören.

[31] Vgl. ScMin 226, Z.7f. (Olbia, 2. Jh. v.Chr.?), dort allerdings z.T. rekonstruiert; eindeutig IG XII,7, Nr. 447, Z.8; vgl. außerdem noch GVI 1474 = IDelos 481, Z.11f.; IG XII,5, Nr. 62, Z.8.

[32] Auf einer Inschrift aus Thrakien (IBulg I[2], Nr. 347, Z. 5f.: μακάρων τε μοῖραν ἔχοντες | [κείμεθα] καὶ εὐσεβέων ἐν σκιεροῖς θαλάμοις. Zu den „heiligen Hallen der Frommen" (εὐσε[βέ]ων τοὺς ἱεροὺς θαλάμου[ς]) geht der Verstorbene IIonia 463, Z.12.

stimmung εὐσεβῶν kann gelegentlich μακάρων treten[33]. Selbst wenn diese Zeugnisse, wie Hoffmann seinerzeit mit Recht bemerkte[34], nur Zugang zu den Anschauungen sozial gehobener Schichten vermitteln und überdies der Einfluß der Gattung in Rechnung zu stellen ist (wie ähnlich die Todesanzeigen unserer Zeit nicht unbedingt den Glauben ihrer Auftraggeber widerspiegeln müssen), dürfen sie doch als Reflex der Volksfrömmigkeit jener Tage gelesen werden. Dafür spricht nicht nur die erhebliche zeitliche Erstreckung – noch im 5. Jh. n.Chr. sind Epigramme der genannten Art nachzuweisen –, sondern mehr noch ihre geographische Streuung: Von Griechenland über die ägäischen Inseln samt Kreta bis nach Kleinasien, Zypern und Ägypten liegen einschlägige Inschriften vor.

Um eine Vorstellung von Aufbau und Inhalt dieses Typs von Grabepigrammen zu erhalten, dokumentieren wir im folgenden ein Exemplar dieser Gattung aus Larissa in Thessalien, das zwischen 150 und 200 n.Chr. anzusetzen ist, also etwas später als Plutarch und der 1 Clem datiert.[35] Obwohl die Inschrift nach Z.12 abbricht und daher vom Textumfang her vergleichsweise knapp ausfällt[36], liefert sie doch so etwas wie die „Minimalausstattung“ dieser Sorte von Texten:

---

[33] ISmyrna 529, Z.5f. (1. Jh. v.Chr.): καὶ μακάρων χῶρο[ν] πολυαινέτω ΥΔ[–] | κεκριμένα ναίει σύνθρονος εὐσεβέσιν. Vgl. weiter ICilic 32 (= SEG 37,1344), Z.5f. (4. Jh. n.Chr.); MAMA 8,221, Z.14 (4./5. Jh. n.Chr.)

[34] P. HOFFMANN, Die Toten in Christus. Eine religionsgeschichtliche und exegetische Untersuchung zur paulinischen Eschatologie (NTA.NF 2), Münster [3]1978, 44. Speziell für die Grabinschriften von Beröa kommt A.B. TATAKI, Ancient Beroia. Prosopography and Ancient Society (Meletemata 8), Athen 1988, 507f., sogar zu einem gegenteiligen Befund: auf diesen scheint die Oberschicht nicht in adäquater Weise repräsentiert zu sein. Nimmt man alle gefundenen Inschriften zusammen, ist aber „the entire spectrum of society“ vertreten.

[35] SEG 35, Nr. 630; eine – vom Namen und der Charakterisierung der Person abgesehen – fast gleichlautende und ebenfalls in das 2. Jh. n.Chr. zu datierende Inschrift fand sich in Beröa in Makedonien (SEG 38, Nr. 590). Eine Abbildung bei A.B. TATAKI, Beroia, plate IV (im Anhang).

[36] Was nicht bedeutet, daß der Textumfang nicht auch noch unterschritten werden könnte, vgl. SB I 2048: Πτολεμαῖε χρηστέ, χαῖρε, | καὶ εὐσεβῶν ἵκοιο χῶρον; fast identisch SB I 2042; nur wenig umfangreicher SEG 37,1344.

Z. 1:	Μνημόνις ἐνθά-	Ich, Mnemonis,
2:	δε κεῖμαι	liege hier,
3:	νέκυς ὁ φίλοισιν	tot, den Freunden
4:	ἄριστος, ὅν δέξατο	der Beste, den aufnahm
5:	Περσεφόνη χῶρον	Persephone an den Ort
6:	εἰς εὐσεβέων,	der Frommen.
7:	ὦ Φθόναι καὶ Πλου-	Oh, (ihr) Neidgöttinnen und (du)
8:	τεύ, συλήσας	Pluton, du raubtest
9:	χρύσεον ἄνθος	eine goldene Blume
10:	καὶ κείρας ἰδίων	und vernichtetest der Familie
11:	ἐλπίδας ἀθλοτάτας·	edelste Hoffnungen.
12:	ὃς μὲν γὰρ τὸ γλυκὺ	Dieser ...
13:	[– – – – – – – – – –]	[– – – – – – – – – –]

An Gattungselementen halten wir fest: Den Anfang macht in der Regel der (1) Name des Verstorbenen, der sich hier in der 1. Person gleichsam selbst vorstellt[37], es folgt (2) eine ethische Qualifizierung („den Freunden der Beste"), dann (3) die Aufnahme an den Ort der Frommen (Z.4-6) und schließlich (4) eine Klage (Z.7-11), wie sie vor allem dann üblich ist, wenn es sich bei dem oder der Verstorbenen um ein Kind oder einen noch jungen Menschen handelt.[38] Daran kann sich noch ein (5) Hinweis auf den Stifter der Inschrift anschließen, falls dieser nicht schon eingangs genannt wurde.[39] Für unsere Zwecke von besonderem Interesse sind die ethische Qualifizierung, weil sie offenbar den Grund für die Aufnahme an den „Ort der Frommen" angibt, und natürlich der „Ort der Frommen" selbst.

Zunächst zur ethischen Qualifizierung: Insbesondere bei jung an Jahren Verstorbenen fehlt sie gelegentlich, verschiedentlich tritt an ihre Stelle eine Angabe über das berufliche Wirken des Verstorbe-

---

[37] Ebenfalls in der 1. Person formulieren SEG 34,325; IG XII, Suppl. 184; GVI 1002 (= IMetr 11). Begleitet ist die Namensnennung häufig von Altersangaben, vgl. SEG 15,510 (89 Jahre); AM 80,165 (88 Jahre); IG XII, Suppl. 184 (80 Jahre).

[38] Darauf deutet in unserem Beispiel die Bezeichnung als „goldene Blume" bzw. die Rede von den „edelsten Hoffnungen" der Familie. Andere Inschriften werden noch deutlicher, indem sie entweder das Alter nennen (IG XII,7 Nr. 115; XII,8 Nr. 38) oder explizit von „Kindern" sprechen (GVI 665).

[39] Letzteres ist der Fall GVI 665, Z.3f.; am Ende erscheinen die Eltern als Stifter der Inschrift SEG 38,590 Z.24f., Verwandte (?) IEph 1629, der δῆμος von Hephaistion und drei weiteren Orten IG XII,8 Nr. 38.

nen. So im Fall eines Arztes aus Megalopolis, „der viele rettete" und vom „Vieltöter" Hades an den Ort der Frommen geschickt wurde[40]; andere Beispiele sind der Elementarschullehrer, der 52 Jahre „die Buchstaben unterrichtete" (IG XII,1 Nr. 141) oder die „Tempeldienerin der heiligen Demeter" (IG XII, Suppl. Nr. 184). Näher bei Plutarch (s.u.) stehen solche Inschriften, die vom „heiligen Lebenswandel" der Verstorbenen berichten[41] oder, wie im Fall der verstorbenen Kallisto, ihre Elternliebe, ihre *Kalokagathie* und ihre Tüchtigkeit rühmen[42]. Auf einem Epigramm aus Trikka in Thessalien greifen berufliche Qualifikation und ethische Qualifizierung ineinander: Der Verstorbene übte „die Kunst des Asklepios" aus, was ihm „bei allen Griechen Ruhm (δόξα!)" eintrug; im Totengericht wird er folglich für „gerecht" befunden und von Pluton zum „Ort der Frommen" geschickt.[43]

Derartige Anspielungen auf das Totengericht sind in den betreffenden Epigrammen aber eher die Ausnahme[44], wie überhaupt die Beschreibung des jenseitigen Ortes der Frommen – in der Hauptsache wohl gattungsbedingt – über Andeutungen kaum hinauskommt. Neben der stereotypen Formulierung, diese oder jene Unterweltsgottheit habe den/die Verstorbene(n) an den Ort der Frommen gebracht bzw. dort aufgenommen[45], erfahren wir oftmals nicht

---

[40] SEG 34,321, Z.6f.: [ἀ]λλ' ἐμὲ τὸν σώιζοντα συχνοὺς ὁ πολυκτόνο[ς] Ἅιδας | ἁρπαστὸν πέμψεν χῶρον ἐπ' εὐσεβέων.

[41] AM 80,165,6, Z.3: ὁσίως δὲ [βιώσας]; ähnlich SEG 15,510 Z.3.

[42] IG XII,8 Nr. 38, Z.15-17: Καλλιστὼ Ζώου Ἐλευσεινίου θυγάτηρ, ἡ φιλοστόργος | πρὸς γονεῖς, ἁγνὴ περὶ γάμον, [ἡ] καὶ καλὴ καὶ | ἀγαθή, ἀρετῇ διαφέρουσα. Schon an früherer Stelle (Z.6) wird ihr Verweilen am Ort der Frommen als σύνθρονος ἡρώων mit ihrer σωφροσύνη begründet. Zur Elternliebe vgl. noch IMetr 11,5, hier im Verein mit dem Freundesmotiv, letzteres allein auch IEph 1629.

[43] IG IX,2 Nr. 313, Z.5-8: [ἄσκησεν δὲ τέχνα]ν Ἀσκλαπιῶ, ἂν ἐφύλαξεν | [ἐν δὲ κρίσει φθιμένων νιν, ἐ]πιγνοὺς ἄνδρα δίκαιον | [πέμψε πρόφρων Πλούτων χ]ῶρον ἐς εὐσεβέων.

[44] Der einzige weitere Beleg ist eine Inschrift aus Ionien, wo Minos als Totenrichter erwähnt wird (IIonia 484, Z.13f.).

[45] Häufig auch als Bitte formuliert, vgl. ICor VIII 130, Z.5; IG XI,2 Nr. 313, Z.8; XII,5 Nr. 310, Z.14; IC 3:iv 37,9, jeweils ἄγε χῶρον ἐπ' εὐσεβέων o.ä.; weiter SB I 2042; 2048. Ferner ist des öfteren davon die Rede, daß der χῶρος ευσεβῶν den Verstorbenen „hat" (ἔχει) oder „haben wird" (vgl. IG XII,1 Nr. 141, Z.2; IC 2:xxi 2.p1, Z.12f.; IMetr 11,6).

mehr, als daß besagter Ort in den „Häusern der Persephone“[46] bzw. im Hades liegt (der in den Inschriften allerdings meist personifiziert ist)[47]. Etwas deutlicher fällt eine Inschrift aus Naxos aus, derzufolge der Tote „nicht an den Wassern des Acheron, und auch nicht im finsteren Tartaros“ wohnt, sondern die „Behausungen der Frommen (δόμους εὐσεβέων)“ erlost hat.[48] Wenn an anderer Stelle davon die Rede ist, die Seele (!) der Verstorbenen sei „in der Unsterblichen Ratsversammlungen zuhause, bei den Sternen hat sie den heiligen Ort der Glückseligen (ἱερὸν χῶρον ... μακάρων)“[49], so bedeutet dies nicht unbedingt einen Widerspruch. Hier macht sich, ebenso wie im Axiochos und später bei Plutarch, der Einfluß des in frühhellenistischer Zeit aufkommenden neuen wissenschaftlichen Weltbildes geltend, das die Erde als eine frei im Raum schwebende Kugel betrachtete, mit der Folge, daß man den Hades (und damit auch den χῶρος εὐσεβῶν) fortan am Himmel lokalisierte.[50]

Im übrigen deutet die Rede vom χῶρος *μακάρων* darauf hin, daß auch die inschriftlichen Belege oder doch wenigstens ein Teil von ihnen die im *Axiochos* konstatierte Verschmelzung ursprüng-

[46] IG XII,3 Nr. 1190, Z.5f.: ἐσθλὰ δὲ ναίω | δώματα Φερσεφόνας χώρῳ ἐν εὐσεβέων.

[47] Vgl. etwa ISmyrn 521 (2./1. Jh. v.Chr.): „Den in allem erfahrenen Mann und hervorragenden unter den Bürgern, der ans Ende seines greisen Lebens gekommen ist – ihn hat der schwarze Schoß des nächtlichen Hades aufgenommen und in die heilige Ruhestätte der Frommen gebettet (εὐσεβέων θ' ὁσίην εὔνασεν ἐς κλίσιν).“

[48] IG XII,5 Nr. 62, Z.7f. (1. Jh. v.Chr.): Ναίω δ' οὐκ 'Αχερόντος ἐφ' ὕ[δ]ασιν, οὐδὲ κελαινὸν | Τάρταρον, ἀλλὰ [δ]ό[μους] ε[ὐσε]βέων ἔλαχον.

[49] IG XII,8 Nr. 609, Z.3f. (aus Thasos); zur Vorstellung selbst vgl. schon Aristoph., *Pax* 832-835.

[50] Die Vorstellung eines „himmlischen Hades“ erstmals in der dem Platonschüler Herakleides Pontikos zugeschriebenen Schrift περὶ τῶν ἐν Ἅιδου (die Fragmente bei F. Wehrli, Die Schule des Aristoteles, H. 7: Herakleides Pontikos, Basel – Stuttgart ²1969 [Nr. 90-96]; dort auch Zweifel bzgl. der Echtheit der Schrift [90]); ein schönes Beispiel dafür, wie man traditionelle eschatologische Anschauungen in das neue Weltbild einarbeitet, ist auch Ciceros *Somnium Scipionis*. Für unsere Zwecke besonders interessant dürfte *Somn.* 15-16 sein: diejenigen, die Eltern und Staat *iustitia* und *pietas* angedeihen lassen, finden den Weg zum Himmel; sie bewohnen einen heiligen Bezirk (*templum*) bzw. Ort (*locus*) von „strahlendstem Glanz“, der von den Griechen mit der *Milchstraße* identifiziert werde. Zur Sache allgemein vgl. M.P. Nilsson, Geschichte II 240f.; speziell zu den Grabinschriften P. Hoffmann, Toten (s. Anm. 34).

lich selbständiger eschatologischer Konzepte voraussetzen. Bedürfte es dazu noch eines besonderen Beweises, so liefert ihn ein Grabepigramm aus dem spätptolemäischen Ägypten.[51] Darin wird die eingangs geäußerte Überzeugung, die Verstorbene sei zu „heiligen Orten der Frommen"[52] fortgegangen, an späterer Stelle dahingehend präzisiert, die Götter hätten sie „zu den Inseln der Glückseligen" bzw. „den heiligen Fluren des baumreichen Elysions" geschickt.[53] Dort, so der Text weiter, warte gleichsam ein besonderer eschatologischer Lohn: ihr werde – wörtlich – „die Ehre der halbgöttlichen Ehegattinnen" zuteil.[54] Andere Inschriften stellen einen Platz am Tisch der Unterweltsgöttin in Aussicht[55] oder verheißen dem Verstorbenen wegen seines Glaubens die Einsetzung zum „Vorsteher der Eingeweihten" am Ort der Frommen.[56]

3. Zur Rezeption des χῶρος εὐσεβῶν bei Plutarch

Plutarch betritt demnach alles andere als eine *terra incognita*, wenn er eingangs des 7. Kapitels seines kleinen Traktats *De latenter vivendo* die Rede auf den χῶρος εὐσεβῶν bringt. Vielmehr greift er damit einen eschatologischen Terminus auf, der in der Fluchtlinie platonischen Denkens deutlich an Profil gewonnen hat (*Axiochos*) und in der Volksfrömmigkeit seiner Zeit fest verankert

---

[51] É. BERNAND, Inscriptions métriques de l'Egypte gréco-romaine. Recherches sur la poesie épigrammatique des Grecs en Egypte (Annales littéraires de l'Université de Besançon 98), Paris 1969, Nr. 38 (= IMetr 38).

[52] IMetr 38, Z.2: ἡ δ' ἱεροὺς χώρους οἴχεται εὐσεβέων.

[53] IMetr 38, Z.9f.: πέμψαν δ' ἀθάνατοί με θεοὶ μακάρων ἐβὶ νήσους | εὐδέν[δ]ρου θ' ἱερὰς Ἠλυσίοιο γ[ύ]ας. Vgl. diesbezüglich auch IGUR III, Nr. 1146 (= IG XIV, Nr. 1973), wo es heißt, die Verstorbene sei „zu einem besseren Ort (χῶρον)" gewechselt; sie wohne „auf den Inseln der Seligen, im elysischen Gefilde" (Z. ?). Daran schließt sich noch eine für die Inschriften ungewöhnlich breite Schilderung des Elysions an. Vgl. weiter IGUR III, Nr. 1247, Z.4: μετ' εὐσεβέων δ' ἐσμὲν ἐν Ἠλυσίωι; IGUR III, Nr. 1336C, col. I, Z.8: χῶρον ἐς Ἠλύσσιον.

[54] IMetr 38, Z.8: ἡμιθέων ἀλόχων κῦδος. Den größeren Rahmen gibt die auf Inschriften häufig thematisierte Heroisierung der Toten ab. Vgl. aus unserem Material IG XII,8 Nr. 38, Z.6 (die oben [Anm. 42] schon einmal erwähnte Kallisto als συνθρόνος ἡρώων); als Heros gegrüßt wird Publius Aufidius auf einer Inschrift aus Ephesus (IEph 1629, Z.4f.).

[55] IPeraia 5:80,20 Z.8: θεᾶς Φερσεφόνης πάρεδρος.

[56] IG XII,1 Nr. 141, Z.5f.: μυστικῶν τε ἐπιστάτην | ἔταξαν αὐτὸν πίστεως πάσης χά[ριν].

ist (Grabepigramme). Möglicherweise diente der pseudoplatonische *Axiochos* (bzw. dessen eschatologischer Mythos) bei der Abfassung des Schlußkapitels sogar als Vorbild.[57] Dennoch übernimmt Plutarch nicht einfach Vorhandenes, sondern geht gerade in der Ausgestaltung des Ortes der Frommen andere Wege.

a) Die Ausstattung des „Ortes der Frommen": „Pindarrelecture"

Plutarch skizziert nämlich den χῶρος εὐσεβῶν mit Hilfe eines Threnos Pindars, der ausführlicher noch in der – wahrscheinlich unechten – *Consolatio ad Apollonium* zu Wort kommt.[58] Danach stellt Pindar den Frommen im Hades einen „lieblichen Ort" (ἐρατὸν χῶρον) in Aussicht, an dem – über das auch in *De lat. viv.* 7 präsente Leuchten der Sonne auf rosenroten Wiesen hinaus – Weihrauchbäume Schatten spenden, haufenweise goldene Früchte zur Hand sind und man sich an Pferden, sportlichen Wettkämpfen, an Brett- und Harfenspiel erfreuen kann. Plutarch korrigiert dieses Jenseitsgemälde in mehreren Punkten. Während er einerseits an Schatten spendenden Bäumen festhält, verzichtet er andererseits auf die goldenen Früchte[59]; gleichsam im Gegenzug wird die Beschreibung des jenseitigen Ortes der Frommen um „wellenlose und glatte Flüsse" erweitert. Letzteres steht wohl in bewußter Opposition zu den „tosenden Flüssen" im Hades[60] und hat auch eine gewis-

---

[57] Dafür könnte sprechen, daß *De lat. viv.* 7 ebenso wie *Ax.* 371C-E dem χῶρος εὐσεβῶν eine Schilderung des Straforts folgen läßt, der beiden Autoren zufolge im Erebos anzusiedeln ist, wobei die weiteren Bestimmungen dann allerdings auseinandergehen. Von den vier „Büßerfiguren" des Axiochos (Danaiden; Tantalos; Tityos; Sisyphos) kehren bei Plutarch nurmehr zwei wieder (Tityos; Sisyphos).

[58] Vgl. *Cons. ad Apoll.* 35,120C = Pindar, *fr.* 129, tituliert mit περὶ τῶν εὐσεβῶν ἐν Ἅιδου. Zur fraglichen Verfasserschaft Plutarchs vgl. K. ZIEGLER, Plutarchos 157f.161, der die Schrift für „eine farblose Rhetorenschülerarbeit" hält; auf derselben Linie R. KASSEL, Untersuchungen zur griechischen und römischen Konsolationsliteratur, München 1958, 48. Als echt sieht die Schrift offenbar F. GRAF, Eleusis 85f. (s. Anm. 29), an, der vermutlich J. HAMI, Plutarque. Consolation à Apollonios. Texte et traduction avec introduction et commentaire, Paris 1972, folgt.

[59] Möglicherweise inspiriert durch die Rede von den „unfruchtbaren Weiden" (ἰτέαι ὠλεσίκαρποι) bei Hom., *Od.* 10,510, bzw. durch die Diskussion der Stelle in den Scholien, wonach die Toten im Hades keiner Nahrung bedürfen.

[60] Hom., *Od.* 10,515.

se Parallele in den Quellen reinen Wassers im *Axiochos* (*Ax.* 371c).

Die deutlichsten Korrekturen betreffen indessen das, was man den eschatologischen Lohn nennen könnte. Verglichen mit Pindar, aber auch mit dem pseudoplatonischen *Axiochos*, gibt sich Plutarch außerordentlich bescheiden, um nicht zu sagen nüchtern. An die Stelle des anderweitig üblichen sportlichen, musischen und kulinarischen Zeitvertreibs treten in *De lat. viv.* 7 die gemeinschaftlich begangenen „Erinnerungen und Gespräche über vergangene und gegenwärtige Dinge". Das „erinnert" nicht nur an die „Gespräche der Philosophen" im Axiochos[61], sondern steht auch in direktem Gegensatz zur wahren Strafe der Frevler, die Plutarch zufolge der ἄγνοια, der λήθη sowie der ἀδοξία anheimfallen. Der Gedanke ist allerdings nicht völlig konsequent durchgeführt, weil dem Vermögen zur aktiven Erinnerung auf seiten der Frommen streng genommen der „Gedächtnisschwund" auf seiten der Frevler gegenüberstehen müßte, bzw., in umgekehrter Perspektive, dem Umstand, daß die Frevler in Vergessenheit geraten, das rühmende Gedenken der Frommen durch die Nachwelt entspräche – ein Gedanke, der seiner epikureischen Herkunft wegen für Plutarch offenbar nicht in Frage kommt.[62] Das ist deshalb ein wenig erstaunlich, weil Plutarch mit seiner Mythenkritik, wie er sie nachfolgend im Blick auf den jenseitigen Strafort äußert, auf einer Linie mit epikureischen und stoischen Auffassungen zu liegen scheint.[63]

---

[61] Ganz von ferne mag man auch die Hoffnung des Sokrates mithören, der seine Reise in den Hades antritt, um dort mit den Großen der Geschichte „zu reden und zusammenzusein und [um] sie zu prüfen (διαλέγεσθαι καὶ συνεῖναι καὶ ἐξετάζειν)", vgl. Plat., *Apol.* 41c.

[62] Zur epikureischen Verortung der *memoria* vgl. Sen., *Cons. Marc.* 5,2, wo Seneca dieses „eschatologische Programm" einem epikureischen Philosophen in den Mund legt (H.J. KLAUCK, Umwelt II 93f.).

[63] Vgl. Sen., *Cons. Marc.* 19,4: „Bedenk: nichts Böses berührt den Gestorbenen; das, was uns die Unterwelt schrecklich macht, ist Märchen, keine Finsternis bedroht die Toten, kein Kerker; weder Flüsse, von Feuer brennend, noch der Strom „Vergessen" noch Gerichtshöfe und Angeklagte und bei dieser so lockeren Freiheit andererseits irgendwelche Tyrannen. Spielerisch erfunden haben das die Dichter und uns mit nichtigen Schreckbildern geängstigt."

b) Die „Frömmigkeit" der Frommen

Die Beantwortung der Frage, wem der geschilderte eschatologische Lohn winkt, steht noch aus. Denn die dem Terminus χῶρος εὐσεβῶν innewohnende und im Verlauf der bisherigen Argumentation mehr oder weniger unreflektiert übernommene Antwort, es seien eben die Frommen, befriedigt nur auf den ersten Blick bzw. bedarf der weiteren Präzisierung. Welche Art von Frömmigkeit hat Plutarch im Sinn? Doch kaum die Teilnahme am öffentlichen Kult oder die Einweihung in die Mysterien! Weitaus näher liegt, vom ganzen Argumentationsduktus des Traktats her, eine ethische Konnotation des Begriffs, so daß sich – mit einem Seitenblick auf das Neue Testament[64] – fragen läßt: Wie lauten die „Einlaßbedingungen" für den jenseitigen Ort der Frommen?

Erste Aufklärung verschafft der unmittelbare Kontext: In direkter Opposition zu den Kandidaten des χῶρος εὐσεβῶν stehen „diejenigen, die im Leben gefrevelt und gegen die Gesetze verstoßen haben". Deren Zuordnung zu einem „dritten Weg"[65] ruft Plutarchs größeren antiepikureischen Traktat *Non Posse Suaviter Vivi Secundum Epicurum* ins Gedächtnis, wo er die Menschen im Bezug auf ihre Gottesvorstellungen (und das daraus resultierende Gottesverhältnis) in drei Klassen (γένη) aufteilt: „zur ersten Klasse gehören Ungerechte und Schlechte (τὸ τῶν ἀδίκων καὶ πονηρῶν), zur zweiten die große Masse und die Ungebildeten (τῶν πολλῶν καὶ ἰδιωτῶν), zur dritten die Tugendhaften und Vernünftigen (τῶν ἐπιεικῶν καὶ νοῦν ἐχόντων)".[66] Es liegt nun nahe, die Frevler und Gesetzesbrecher aus *De lat. viv.* 7 mit den Ungerechten und Schlechten in *Non posse* 25 zu identifizieren, während die „Frommen" den tugendhaften und verständigen Menschen zu entsprechen scheinen. Das sind die „Guten" (ἀγαθοί), die einen heiligen und gerechten Lebenswandel führen (βεβιωκότων ὁσίως καὶ δικαίως) und deren Gottesvorstellungen ohne Makel sind (καθαροῖς περὶ θεοῦ δόξαις συνόντες).[67]

---

[64] Vgl. 1 Kor 6,9-11, wo Paulus mit Hilfe eines Lasterkatalogs auf negative Weise Einlaßbedingungen für das Reich Gottes formuliert (H.J. KLAUCK, 1 Kor 46).

[65] *De lat. viv.* 7,1130C-D: ἡ δὲ τρίτη τῶν ἀνοσίως βεβιωκότων καὶ παρανόμως ὁδός ἐστιν.

[66] *Non posse* 25,1104A; vgl. G.M. LATTANZI, Composizione 332-337. Die Übersetzung nach B. SNELL, Plutarch.

[67] Vgl. *Non posse* 28,1105C; 22,1102D.

Dennoch geht die Gleichung zwischen „Guten" (*Non posse*) und „Frommen" (*De lat. viv.*) nicht völlig auf, und zwar aus mehreren Gründen. Zunächst gibt es doch zu denken, daß Plutarch in *De lat. viv.* 7 evidentermaßen nur zwei Gruppen von Menschen einander gegenüberstellt, auch wenn der „dritte Weg" scheinbar die Erwähnung einer weiteren Gruppe zwingend einfordert.[68] Weitaus gewichtiger ist indessen der Einwand, daß die in den beiden antiepikureischen Schriften zur Anwendung gelangenden semantischen Konzepte von „gut" und „fromm" erheblich differieren. Zum einen spielt nämlich die theologische Qualifikation der Frommen in *De lat. viv.* so gut wie keine Rolle[69], und zum anderen besteht deren ethische Qualifikation auch nicht nur in einer dem frevelhaften und widergesetzlichen Leben entgegengesetzen Lebensweise. Vielmehr sucht Plutarch die Frommen gezielt unter denen, die sich im Leben Ruhm (δόξα) erworben haben und auf *diese* Weise dem Sein (τὸ εἶναι) gerade keine Absage erteilen.[70] Damit ist die Zahl der Kandidaten für den Ort der Frommen von vornherein stark eingeschränkt, weil der Erwerb von δόξα an die *politisch-philosophische* Umsetzung der dem epikureischen Leben im Verborgenen entgegengesetzten „Antimaxime" „Laß dich erkennen!" (γνῶσθητι) geknüpft ist.[71] Dazu aber sind nur die „Tüchtigen" (χρηστοί) in der Lage, die im Unterschied zu den Ungebildeten (ἀμαθεῖς), Schlechten (πονηροί) und Uneinsichtigen (ἀγνώμονες) über entsprechende Fähigkeiten (ἀρεταί) verfügen.[72]

---

[68] Vgl. die Anm. z.St; skeptisch allerdings F. GRAF, Eleusis (s. Anm. 29) 84f. Anm. 27 („eine Region von μέσως βεβιωκότες konnte Plutarch nicht gebrauchen").

[69] Der einzige vage Hinweis findet sich in *De lat. viv.* 4,1129B: „Wenn aber jemand in der Naturbetrachtung Gott, die Gerechtigkeit und die Vorsehung preist, ...".

[70] Soviel gibt die Eingangszeile von *De lat. viv.* 7 her, auch wenn sich deren ursprünglicher Sinn nicht mehr völlig rekonstruieren lassen wird und man ohne die Annahme einer Lücke kaum auskommt, vgl. die Anm. z. St. Die Wiederaufnahme von τὸ εἶναι am Anfang von *De lat. viv.* 7,1130C geschieht nicht zufällig, sondern mit Absicht.

[71] Zur plutarchschen „Antimaxime" und deren *therapeutischer* Funktion, die im Bild vom Fieberkranken (*De lat. viv.* 2,1128D) und im Beispiel der öffentlich ausgestellten Kranken (*De lat. viv.* 2,1128E) eingefangen ist, vgl. den Beitrag von R. FELDMEIER, Mensch 88-95, im selben Band.

[72] Vgl. *De lat. viv.* 2–3,1128D-F. An dieser Zweiteilung fällt auf, daß in *De lat. viv.* vereinigt ist, was in *Non posse* noch getrennt ist: Mangelhafte Bil-

Wie aus den beiden Beispielreihen in *De lat. viv.* 3–4 erhellt, denkt Plutarch ausnahmslos an Staatsmänner und Philosophen, wobei es sich bei ersteren vielfach um Militärs handelt, die im Krieg erfolgreich waren. Daß Epikur innerhalb der ersten Beispielreihe die Liste der Philosophen abschließt (*De lat. viv.* 3,1128F), muß mindestens überraschen, erklärt sich aber damit, daß Plutarch die Paradoxie aufzeigen will, in die sich Epikur mit seiner emsigen literarischen und „katechetischen" Tätigkeit begeben hat.[73]

4. *Die Aufnahme des χῶρος εὐσεβῶν im 1. Clemensbrief*

Kehren wir am Ende unserer Überlegungen noch einmal zum 1. Clemensbrief zurück. Dort erfolgt die Erwähnung des χῶρος εὐσεβῶν in 1 Clem 50,3 derart unvermittelt und ohne jede nähere Erklärung, daß man sowohl für den Verfasser des Schreibens wie auch für seine Adressaten, die Gemeinde in Korinth, die Kenntnis der Vorstellung voraussetzen darf. Möglicherweise nimmt die Formulierung – die in Liebe Vollendeten „haben" (ἔχουσιν) den Ort der Frommen – sogar bewußt den Stil der Inschriften auf.[74] Grob besehen stellt sich der Sachverhalt also ähnlich wie bei Plutarch dar. Bei näherer Betrachtung dominieren allerdings die Unterschiede.

a) Synkrisis: 1 Clem und Plutarch

Die entscheidende Differenz liegt sicher darin, daß 1 Clem zufolge die Verweildauer am Ort der Frommen bis zum „Erscheinen des Reiches Christi" begrenzt ist. D.h., der χῶρος εὐσεβῶν verliert seine Bestimmung als endgültiger Aufenthaltsort der Frommen nach dem Tod und stellt in der Folge nurmehr eine Etappe auf dem Weg zur allgemeinen Totenauferstehung dar, an der 1 Clem natürlich getreu der urchristlichen Tradition weiter festhält.[75] Zuhilfe

---

dung ist Kennzeichen der großen Masse, vgl. *Non posse* 21,1101D: ἡ δὲ τῶν πολλῶν καὶ ἀμαθῶν καὶ οὐ πάνυ μοχθηρῶν διάθεσις κτλ.

[73] Vgl. auch den *De lat. viv.* 1,1128B geäußerten Vorwurf, Epikur verschaffe sich mit der Mahnung zur ἀδοξία „ungerechtfertigten Ruhm".

[74] Vgl. IG XII,1 Nr. 141, Z.2 (hier ist ἔχει allerdings ergänzt); XII,8 Nr. 609, Z.4; ICret 2:xxi 2, p.1, Z.12; IMetr 11, Z.6; SEG 37, Nr. 1344, Z.6.

[75] Vgl. neben 1 Clem 50,4 noch 1 Clem 24,2 („die zu einem bestimmten Zeitpunkt geschehende Auferstehung"); 26,1 („Auferstehung aller, die ihm

kommt dem Verfasser des Briefes bei der Neubestimmung des χῶρος εὐσεβῶν der Umstand, daß – wie eingangs bereits erwähnt – die frühjüdische Apokalyptik mit den „Wohnungen“ oder „Kammern“ ein eschatologisches Konzept entwickelt hat, das ebenfalls mit interimistischen Aufenthaltsräumen für die Zeit bis zum endgültigen Gericht rechnet und die Basis für die in 1 Clem 50,4 vorgenommene Identifizierung des χῶρος εὐσεβῶν mit den ταμεῖα abgibt. Über die früher genannten Stellen hinaus[76] wäre hier besonders auf 1 Hen 22 hinzuweisen, die Beschreibung von vier Hohlräumen für „die Geister der Seelen der Toten ..., um sie unterzubringen bis zum Tag ihres Gerichts und (bis) zur festgesetzten Frist, dem großen Gericht über sie.“[77] Von diesen Hohlräumen ist auch einer für die Seelen der Gerechten reserviert, „da, wo die Quelle des Wassers ist, darüber Licht“ (1 Hen 22,9). Möglicherweise lieferten die Parallelen in der Ausstattung (Wasser, Licht) den entscheidenden Anstoß zur Gleichsetzung des griechisch-hellenistischen „Ortes der Frommen“ mit den jüdisch-apokalyptischen „Kammern“.

Der zweite gewichtige Unterschied lautet: Nicht der, der sich im Leben δόξα erwirbt, sondern die zentrale christliche Tugend der ἀγάπη verwirklicht, gelangt an den χῶρος εὐσεβῶν. Das zielt im Kontext des Briefes, der an eine Gemeinde in „unheiligem Aufruhr“ (1 Clem 1,1) gerichtet ist, vor allem auf die Eintracht[78], impliziert aber auch das Halten der Gebote Christi[79]. Trotz dieser zunächst rein binnenkirchlichen Orientierung ist die Anwartschaft auf den χῶρος εὐσεβῶν aber nicht auf Christen beschränkt, sondern umfaßt zumindest potentiell „alle Geschlechter von Adam bis

---

[sc. dem Schöpfer] in der Zuversicht rechtschaffenden Glaubens gedient haben“) sowie 28,1 die Rede von den „kommenden Gerichten“.

[76] Vgl. die Anm. 13 gesammelten Belege, darunter vor allem 2 Bar 30,2: „Und es wird dann zu jener Zeit geschehen, daß jene Schatzkammern geöffnet werden, in denen die bestimmte Zahl der Seelen der Gerechten aufbewahrt wird.“

[77] 1 Hen 22,3f.; die Übersetzung nach S. UHLIG, Das Äthiopische Henochbuch (JSHRZ V/6), Gütersloh 1984.

[78] Vgl. 1 Clem 49,5: „Liebe kennt keine Spaltung, Liebe lehnt sich nicht auf, Liebe tut alles in Eintracht“. Den Hintergrund gibt die Auflehnung einiger „Jüngerer“ ab, die in der Absetzung der Presbyter gipfelte, vgl. 1 Clem 44,6; 46,9; 47,6.

[79] 1 Clem 49,1; in Kombination mit der ὁμόνοια 50,5: „Selig sind wir, Geliebte, wenn wir die Gebote Gottes in liebender Eintracht erfüllten, ...“.

zum heutigen Tag" (1 Clem 50,3)[80] – wieder ein signifikanter Unterschied zu Plutarch, der den Erwerb von δόξα ja an das Vorhandensein bestimmter ἀρεταί geknüpft hatte. Wenn man so will, kann man von einer *Demokratisierung* (und Entmilitarisierung?) des χῶρος εὐσεβῶν im 1 Clem sprechen.

b) Der χῶρος εὐσεβῶν im Rahmen der Eschatologie des 1 Clem

Werfen wir von da aus noch einen Blick auf die gesamte Eschatologie des 1 Clem. Daß der χῶρος εὐσεβῶν seine zeitliche Grenze in der allgemeinen Totenauferstehung findet und somit einen der frühesten Belege für den sogenannten „Zwischenzustand" abgibt, haben wir bereits festgestellt und bedarf keiner weiteren Begründung. Strittig ist jedoch das Verhältnis zum τόπος τῆς δόξης bzw. τόπος ἅγιος (1 Clem 5,4.7). Handelt es sich hierbei – nun nicht mehr traditionsgeschichtlich, sondern systematisch, d.h. in der Sicht des 1 Clem – um identische Größen oder stellt der „Ort der Herrlichkeit" noch einmal einen Ehrenplatz (z.B. für Märtyrer) innerhalb des χῶρος εὐσεβῶν dar, vergleichbar dem „Vorrang" (προεδρία) der Eingeweihten am χῶρος εὐσεβῶν in der *Consolatio ad Apollonium*?[81] Oder bezeichnet der „heilige Ort" gar schon die endgültige Gemeinschaft mit Christus, die wenigen Auserwählten wie Petrus und Paulus unmittelbar nach ihrem Tod zuteil wird?[82]

Wahrscheinlich wird man die Beantwortung dieser Fragen ein Stück weit offen lassen müssen, weil dem Verfasser des 1 Clem an einer Systematisierung der Eschatologie nichts liegt. Das zeigt sich nicht zuletzt daran, daß er neben dem χῶρος εὐσεβῶν weitere Elemente griechisch-hellenistischer Jenseitsvorstellungen aufgreift, ohne sie zueinander in Beziehung zu setzen: 1 Clem 4,12; 51,4 zufolge fuhren Dathan und Abiran lebend „in den Hades"; 20,5 erwähnt dagegen „unerforschliche und unbeschreibliche Gerichte der Abgründe (ἀβύσσων) und der Unterwelt (νέρτερων)". In den neueren systematischen eschatologischen Abhandlungen spielt der 1 Clem deshalb kaum mehr eine Rolle, wie ja auch die Vorstellung von einem „Zwischenzustand" mehr oder weniger aufgegeben

[80] Vgl. O. KNOCH, Eigenart (s. Anm. 15) 160f.; A. LINDEMANN, 1 Clem (s. Anm. 3) 145.

[81] Letzteres vertritt O. KNOCH, Eigenart (s. Anm. 15) 171.

[82] So die Lösung von TH. BAUMEISTER, Anfänge (s. Anm. 4) 254.

worden ist.[83] Unbeschadet ihres Fußnotendaseins in der gegenwärtigen systematischen Theologie behält aber die Eschatologie bzw., besser, die Art und Weise, wie der 1 Clem eschatologische Fragestellungen angeht, Vorbildcharakter. Hier schreibt ein frühchristlicher Autor, der nicht einfach auf die Tradition pocht, sondern Theologie im Dialog mit den Hoffnungen der Menschen seiner Zeit entwickelt und sich auch nicht scheut, der ererbten jüdisch-apokalyptischen Vorstellungswelt „heidnische Elemente" hinzuzufügen. Was herauskommt, mag systematisch nicht überzeugen, ist aber auf alle Fälle ein Paradigma für die gelungene Inkulturation des Christentums in die religiöse Welt der angehenden Spätantike.

---

[83] Vgl. exemplarisch M. KEHL, Eschatologie, Würzburg 1986, 275-279 (die gegenwärtige katholische Position zur „Auferstehung im Tod"); vgl. aber auch die kritischen Einwände bei J. RATZINGER, Eschatologie – Tod und ewiges Leben (Kleine Katholische Dogmatik IX), Regensburg 1977, 95-99. Zur Stellung der Eschatologie des 1 Clem innerhalb der „Apostolischen Väter" vgl. immerhin G. GRESHAKE – J. KREMER, Resurrectio Mortuorum. Zum theologischen Verständnis der leiblichen Auferstehung, Darmstadt 1986, 176-183.

Abkürzungen

Die Abkürzungen für Zeitschriften, Reihen, Sammelwerke etc. folgen S. SCHWERTNER, Internationales Abkürzungsverzeichnis für Theologie und Grenzgebiete, Berlin ²1992. Die Zitation der antiken Literatur entspricht den Konventionen der gängigen Lexika, biblische Bücher werden nach den Loccumer Richtlinien abgekürzt. Für die Schriften Plutarchs gilt folgender Schlüssel:

Ad princ. inerud.	=	*Ad principem ineruditum*
Adv. Col.	=	*Adversus Colotem*
Amat.	=	*Amatorius*
Amat. narr.	=	*Amatoriae narrationes*
An seni	=	*An seni respublica gerenda siti*
An virt. doc.	=	*An virtus doceri possit*
An vit.	=	*An vitiositas ad infelicitatem sufficiat*
Animine an corp.	=	*Animine an corporis affectiones sint peiores*
Apophth. Lac.	=	*Apophthegmata Laconica*
Aquane an ignis	=	*Aquane an ignis sit utilior*
Comp. an. procr.	=	*Compendium libri de animae procreatione in Timaeo*
Comp. Aristoph.	=	*Comparationis Aristophanis et Menandri compendium*
Coni. praec.	=	*Coniugalia praecepta*
Cons. ad Apoll.	=	*Consolatio ad Apollonium*
Cons. ad ux.	=	*Consolatio ad uxorem*
De Alex. fort.	=	*De Alexandri magni fortuna aut virtute libri ii*
De am. prol.	=	*De amore prolis*
De amic. mult.	=	*De amicorum multitudine*
De an. procr.	=	*De animae procreatione in Timaeo*
De aud.	=	*De recta ratione audiendi*
De cap.	=	*De capienda ex inimicis utilitate*
De coh.	=	*De cohibenda ira*
De comm. not.	=	*De communibus notitiis adversus Stoicos*
De cup.	=	*De cupiditate divitiarum*
De curios.	=	*De curiositate*
De def. orac.	=	*De defectu oraculorum*
De E	=	*De E apud Delphos*

De exil.	=	*De exilio*
De esu carn.	=	*De esu carnium orationes ii*
De facie	=	*De facie quae in orbe lunae apparet*
De fato	=	*De fato*
De fort.	=	*De fortuna*
De fort. Rom.	=	*De fortuna Romanorum*
De frat. am.	=	*De fraterno amore*
De garr.	=	*De garrulitate*
De gen. Socr.	=	*De genio Socratis*
De glor. Ath.	=	*Bellone an pace clariores fuerint Athenienses*
De Herod. malign.	=	*De Herodoti malignitate*
De invidia	=	*De invidia et odio*
De Is. et Os.	=	*De Iside et Osiride*
De lat. viv.	=	*An recte dictum sit latenter esse vivendum*
De lib. ed.	=	*De liberis educandis*
De mus.	=	*De musica*
De plac. phil.	=	*De placitis philosophorum, libri v*
De primo frig.	=	*De primo frigido*
De Pyth. orac.	=	*De Pythiae oraculis*
De rect. rat.	=	*De recta ratione audiendi*
De se ipsum	=	*De se ipsum citra invidiam laudando*
De sera	=	*De sera numinis vindicta*
De stoic. rep.	=	*De stoicorum repugnantiis*
De superst.	=	*De superstitione*
De tranq. an.	=	*De tranquillitate animi*
De tu. san.	=	*De tuenda sanitate praecepta*
De unius dom.	=	*De unius in republica dominatione, populari statu, et paucorum imperio*
De virt.	=	*De virtute et vitio*
De virt. mor.	=	*De virtute morali*
De vit.	=	*De vitioso pudore*
De vitando	=	*De vitando aere alieno*
Gryll.	=	*Bruta animalia ratione uti, sive Gryllus*
Inst. Lac.	=	*Instituta Laconica*
Lac. apophth.	=	*Lacaenarum apophthegmata*
Max. cum princ.	=	*Maxime cum principibus philosopho esse disserendum*
Mul. virt.	=	*Mulierum virtutes*
Non posse	=	*Non posse suaviter vivi secundum Epicurum*
Par. Graec. et Rom.	=	*Parallela Graeca et Romana*

Praec. ger. reip.	=	*Praecepta gerendae reipublicae*
Quaest. conv.	=	*Quaestionum convivalium libri*
Quaest. nat.	=	*Quaestiones naturales*
Quaest. Rom.	=	*Quaestiones Romanae*
Quaest. Graec.	=	*Quaestiones Graecae*
Quaest. Plat.	=	*Platonicae quaestiones*
Quomodo adol.	=	*Quomodo adolescens poetas audire debeat*
Quomode adul.	=	*Quomodo adulator ab amico internoscatur*
Quomodo quis suos	=	*Quomodo qui suos in virtute sentiat profectus*
Reg. et imperat.	=	*Regum et imperatorum apophthegmata*
Sept. sap. conv.	=	*Septem sapientium convivium*
Stoic. abs. poet.	=	*Compendium argumenti Stoicos absurdiora poetis dicere*
Terrestr. an aquat.	=	*Terrestriane an aquatilia animalia sint callidiora*
Vitae dec. orat.	=	*Vitae decem oratorum*

Bibliographie

Aufgenommen sind im folgenden nur Werke, die über die einzelnen Beiträge hinweg häufiger zitiert wurden; seltener benutze Sekundärliteratur ist jeweils an Ort und Stelle vollständig ausgewiesen bzw. durch einen Verweis auf die entsprechende Anmerkung kenntlich gemacht.

a) Textausgaben und Übersetzungen

O. APELT, Streitschriften wider die Epikureer, Bd. 1 (PhB), Hamburg 1926.

G. ARRIGHETTI, Epicuro, Opere (BCR 41), Turin 1973.

B. EINARSON - P.H. DE LACY, Plutarch's Moralia, Vol. XIV (LCL 428), London/Cambridge, Mass. 1967.

C.W. CHILTON, Diogenes of Oenoanda: The Fragments, London 1971.

H.J. KLAUCK, Plutarch von Chaironeia, Moralphilosophische Schriften (Reclam-UB 2976), Stuttgart 1997.

H.W. KRAUTZ, Epikur, Briefe – Sprüche – Werkfragmente (Reclam-UB 9984), Stuttgart [2]1985.

M. POHLENZ - R. WESTMAN, Plutarchi Moralia, Vol. VI/2 (Libri contra Stoicos scripti; Libri contra Epicureos scripti), Leipzig 1959.

F. PORTALUPI, Plutarco: De latenter vivendo. Traduzione e note (Università di Torino. Pubblicazioni della facolta' di magistero 22), Turin 1961.

D.A. RUSSELL, Plutarch: Selected Essays and Dialogues. A New Translation (World's Classics), Oxford 1993.

B. SNELL, Plutarch: Von der Ruhe des Gemüts und andere philosophische Schriften, Zürich 1948.

K. ZIEGLER, Plutarch: Über Gott, Vorsehung, Dämonen und Weissagung (BAW), Stuttgart 1952.

b) Spezialarbeiten zu De latenter vivendo

A. BARIGAZZI, Una declamazione contro Epicuro: *De latenter vivendo* (Studi e testi 12), Florenz 1994, in: DERS., Studi su Plutarco, 1996, 115-140.

G.M. LATTANZI, La composizione del De latenter vivendo di Plutarco, in: RFIC 60 (1932) 332-337.

O. SEEL, Zu Plutarchs Schrift De latenter vivendo (Plut. Mor. 75, 1128a – 1130c, VI 479 Bernard.), in: Antidosis (FS W. Kraus) (WSt.Beih 5), Wien 1972, 357-380.

c) Weitere, häufiger zitierte Literatur zu Plutarch

H.D. BETZ, Observations on Some Gnosticizing Passages in Plutarch, in: DERS., Hellenismus und Urchristentum. Gesammelte Aufsätze I, Tübingen 1990, 136-146.

DERS. (Hrsg.), Plutarch's Theological Writings and Early Christian Literature (SCHNT 3), Leiden 1975.

DERS. (Hrsg.), Plutarch's Ethical Writings and Early Christian Literature (SCHNT 4), Leiden 1978.

U. BIANCHI, Plutarch und der Dualismus, in: ANRW II/36.1 (1987) 350-365.

F.E. BRENK, An Imperial Heritage: The Religious Spirit of Plutarch of Chaironeia, in: ANRW II 36.2 (1987) 248-349.

DERS., In Mist Apparelled. Religious Themes in Plutarch's Moralia and Lives (Mn.Suppl. 48), Leiden 1977.

H. DÖRRIE, Gnostische Spuren bei Plutarch, in: Studies in Gnosticism and Hellenistic Religions (FS G. Quispel) (EPRO 91), Leiden 1981, 92-117.

R. FELDMEIER, Philosoph und Priester: Plutarch als Theologe, in: *Mousopolos Stephanos* (FS H. Görgemanns). Heidelberg 1998, 412-425.

R. FLACELIÈRE, Introduction générale I: Plutarque dans ses „Oeuvres morales", in: Plutarque, Oeuvres morales, Bd. 1, Tl. 1 (CUF), Paris 1987, Vii-ccxxvii.

PH.R. HARDIE, Plutarch and the Interpretation of Myth, in: ANRW II/33.6 (19XX) 4743-4787.

R. HIRZEL, Plutarch, Leipzig 1912.

H.G. INGENKAMP, Plutarchs Schriften über die Heilung der Seele (Hyp. 34), Göttingen 1971.

F. KRAUSS, Die rhetorischen Schriften Plutarchs – ihre Stellung im Plutarchischen Schriftenkorpus, Diss. Nürnberg 1912.

J. MOSSMAN (Hrsg.), Plutarch and his Intellectual World, London 1997.

D.A. RUSSELL, Plutarch (Classical Life and Letters), London 1973.

L. SENZASONO, Health and Politics in Plutarch's *de tuenda sanitate praecepta*, in: J. MOSSMAN (Hrsg.), Plutarch and his Intellectual World, London 1997, 113-118.
L. VAN DER STOCKT (Hrsg.), Plutarchea Lovaniensia. A Miscellany of Essays on Plutarch (StHell 32), Löwen 1996.
A. STROBACH, Plutarch und die Sprachen. Ein Beitrag zur Fremdsprachenproblematik in der Antike [Palingenesia 64], Stuttgart 1997.
K. ZIEGLER, Art. Plutarchos, in: PRE 21.1 (1951) 636-962; auch als Buchausgabe: Stuttgart ^{2}1964.

d) Zur Auseinandersetzung mit Epikur

H. ADAM, Plutarchs Schrift Non posse suaviter vivi secundum Epicurum (SAPh 4), Amsterdam 1974.
J. BOULOGNE, Plutarque et l'épicurisme, Diss. Paris 1986.
M. ERLER, Epikur, in: F. RICKEN (Hrsg.), Philosophen der Antike II (Urban-TB 459), Stuttgart 1996, 40-60. (zitiert als *Epikur*)
M. ERLER, Epikur / Die Schule Epikurs / Lukrez, in: H. FLASHAR (Hrsg.), Die Philosophie der Antike. Bd. 4: Die hellenistische Philosophie (Grundriß der Geschichte der Philosophie), Basel 1994, 29-202.203-380.381-490. (zitiert als *Philosophie*)
J. FERGUSON, Epicureanism under the Roman Empire, in: ANRW II/36.4 (1990) 2257-2327.
R. FLACELIÈRE, Plutarque et l'épicurisme, in: Epicurea in memoriam Hectoris Bignone, Genua 1959, 197-215.
I. GALLO (HRSG.), Aspetti dello Stoicismo e dell' Epicureismo in Plutarco (Atti del II convegno di studi su Plutarco, Ferrara 1987), Ferrara 1988.
J. P. HERSHBELL, Plutarch and Epicureanism, in: ANRW II/36.5 (1992) 3351-3383.
M. HOSSENFELDER, Epikur (BsR 520), München ^{2}1998.
D. OBBINK, The Atheism of Epicurus, in: GRBS 30 (1989) 187-223.
W. SCHMID, Art. Epikur, in: RAC V, 681-819.
K.-D. ZACHER, Plutarchs Kritik an der Lustlehre Epikurs. Ein Kommentar zu Non posse suaviter vivere secundum Epicurum: Kap. 1–8 (BKP 124), Königstein 1982.

e) Sonstige, häufiger zitierte Literatur

K. ALT, Weltflucht und Weltbejahung. Zur Frage des Dualismus bei Plutarch, Numenios, Plotin (AAWLM 1993/8), Stuttgart 1993.

J.P. HERSHBELL, Plutarch, in: F. RICKEN (Hrsg.), Philosophen der Antike II, Stuttgart 1996, 169-183.

C.A. HUFFMAN, Die Pythgoreer, in: F. RICKEN, Philosophen 52-72.

H.J. KLAUCK, Die religiöse Umwelt des Urchristentums. Bd.1: Stadt- und Hausreligion, Mysterienkulte, Volksglaube; Bd.2: Herrscher- und Kaiserkult, Philosophie, Gnosis (KStTh 9/1-2), Stuttgart 1995/96.

H. LAUSBERG, Handbuch der literarischen Rhetorik. Eine Grundlegung der Literaturwissenschaft, Stuttgart [3]1990, §§ 564; 1067-1070.

M. P. NILSSON, Geschichte der griechischen Religion. Erster Band: Die Religion Griechenlands bis auf die griechische Weltherrschaft; Zweiter Band: Die hellenistische und römische Zeit (HAW V/2.1.2), München [4]1976-1988.

F. RICKEN (Hrsg.), Philosophen der Antike I-II (Urban-Tb 458/59), Stuttgart 1996.

Register

Namen und Sachen

Griechische Begriffe

Stellen

Pagane Literatur